21세기 이스라엘 경제성장의 비밀

START-UP
NATION

START-UP NATION

창업국가

댄 세노르 · 사울 싱어 지음

윤종록 옮김

The Story of Israel's Economic Miracle

다홀미디어

성공과 도전의 이야기를 전하며

저는 2005년에 한국을 방문하면서 KT와 삼성전자를 직접 살펴보고, 이스라엘처럼 로켓포의 사정권에서 일하는 그들임에도 불구하고 세계 최고를 지향하는 자신감과 열정을 갖고 있다는 데 놀라움을 금치 못한 기억이 있습니다. 이제 대한민국과 같은 해에 태어난 건국 60여 년의 우리 이야기가 한국의 독자 여러분에게 읽히게 되어 무척 행복합니다. 우리 두 나라는 질곡의 역사와 자원의 빈곤 속에서도 가장 성공적인 국가를 만들어왔으며 서로가 배울 점이 많다고 생각하기 때문입니다.

이 책의 제목인 '창업국가'는 과학기술을 근간으로 성공한 이야기만을 의미하지 않습니다. 우리의 역사가 보여주듯이 항상 우리를 둘러싸고 있는 적들로부터의 위협과 고통의 아픈 기억으로부터 최소한의 울타리를 만들려는, 소박하지만 절박한 본능에서 나온 도전의 이야기입니다.

우리가 가진 자랑할 만한 큰 자산은 성공하겠다는 열망, 그리고 그간의 어려웠던 역사를 바꾸기 위해 그것을 실행하려는 에너지뿐 입니다. 그 밖의 모든 우리만의 비밀은 그간 두 번이나 만나서 서로 많은 이야기를 나눈 나의 친구 윤종록(전 KT 상임이사)이 번역한 이 책에 다 담겨 있습니다.

우리의 자산인 젊은이들에게 국가는 창조하고, 아이디어를 실험해 보고 우리나라의 미래를 이끌어 가는 책임을 지도록 이끌어주며 격려했을 뿐입니다. 고맙고 다행스럽게도 우리의 나이 어린 젊은이들은 망설임 없이 나섰고 무한한 상상력과 도전하는 기쁨 속에 이 세상에 아직 창조되지 않은 것을 실현시키기 위해 매진해 왔습니다. 이제 더 이상 우리는 자원이 없는 국가의 신세를 한탄하지 않습니다. 인구 710만 명의 이 나라가 자연자원은 전무하지만 지식자원은 세계에서 다섯 손가락 안에 들기 때문입니다. 그 노하우가 이 책에 담겨 있습니다.

나는 한국의 독자들이 이스라엘의 성공이 정부의 잘된 정책에 의존했기 때문이라고 오해하지 않기 바랍니다. 우리는 그들에게 전혀 간섭하지 않았습니다. 그 점이 우리나라의 국가경영에 있어서 가장 잘한 일이라고 생각합니다. 국민들이 성공을 이루어낸 주연이 되도록 항상 그들의 이야기를 귀담아 듣고 격려했을 뿐입니다.

이 책의 모든 내용은 하나도 빠지지 않고 실제로 일어난 이야기입니다. 그것은 이스라엘에서 일어났지만 한국에서도 일어나고 있으며 다른 세계 곳곳에서도 일어나게 될 것입니다. 삶의 질을 높이고 우리 모두가 진일보할 수 있도록 도와주는 가치 있는 이야기들 입니다. 이제 이 책이 한국의 다양한 계층에서 우리의 경험과 결부되어 자연자원이 없는 것이 오히려 축복임을 알게 하고 더 큰 가치를 만들 수 있기를 기대합니다.

2010년 8월

에후드 올메르트 (이스라엘 전 총리)

창의력의 나라, 한국의 독자 여러분께

우리는 이 시대의 새로운 국가경영을 화두로 혁신에 기반을 둔 창업이라는 경제적 가치를 책으로 펴냈습니다. 이제 이 책이 우리가 그토록 가보고 싶었던 한국의 독자들에게 읽히게 되었다니 행복이 두 배로 늘어남을 느낍니다.

한국과 이스라엘은 다양한 이해관계를 공유하고 있습니다. 우선 두 나라는 생존 그 자체에 대한 위협에 끊임없이 맞서지 않으면 안 되는 역경의 역사를 갖고 있습니다. 지금도 두 나라는 비행기나 배가 아니면 다른 나라로 연결될 수 없는 물리적인 고립국가입니다. 그러나 이런 역경은 오히려 두 나라가 더 열심히 더 빨리 앞서가도록 재촉하는 채찍질이 되었고, 두 나라를 성공적인 국가로 만드는 데 기여할 수 있었습니다. 두 나라는 여기에서 그치지 않고 달려가는 역동성을 잘 보여주고 있습니다.

사실 한국은 갓 60세를 넘긴 이스라엘보다 더 먼 길을 더 빨리 달려온 저력을 가지고 있습니다. 장거리 마라톤을 쉼 없이 달려왔고 마지막 스퍼트를 더 빨리 달리며 골인 지점을 향해가고 있는 잘 훈련된 마라토너와 같습니다.

이스라엘에 비해 경제 규모도 크고, 거대 성공기업을 많이 육성시킨 한국은 규모는 작으나 혁신적 가치를 역동적 사업으로 만드는 하이테크 기업 국가 이스라엘과는 확실히 상대적이며 때론 보완적인 나라입니다. 이런 관점에서 두 나라는 잠재적으로 좋은 결합 파트너가 될 수 있다고 생각합니다. 미국의 성공적인 대기업들이 그래왔듯이, 이스라엘의 역동성을 근면하고 성실하기로 정평이 나 있는 한국인의 창의력과 결합하면 양국의 더 많은 잠재력을 일깨울 수 있을 것입니다.

이 책은 111명의 인사들을 직접 만나 인터뷰하거나 언론을 통해 밝혀진 내용을 직접 요약하여 구성했습니다. 우리는 전 세계의 유대인들을 불러들여 70여개 민족으로 구성된 나라, 남녀 모두 고등학교 졸업 직후 국방의 의무를 지는 나라, 분쟁으로 포탄이 떨어지는 숫자에 비례해 경제가 성장하는 불가사의한 나라, 하버드나 예일과 같은 세계 유수의 대학보다 탈피오트 부대 출신의 엘리트를 더 선호하는 나라의 이야기를 꼭 들려주고 싶습니다. 이 시점에서 자원이 없는 나라의 생존법을 꼭 알아야 한다고 생각하기 때문입니다.

우리가 만든 이 책을 계기로 많은 한국의 독자들이 직접 이스라엘에 와서 창업의 천국 이스라엘을 보고 느끼고 이해하는 기회를 가질 수 있기를 희망합니다. 아울러 이 책이 자원이 없는 나라, 대한민국의 21세기 국가경영에 참고가 되기를 바랍니다.

2010년 7월
뉴욕과 예루살렘에서
댄 세노르, 사울 싱어

혁신을 가능케 하는 기업가 정신, 그리고 이스라엘

이 책은 혁신과 그것을 가능케 하는 기업가 정신에 관한 내용, 그리고 아주 작은 신생국가 이스라엘이란 나라가 어떻게 소년기를 거쳐 혈기왕성한 청년기로 접어들 수 있었는지에 대한 두 가지 내용을 담고 있다.

아울러 이 책에는 수많은 하이테크 기업이 거론되고 있으나 기술에 관한 책은 결코 아니다. 비록 현대 사회를 지탱하고 있는 기술에 우리 모두가 매료되어 있긴 하지만 우리의 초점은 혁신적인 비즈니스 아이디어를 끊임없이 샘솟게 하는 이스라엘의 역동 방식과 구조에 맞춰져 있다.

또한 이 책은 사실에 대한 설명, 이슈에 대한 논쟁 그리고 이야기 서술(스토리텔링) 등 다양한 형식으로 구성되어 있다. 독자들은 여기에 등장하는 여러 회사들이 연대별로, 또는 이스라엘의 혁신 모델에 맞는 몇 가지 핵심 요인별로 서술되어 있기를 기대할지 모르나 우리는 그런 편집의 유혹을 과감히 떨쳐버리고 여기저기서 끼워 맞추는 모자이크 방식의 서술을 택했다.

우리는 먼저 이스라엘의 역사와 문화를 조사했고 이 같은 창의적 에너지가 어디에서 나오는지를 알 수 있는 몇몇 회사들을 선정하여 그들의 이야기를 모았다. 우리는 많은 경제학자들을 인터뷰했고 그들의 관점을 공부했으나 결국 우리가 학교에서 공부한 역사나 기업경영 그리고 지정학으로 귀결되고 말았다. 우리 중 한 명(댄)은 경영학과 행정학을 공부했고, 또 다른 한 명(사울)은 행정학과 언론학을 공부했다. 댄은 이스라엘에서 살면서 공부하고 일했으며 주로 아랍세계를 여행했지만 지금은 미국에 사는 뉴요커이고, 사울은 미국에서 성장하여 지금은 예루살렘에 거주하고 있다.

댄은 벤처 투자가로서 이스라엘 회사에 주로 투자를 해오고 있다. 그러나 이 책에는 댄이 함께 투자했던 몇몇의 인물 이외 댄이 투자했던 회사는 단 한군데도 거론되지 않았다.

우리는 조사과정에서 이스라엘 경제 기적의 이면에 감춰져 있는 많은 감동적인 이야기들을 발견했고 이것이 우리가 이 책을 쓰는 동기가 되었다. 따라서 우리는 그간 외부에 드러나지 않은 이스라엘의 감춰진 부분을 많이 다루고자 한다. 아울러 국제 언론에 의해 잘못 알려진 사실들만 알고 있는 독자들은 깜짝 놀라겠지만 우리는 이스라엘의 지속 성장을 위협하는 요인들도 기술했다.

또한 중요한 화두 두 가지를 제시했는데, 첫째 미국의 경우 이스라엘과 달리 왜 군대 경험이란 중요한 자산이 혁신과 기업가 정신으로 활용되지 못하고 있는가 하는 점과, 두 번째 아랍 세계는 왜 기업가 정신을 육성하는데 어려움이 많은가 하는 점이다. 이 두 가지는 이 책의 주제를 벗어나기는 하지만 생각해 볼만한 가치가 있는 이슈여서 책 전반에 걸쳐 조금씩 다루었다.

비록 많은 언론매체들이 연일 이스라엘에 대해 다루고 있다고는 하지만 한 가지 빠뜨리고 있는 부분이 있다면 그것은 세계에서 가장 혁신적이고 기업가 정신이 왕성한 곳이 바로 이스라엘이라는 사실이다. 따라서 이 책을 통해 그 사실을 전 세계에 전하고자 한다.

차 례

좋은 연설이네만, 그래서 어떻게 하겠다는 건가?

– 시몬 페레스가 샤이 아가시에게

들어가는 글
불황을 모르는 그들

전혀 어울리지 않는 두 남자가 스위스 알프스 산장에 있는 쉐라톤 호텔의 우아한 스위트룸에 앉아 누군가를 기다리고 있었다. 잡담을 나눌 상황은 아니었고 그저 긴장한 눈빛만 서로 교환하고 있었다. 나이 든 남자는 젊은 남자의 두 배가 넘는 나이로 웬만한 일에는 쉽게 낙담하지 않는 편이었으며, 이때도 좀 더 조용해보였다. 젊은이는 원래 자신감이 넘치는 사람이었지만 자신의 제안이 거절되는 상황이 반복되자 의구심이 들기 시작한 참이었다. '이번엔 과연 세계 3대 자동차회사로부터 투자유치가 가능할까?' 그는 곧 시작될 다음 회의를 초조하게 기다렸다.

나이 든 남자가 왜 자청해서 이런 번거롭고 굴욕스런 모험을 하려는지는 알 수 없었다. 그는 세상에서 가장 유명한 이스라엘인이며, 두 번의 임기를 마친 학식 있는 총리이자 노벨평화상 수상자였다. 83살의 고령에 접어든 시몬 페레스(Shimon Peres)에게는 새로운 모험이 필요 없었다.

회의 일정을 잡는 것만도 어려움이 많았다. 시몬 페레스는 매년 스위스 다보스에서 열리는 세계경제포럼의 단골 참석자였다. 기자들의 관심거리는 단연 이 화려한 비즈니스 잔치에서 아랍의 유력자가 페레스와 악수할 건지에 있었지만, 페레스는 CEO들이 가장 만나고 싶어하는 유명한 지도자 중 한 사람이었다.

　페레스가 세계에서 가장 큰 자동차 제조업체 5개사의 CEO들을 초대했을 때, 그는 그들이 다 나타날 줄 알았다. 그러나 아직 '세계금융위기가 닥치기 전'이었던 2007년 초, 미국 자동차 업계의 '빅3 회사'인 지엠·포드·크라이슬러는 응답조차 하지 않았다. 또 다른 업체의 경우 임원이 오긴 했지만, 그는 페레스의 아이디어가 실현 불가능하다고 말하는 데 25분을 쏟았다. 그는 애초 자동차 전문가도 아닌 이스라엘 리더의 꿈같은 생각에서 출발한, 석유 대신 전기 자동차가 다니는 세상으로 바꾸는 일에는 관심이 없었거니와 설사 관심이 있었다 하더라도 그런 일을 이스라엘과 같은 작은 나라에서 시작할 수 있으리라고는 생각지 않았다.

　"샤이 아가시(Shai Agassi)가 쓴 글을 읽어 봤습니다." 그 임원은 페레스가 초대장과 함께 보낸 글을 언급하며 이야기를 이어갔다. "그는 꿈을 꾸고 있더군요. 그런 차는 있을 수 없습니다. 우리도 시도해 보았지만 끝내 만들지 못했지요." 그는 전기와 휘발유를 함께 사용할 수 있는 하이브리드 자동차만이 현실적인 솔루션이라고 설명하기 시작했다.

　한 쌍의 남자 중 젊은 남자는 샤이 아가시로, 페레스 옆에서 자신의 아이디어를 열심히 설명하고 있었다. 아가시는 당시 세계에서 가장 큰 기업용 소프트웨어 회사인 SAP의 임원이었다. 그는 독일의 거대 기술회사 SAP가 아가시가 창업한 벤처회사 탑 티어 소프트웨어(Top Tier Software)를 4억 달러에 인수한 다음인 2000년에 SAP에 입사했다. 이 기업 거래의 사례는 기술거품은 붕괴했지만 그래도 이스라엘 회사들이 그 이전의 기업 가치를 인정받을 수 있다는 것을 보여주었다.

아가시는 24살의 나이에 탑 티어를 설립했다. 15년 후 그는 SAP 산하 두 개 자회사의 우두머리이자 유일하게 독일사람이 아닌, 그것도 최연소자로 SAP 이사가 되었다. 잠시 CEO 후보자 명단에 올라간 적도 있지만 서른아홉의 나이에 그 자리에 오르지 못했더라도 언젠가는 CEO가 될 거라는 자신감이 있었다.

당시 아가시는 이스라엘의 차기 대통령과 함께 세계 굴지의 자동차 회사 임원에게 미래 자동차 산업에 대해 설명하고 있었지만 그도 실험적인 생각으로 시작한 아이디어가 터무니 없는 것은 아닌지 슬슬 의구심이 들기 시작했다. 이 아이디어는 2년 전 젊은 지도자들을 위한 포럼인 '베이비 다보스'에서 2030년까지 '더 살기 좋은 세상'을 만들자는 도전으로 시작되었다. 대부분의 참가자들은 자신들의 사업을 좀 더 개선한다는 정도의 제안을 했지만 아가시는 너무 거창한 아이디어를 낸 나머지 사람들이 그를 순진하다고 여길 정도였다. 아가시는 "한 나라를 석유로부터 독립시키겠다."고 밝혔던 것이다.

아가시는 어느 한 국가라도 석유에서 자유로워질 수 있다는 것을 입증하면 다른 나라들도 이를 따를 것이라고 확신했다. 그 혁명의 첫 단계가 석유가 필요 없는 전기 자동차를 만드는 것이었다. 그러나 이것 하나만 가지고 혁신적인 통찰력이라고는 할 수 없었다.

아가시는 자동차를 구동할 수 있는 특별한 기술을 찾아보았고 수소연료 전지도 고려했지만 적어도 10년 이상은 걸릴 것이라는 사실에 포기했다. 그 래서 그는 가장 단순한 시스템인 충전된 전지로 가는 전기 자동차에 초점을 맞췄다. 이 개념은 과거에도 제한이 너무 많았고 비용이 비싸 설득력이 없었지만, 그는 그런 자동차를 만드는 게 가능할 뿐 아니라 소비자들로 하여 금 선호하게 만들 해결책이 있다고 생각했다. 만약 전기차가 저렴하고 편리 하고 석유차와 같은 성능의 힘을 낼 수 있다면 누가 전기 자동차를 마다할 것인가?

전쟁에 휘말리고 세계인구의 1,000분의 1밖에 안 되는 작은 나라에 살고 있지만 이스라엘 사람들은 가능성에 대해 틀에 박힌 생각을 하지 않는다. 나 중에 페레스가 말한 대로 항상 '불만족하여' 더 만족스러운 결과를 추구하 는 것이 이스라엘인들의 본성이라면, 아가시가 보여주는 것 또한 이스라엘 의 민족정신에 다름없다.

만약 페레스가 없었다면 아가시는 자신의 아이디어를 감히 추구할 수 없 었을 것이다. 페레스는 아가시의 석유 독립에 대한 연설을 듣고 "좋은 연설 이네만, 그래서 어떻게 하겠다는 건가?"라고 물었다.

그때까지만 해도 실험적인 생각이었기에 아가시는 "퍼즐을 푸는 과정입 니다."라고 말했다. 그러나 페레스는 그에게 명확한 조건을 내걸며 도전해 왔다. "정말 그렇게 만들 수 있겠나? 석유 독립보다 더 중요한 일은 없네. 자 네가 그 일을 하지 않으면 누가 할 것인가?" 그리고 마지막으로 덧붙였다. "내가 어떻게 도와주면 되겠나?"

페레스는 아가시를 돕는 일에 진지했다. 크리스마스가 지나고 2007년이 시작되자마자 아가시를 위해 총리를 포함한 정부 지도자들과 이스라엘 최고의 산업계 인사들과 50회도 넘는 미팅을 주선했다. 아가시는 "매일 아침 페레스의 사무실에서 만나 전날의 미팅을 보고했고 페레스는 그 다음날의 미팅을 주선해 주었다."고 회고했다. "페레스 없이 그런 미팅 기회를 마련한다는 것은 불가능했다."

페레스는 세계에서 가장 큰 자동차 제조업체 5개사에 아가시의 아이디어를 초대장에 동봉하여 보냈다. 그래서 그들을 만나기 위해 스위스 호텔에 와 있는 것이었고 어쩌면 마지막이 될지도 모르는 기회를 기다리고 있었다. 아가시는 "그 첫 미팅까지 페레스는 소프트웨어 전문가인 내 이야기만 들어 주었다. 내가 무얼 알았겠는가? 그러나 페레스는 내게 모험을 건 것이었다."고 말했다. 이 다보스 미팅은 페레스가 아가시의 아이디어를 처음으로 자동차 산업의 임원들에게 던져 보는 기회이다. 그러나 첫 번째로 만난 업체의 임원은 아이디어를 묵살했을 뿐 아니라 페레스에게 그 아이디어를 폐기하라고 했다. 아가시는 "당시 나는 페레스 같은 국제적인 정치인으로 하여금 정신나간 얘기를 하도록 만드는 것 같아 죽고 싶은 심정이었다."고 말했다.

두 번째 미팅이 시작됐다. 르노 닛산의 CEO 카를로스 곤(Carlos Ghosn)은 비즈니스 세계에서 최고의 책략가라는 명성이 자자한 사람이었다. 그는 브라질에서 태어나 레바논인 부모 밑에서 성장했다. 그가 일본에서 유명한 이유는 대규모 손실을 입은 닛산을 떠맡아 2년만에 흑자를 보게 했기 때문이었다. 거기에 감동한 일본인들은 그의 일대기를 재미있는 만화 시리즈로 만들어 보답했다.

페레스는 아주 조용하게 이야기했기 때문에 곤은 그의 말을 거의 알아들을 수가 없었다. 그러나 아가시는 큰 충격을 받았다. 첫 미팅에서 부정적인 피드백만 받았기 때문에 페레스에게서 이런 얘기가 나오지 않을까 걱정했던 것이다. '아가시는 전력 그물망을 만든다는 말도 안 되는 생각을 가지고 있습니다. 그에게 설명해보라고 할 테니 당신 생각을 그에게 직접 말해주시오.' 그러나 페레스는 점점 더 힘차고 활기차게 격려의 메시지를 이어갔다.

페레스는 곤에게 석유의 시대는 이제 끝났으며, 아직 석유가 나오고 있을지언정 세상은 석유를 더는 필요로 하지 않는다고 말했다. 페레스는 더 중요한 것은 석유가 테러리스트들의 자금줄 역할을 하는 것이라고 강조했다. "로켓 방어를 필요 없게 만들려면 로켓을 발사할 수 있게 하는 자금조달부터 차단해야 합니다."라고 페레스는 지적했다.

페레스는 그런 대책 기술은 아직 존재하지 않는다는 반론을 묵살하려 했다. 그는 큰 자동차 회사들이 이미 여러 가지 융합 기술—하이브리드 자동차, 플러그인 하이브리드차, 초소형 전기자동차—을 시도하고 있다는 것을 알고 있었다. 그러나 그중에서 새로운 시대에 걸맞는 자동차 기술은 찾아볼 수 없었다.

페레스가 5분 정도 말하고 있었을 때 곤이 끼어들며 "아가시의 글을 읽어보았습니다."라고 말했다. 페레스와 아가시는 '이 사람도 부정적인 생각을 가지고 있구나.' 하는 생각이 들었지만 여기에 위축되지 않으려고 노력했다. "아가시의 생각은 전적으로 옳아요. 우리도 똑같은 생각을 하고 있고 미래는 전기에 있다고 믿습니다. 우리가 추구하는 자동차가 분명히 있고 거기에 알맞는 축전지 또한 분명히 있다고 생각합니다."

몇 분 전만 하더라도 전기차는 실현될 가능성이 없고 하이브리드차만 가능하다는 열변을 들었는데, 페레스는 곤의 말에 놀라 말문이 막히고 말았다. 페레스와 아가시는 하이브리드차를 추구하는 일은 무의미하다고 확신했다. 두 개의 구동장치가 있는 자동차가 무슨 의미가 있겠는가? 지금의 하이브리드차는 비용이 엄청난 데 반해 연료 효율성의 증가는 20퍼센트에 불과하며 석유로부터 독립하는 것과는 거리가 먼 것이었다. 페레스와 아가시가 보기에 하이브리드차는 총상을 반창고로 치료하려는 것과 같은 대책이었다.

그러나 이 둘은 여태까지 자동차 제조업체가 그런 긍정적인 말을 하는 것을 본 적이 없었기에 페레스가 곤에게 불쑥 질문을 던져보았다. "그럼 하이브리드차에 대해서는 어떻게 생각하나요?" "하이브리드차는 아무 의미가 없습니다."라고 곤은 자신있게 대답했다. "하이브리드차는 꼭 인어 같습니다. 물고기인 것 같으면서 여자이고, 여자인 것 같으면서도 물고기니까요."

페레스와 아가시는 안도의 웃음을 터트렸다. 그들의 비전을 함께 할 진정한 파트너를 찾은 것일까? 이제는 곤이 걱정할 차례였다. 그는 낙관적이었지만 전기 자동차를 구현하는 데는 여전히 장애물들이 도사리고 있었기 때문이다. 축전지 값은 너무 비쌌으며, 충전 한계는 기존 휘발유 탱크의 절반도 안 되고, 재충전하는 시간이 너무 길었다. 소비자들이 비용과 편의의 대가를 치뤄야 하는 한 '친환경 자동차' 시장은 규모가 아주 작은 시장이 될 게 뻔했다.

페레스는 아가시를 만나기 전까지 자기도 남들과 다를 바 없이 의혹을 품었다고 말했다. 그 말은 앞으로 10년 이상 기다려야 나올까 말까 하는 기적의 축전지 이야기가 아니라 기존의 기술로 그 부분에 대해 아가시가 설명할 것이라는 사인이기도 했다. 곤은 이제 아가시를 주목했다.

아가시의 아이디어는 간단하면서도 혁신적이었다. 전기차가 비싸게 느껴졌던 것은 배터리가 비쌌기 때문이다. 축전지가 있는 차를 파는 것은 몇 년 동안 운전할 수 있을 만큼의 휘발유를 넣어서 파는 것과 같은 개념으로 설명할 수 있었다. 그러나 단지 운용 비용을 고려한다면 1마일당 7센트가 안 되는 전기차가 훨씬 더 저렴하다(전기료와 배터리를 포함한 가격이다). 휘발유 값을 갤런당 2.50달러로 잡으면 1마일당 10센트가 된다. 만약 휘발유값이 갤런당 4달러가 되면 차이에 큰 틈이 생긴다. 만약 차를 살 때 배터리 값을 내지 않고 그 비용을 차를 소유하고 있는 동안 나눈다면 어떻게 될까? 그렇게 되면 전기차는 가솔린차 만큼이나 값이 내려가고 전기값을 포함한 배터리 비용은 휘발유 값보다 눈에 띄게 저렴해지고 그러면 전기차의 경제성이 뒤바뀔 것이다. 길게 내다 본다면 배터리 값이 더 저렴해질 것이고, 그렇게 되면 비용 면에서 상당한 장점이 생기게 된다.

가격의 장벽을 극복하는 것이 획기적이긴 했지만 그래도 전기차는 헨리 포드가 100년 전에 만들어 놓은 교통 모델을 바꿔놓은 이른바 '자동차 2.0' 이 되기에는 부족했다. 5분 동안 채운 가솔린차는 300마일을 갈 수 있는데 곤은 전기차가 어떻게 그런 차와 경쟁할 수 있을지 곰곰히 생각해 보았다.

아가시의 답은 주유소와 같은 적극적인 충전 인프라였다. 주차 장소에 전지 교환소를 설정해서 새로운 스마트 그리드(smart grid, 지능형 전력망 시스템을 말한다.)에 연결하는 것이다. 대개는 집에서나 일터에서 충전을 하면 하루의 쓸 양은 충분하다. 그러나 장거리를 가는 경우에는 전지 교환소에서 휘발유를 채우는 시간인 5분 동안 축전지를 완전히 교환하는 것이다. 아가시는 이스라엘 전 육군 대장을 초빙하여 회사의 지역 CEO로 만들고 그리드 계획 입안과 충전 주차 장소의 전국 네트워크를 이끌어 가게 할 생각이었다.

그 모델의 중요한 포인트는 차는 소비자가 소유하되 축전지는 아가시의 창업벤처 회사인 베터 플레이스(Better Place)가 소유하는 것이다. "휴대전화를 생각해 보세요. 전화 통신사에서는 원하면 전체 가격을 지불하고 약정을 안할 수 있지요. 그러나 대부분의 사람들이 전화를 무료로 받거나 아니면 보조금을 받으려고 2~3년 간의 약정을 합니다. 소비자들의 통화 시간의 비용이 전화기 값에 포함되는 거지요."

아가시의 설명에 따르면 전기차도 그렇게 할 수 있다. 베터 플레이스가 전화 통신사 역할을 하는 것이다. 기존의 차 딜러와 시간으로 약정하여 가입하는 것이 아니라 마일로 전기차를 소유하는 것이다. 그러나 구매자는 축전지를 소유하지 않고 대신 베터 플레이스가 소유한다. 회사는 차 값과 축전지 비용을 4년 또는 그 이상의 시간 동안 나눌 수 있다. 소비자가 보통 쓰는 한 달 휘발유 비용을 축전지와 전기값에 쓰는 것이다. "소비자의 입장에서는 전기차로 녹색환경을 만드는 비용이 기존의 엔진을 탑재한 차와 휘발유 비용보다 더 저렴할 겁니다."라고 아가시가 말했다.

아가시는 페레스가 던졌던 또 다른 질문에 답하기 시작했다. 왜 하필이면 이스라엘에서 시작해야 하나? 아가시는 곧에게 첫 번째 이유는 이스라엘의 국토 면적 때문이라고 말했다. 이스라엘은 전기차를 시도하기에 완벽한 시험 대상 국가라고 했다. 이스라엘은 작은 나라이기도 하지만 적대적인 이웃 나라들 때문에 고립된 '교통의 섬'이기도 했다. 이스라엘이 국경을 넘나들지 못하는 이유 때문에 운전할 수 있는 거리가 가장 짧은 나라 중의 하나였기 때문이다. 그래서 초기에 베터 플레이스가 세워야 할 전지 교환소 수를 최소로 할 수 있다는 이점을 갖고 있었다. 이스라엘을 고립시킨 적들이 아가시의 아이디어를 시도해 볼 수 있는 실험실을 만들어 준 셈이다.

두 번째로 이스라엘에서는 석유 의존에 따른 금전적, 환경적인 중요성도 있지만 그 석유의 돈이 위태로운 정권의 손아귀에 들어가 안보에 심각한 위험을 끼치는 것을 차단하는 것도 큰 의미가 있다. 세 번째로 이스라엘 사람들은 신기술을 빨리 받아들이는 '얼리 어댑터'의 기질을 갖고 있다. 이스라엘은 지금까지 인터넷에 가장 많은 시간을 소비한 국가였고 휴대전화 보급률은 125퍼센트에 이른다. 이는 많은 사람들이 하나 이상의 휴대전화를 사용한다는 의미이다.

게다가 아가시는 이스라엘에는 스마트 그리드를 만드는 소프트웨어를 스스로 만들 수 있는 인적 자원이 충분하다고 믿었다. 이는 자동차들을 사용 가능한 충전 장소로 손쉽게 안내하고 수백만 대의 자동차들의 충전을 물 흐르듯이 잘 관리하는 것을 의미한다. 최고의 엔지니어와 세계에서 가장 높은 연구개발비를 자랑하고 있는 이스라엘은 애초부터 이런 시도를 하기에 가장 적합한 조건을 갖춘 곳이었다.

아가시는 한 단계를 넘어 생각했다. 인텔(Intel)이 이스라엘에서 세계 최첨단의 가장 세련된 칩을 대량생산할 수 있다면, 왜 르노 닛산(Renault-Nissan)은 세계에서 가장 좋은 차를 제작하지 못할까? 곤은 적어도 연간 5만 대 이상의 차를 생산할 수 있는 규모가 되어야만 가능하다고 답했다. 페레스는 눈도 깜짝 안 하고 연간 10만 대를 생산하겠다고 그 자리에서 약속했다. 페레스가 약속만 지킨다면 곤은 이제 그들과 한 배를 탄 셈이었다.

이제 아가시는 세 가지 약속을 해야 했다. 그가 필요한 것은 국가, 자동차

회사, 그리고 자금이었다. 어느 하나를 얻자면 나머지 두 가지가 필요했다. 예를 들면 페레스와 아가시는 당시 에후드 올메르트(Ehud Olmert) 총리에게 이스라엘을 석유에서 독립한 첫 번째 나라로 만들겠다는 다짐을 받으러 갔는데, 그렇게 하기 전에 총리는 두 가지 조건을 내세웠다. 아가시가 다섯 개의 자동차 제작회사 중 하나와 계약하고 스마트 그리드를 만드는 데 필요한 자금 2억 달러를 모아 전국에 흩어져 있는 주차 공간 50만 곳을 충전 장소로 만들고 충전지 교환소를 구축해야 한다는 것이다. 차 제조업체는 해결됐으니 올메르트의 두 번째 조건인 자금을 충족할 차례였다.

아가시는 그의 깜짝 아이디어를 본격적으로 진행시키기 위해 SAP에서 사임함으로써 업계를 놀라게 했다. 주위의 투자자들은 유망 산업인 자동차를 석유에서 전기로 개념을 바꾸는 계획에 적극적이지 않았다. 뿐만 아니라 전기차는 충전망 없이는 무용지물이었기에 그에 대한 인프라가 구축돼야만 상당한 숫자의 차들이 운행될 수 있었다. 그 뜻은 처음부터 나라 전체를 유선으로 연결시키는 데 2억 달러를 쓴다는 말인데 그런 자본지출은 모든 투자자들로 하여금 다시 한번 생각하게 만들었다. 2000년에 기술거품이 붕괴된 후로는 벤처 투자가들이 훨씬 더 신중해졌고 아무도 가시적 이익을 담보하기 전에는 선뜻 투자에 나서지 않았다.

그래도 예외는 있었다. 이스라엘의 최대그룹인 이스라엘 코퍼레이션의 최고경영자 이단 오페르(Idan Ofer)는 중국 자동차 제조업체인 체리 오토모바일의 주요 지분을 확보하여 이스라엘인으로서 중국에 가장 큰 투자를 한 사람이다. 그는 6개월 전에 정유소도 하나 구입하는 등 석유산업과 자동차에 대해 박식한 사람이었다. 그런데 베터 플레이스의 초기 미국 투자가인 마이크

그라노프(Mike Granoff)가 그를 끌어들이자고 제안했다. 아가시는 "그 사람이 자기사업 망하게 왜 나를 도와 주겠어?"라고 말은 했지만 잃을 것이 없기에 한번 시도해 보았다. 미팅이 45분 정도 진행되어가고 있을 때, 오페르는 1억 달러를 투자하겠다고 말했고 그 후로 3천만 달러 어치의 지분을 더 투자하겠다고 약속했으며 중국 자동차팀에게 전기차 생산을 검토하도록 지시했다.

아가시가 2억 달러의 투자 자금을 마련함으로써 베터 플레이스는 역사상 다섯 번째로 큰 벤처회사가 되었다. 이스라엘이 첫 시범 타자가 되자 곧이어 다른 나라들도 뒤따르기 시작했다. 이 글을 쓰고 있는 시점에도 덴마크·호주·샌프란시스코 지역·하와이·캐나다 온타리오 등지에서 베터 플레이스 계획에 참여하겠다고 나섰다. 보호무역주의로 유명한 일본 정부가 외국기업 중에서는 유일하게 베터 플레이스에 일본을 위한 전기차 개발 경쟁을 허용했다.

벤츠사의 연구개발 책임자인 토마스 웨버(Thomas Weber)는 수많은 회의론자 중 하나이다. 그는 1972년에 충전지를 교환할 수 있는 전기 버스 LE 306을 실제로 개발했는데 배터리를 바꾸는 일이 감전이나 화재를 유발할 수 있다는 것을 발견했다고 말했다. 베터 플레이스의 답은 자동으로 작동하는 충전지 교환소였다. 전지를 교환하는 것은 마치 세차장에 들어오는 것과 같다. 자동차가 들어오면 큰 사각쇠 철판이 차 밑에서 올라온다. 이건 마치 이삿짐 트럭에 있는 리프트와도 같다.

장시간 주행 후 충전이 필요한 충전기는 2인치 훅에서 분리돼 쇠 철판 위에 배치되어 충전소로 보내지고 다른 충전된 충전지는 차 밑에서 차 안으로 넣어진다. 기계에 의해 자동으로 교환되는 시간은 고작 65초이다. 아가시는

100파운드나 나가는 축전지를 지체없이 정확하게 그리고 안전하게 장착할 수 있는 공학적인 답을 찾아낸 자신의 팀이 자랑스러웠다. 그들은 공군 폭격기에 500파운드의 폭탄을 고정하는 혹을 똑같이 썼다. 폭탄을 분리하는 장치에 한 치의 오류도 없어야 하는 것처럼 전기차의 충전지도 마찬가지로 안전하게 분리고정이 가능해야 했다. 이것이 성공하면 베터 플레이스가 전 세계에 미칠 경제적·정치적·환경적 영향은 그동안 세계를 주름잡던 어떤 회사보다도 압도적일 것으로 예상됐다. 그리고 그 아이디어는 이스라엘에서 시작해 필연적으로 온 세계로 퍼질 것이다.

베터 플레이스 같은 회사나 샤이 아가시 같은 창업자는 흔치 않다. 그래서인지 보스턴의 배터리 벤처 투자가인 스콧 토빈(Scott Tobin)은 "다음 10년의 획기적인 아이디어는 이스라엘에서 나올 것이다."라고 예언했다.

기술기업이나 글로벌 투자가들은 이스라엘로 서로 먼저 가려고 아우성이다. 이 나라의 대담함과 창의적인 열정의 독특한 조합은 어디에 가도 볼 수 없다. 그런 이유로 세상에서 가장 높은 밀도의 벤처 창업이 일어나고(전체 3,850개. 1,844명 당 하나라는 뜻이다), 실제로 나스닥에 상장되어 있는 이스라엘인 회사가 유럽 대륙 전체의 회사보다 더 많다.

뉴욕증권거래소만 이스라엘의 가능성을 높이 사는 것은 아니다. 기술의 앞날을 가장 정밀하게 예측하는 것은 바로 벤처기업 투자사, '벤처 캐피탈'이다. 이스라엘의 2008년 벤처 캐피탈 투자 액수는 미국보다 1인당 2.5배, 유럽의 30배, 중국의 80배, 그리고 인도보다 350배나 높았다.

절대적인 숫자로 비교한다면 인구 710만 명인 이스라엘이 거의 20억 달러의 벤처 캐피탈을 끌어 모은 것이다. 그 액수는 6,100만 명이 사는 영국과 독

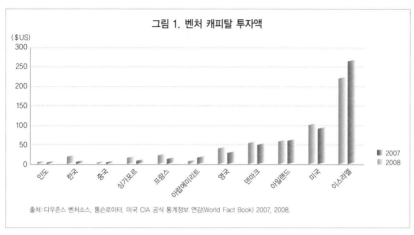

그림 1. 벤처 캐피탈 투자액

($US)

출처:다우존스 벤처소스, 톰슨로이터, 미국 CIA 공식 통계정보 연감(World Fact Book) 2007, 2008.

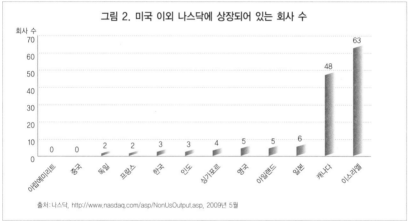

그림 2. 미국 이외 나스닥에 상장되어 있는 회사 수

회사 수

출처:나스닥, http://www.nasdaq.com/asp/NonUsOutput.asp, 2009년 5월

일과 프랑스를 합한 1억 4,600만 명의 인구가 끌어들인 액수와 비슷하다. 그림 1에서 보듯이 2007년부터 2008년까지 오직 이스라엘만이 눈에 띄는 벤처 캐피탈의 증가를 보여 주고 있다.

그림 2가 보여주는 대로, 미국 다음으로 나스닥에 상장되어 있는 회사가 많은 나라는 인도·중국·한국·싱가포르·아일랜드가 아닌 이스라엘이다. 그림 3은 이스라엘이 연구 및 개발에 쓰는 재정의 비율이 세계에서 가장 높다

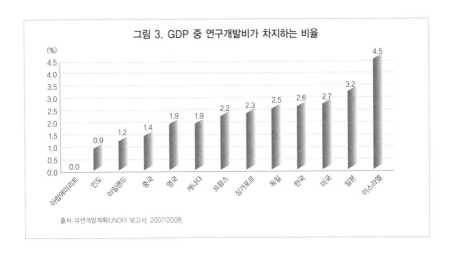

그림 3. GDP 중 연구개발비가 차지하는 비율

(%)

아랍에미리트 0.0
인도 0.9
아일랜드 1.2
중국 1.4
영국 1.9
캐나다 1.9
프랑스 2.2
싱가포르 2.3
독일 2.5
한국 2.6
미국 2.7
일본 3.2
이스라엘 4.5

출처: 유앤개발계획(UNDP) 보고서, 2007/2008.

는 것을 보여준다. 그림 4는 1995년부터 이스라엘의 경제는 선진국의 평균보다 더 빠른 성장을 나타내고 있음을 보여 주고 있다.

반복되는 전쟁도 이스라엘 경제를 후퇴시키지는 못했다. 2000년부터 2006년까지 이스라엘은 기술 거품경제의 붕괴와 역사상 가장 강렬한 테러 공격과 두 번의 레바논 전쟁을 겪었으나 이스라엘의 글로벌 벤처 캐피탈 시장 점유율은 떨어지기는커녕 오히려 15퍼센트에서 31퍼센트까지 올라갔다. 텔아비브의 증권거래소 지수는 레바논 전쟁의 마지막 날이 첫날보다 더 높았고 2009년 가자지구에서 3주 군사작전이 있은 후에도 같은 상황이 벌어졌다.

50년 전 처참했던 이스라엘의 상태를 되돌아 보면 현재의 경제 상태는 더욱 흥미진진하다. 샤이 아가시의 가족은 이스라엘이 건국한 지 2년만인 1950년에 이라크에서 이민을 왔고 이스라엘 건국이 불러 일으킨 아랍의 학살 와중에 피난 온 난민이었다. 이제 막 건국된 유대인 국가는 극복이 거의

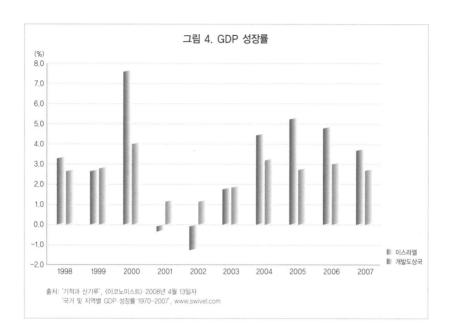

그림 4. GDP 성장률

(%)

출처: '기적과 신기루', 《이코노미스트》 2008년 4월 13일자
'국가 및 지역별 GDP 성장률 1970-2007', www.swivel.com

이스라엘
개발도상국

불가능한 두 개의 과제가 있었다. 독립을 위한 생존 전쟁과, 유럽과 아랍 주변국가들과의 전후에 생겨난 대규모 난민을 받아들이는 일이었다.

이스라엘의 인구는 건국 후 첫 2년에 배로 증가했다. 7년 후에는 3분의 1이 더 늘어나 세 명 중 두 명은 새로 도착한 난민이었다. 많은 난민들이 이스라엘에 도착하자마자 어떻게 쓰는지도 모르는 총을 가지고 전쟁터로 나가야 했다.

대부분 나치 강제수용소에서 살아남은 자들이었지만 이름조차도 못 남기고 전쟁터에서 또 다시 죽음을 맞이해야 했다. 인구 비율로 따져 본다면 이스라엘 건국 전쟁에서 죽은 유대인 숫자는 두 차례의 세계대전에서 죽은 미국인의 두 배나 된다. 생존자들은 침체된 경제에서 살아남기 위해 모든 고생을 감수했다. 새로 이민 온 어떤 사람은 "모든 것을 배급받았다."고 회고했다. 그는 "우리는 주당 달걀 하나를 받으려고 긴 줄을 서곤 했다."고 말했다. 당시 이스라엘인의 생활 표준은 미국 사람의 1800년도 수준이었다. 그렇다면 이스라엘은 어떻게 '성공적인 창업 국가'로 살아남았을 뿐 아니라 60년 동안 50배의 경제 성장을 달성한 하이테크 강대국으로 변신했을까? 마크 트웨인(Mark Twain)이 묘사한대로 "황량한 나라…… 침묵과 슬픔에 잠긴 황무지"인 이런 무일푼 난민 사회가 어떻게 가장 역동적인 창업 경제사회로 변환할 수 있었을까?

이스라엘 정치 경제학자인 기디 그린스타인(Gidi Grinstein)은 이 질문을 대수롭지 않게 생각하는 점이 놀랍기만 하다고 했다. "보세요, 우리는 세 번의 전쟁을 치르면서도 미국에 비해 경제 성장을 두 배로 늘리고 인구는 다섯 배로 증가시켰습니다. 우리는 경제 역사상 유례없는 일을 해냈습니다."라고 그는 말했다. 거기다 이스라엘 창업가들은 틀에 박히지 않은 혁신적인 방법론을 계속 만들어 나가고 있다고 했다. 그동안 종교의 성지로서 이스라엘은 수많은 순례자를 끌어모았지만 요즘은 또 다른 부류의 사람들이 몰려오고 있다.

구글 CEO 겸 회장인 에릭 슈미트(Eric Schmidt)는 "창업자들에겐 이스라엘이 미국 다음으로 최고의 나라"라고 했고, 마이크로소프트의 스티브 볼머(Steve Ballmer)는 "마이크로소프트는 미국 회사인 반면 이스라엘 회사도 된다."고 말했다. 모험을 피하는 쪽을 선호하고 외국 기업엔 관심이 없었던 워런 버핏(Warren Buffett)도 10년 만에 처음으로 이스라엘 회사에 45억 달러나 투자했다. 그것도 2006년 이스라엘이 레바논과 싸우기 시작한 무렵이었다.

주요 기술사업들이 이스라엘을 등한시하는 것은 불가능하며 대부분 그러지도 않는다. 세계 최고의 기술기업들은 이스라엘의 벤처회사를 사든지 아니면 거기다 연구개발센터를 열었다. 시스코는 아홉 개의 이스라엘 회사를 인수했고 이후로도 더 많이 인수하려고 노력하고 있다.

필립스 메디컬의 부사장인 폴 스미스(Paul Smith)는 "이스라엘에 이틀 머무는 동안 눈에 들어온 기회가 전 세계에서 일 년 동안 본 것과 같았다."고 말했다. 브리티시 텔레콤의 기술 및 혁신 담당 부사장인 게리 쉐인버그(Gary Shainberg)는 "이스라엘에서는 재활용한 아이디어나 진부한 아이디어를 새롭게 포장해 내놓는 것이 아니라 새롭고 혁신적인 아이디어들이 미국의 실리콘 밸리보다 더 많이 나오고 있다. 이 추세는 경기 침체의 영향에도 불구하고 꾸준하다."고 말했다. 이스라엘의 기술 발전은 점점 더 널리 알려지고 있지만 이를 처음 접하는 사람은 놀라움을 감추지 못한다. NBC 유니버설 부사장은 이스라엘의 디지털 미디어 회사를 스카우트하러 갔을 때 놀라워하면서 "왜 이스라엘에서 이런 일들이 일어나는 거지요? 나는 이 정도의 혼란과 이 많은 혁신이 어떻게 이 작은 나라에서 동시에 일어나는 것인지 이전에는 본 적이 없습니다."라고 말했다.

이 책은 그 미스터리를 해결할 목적으로 쓰여졌다. 왜 다른 곳이 아닌 이스라엘인가? 그 하나가 '역경'이 발명의 산파 노릇을 해 왔다는 점이다. 한국·싱가포르·대만과 같이 작고 위협에 노출되어 있는 나라들도 이스라엘 같은 놀라운 성장 기록을 자랑하지만, 그중 어느 하나도 이스라엘과 같은 기업문화를 만들어내거나 비교될 만한 숫자의 벤처창업은 없었다.

어떤 사람들은 유대인의 뭔가 특별한 점 때문에 가능하지 않았겠느냐고 추측한다. 서양 사람들에게는 '유대인은 똑똑하다'는 생각이 잠재돼 있다.

우리가 왜 이스라엘은 뛰어나게 혁신적인가 하는 내용의 책을 쓴다고 하니 많은 사람들이 "그건 간단해요. 유대인은 똑똑하니까 이스라엘이 혁신적이지요."라고 반응했다. 그러나 그런 고정관념은 이스라엘의 성공 요소를 밝혀내기보다는 오히려 가리는 면이 더 많다.

　우선, 단일민족으로서의 유대인이란 개념은 그것이 유전적이든, 문화적이든 크게 중요하지 않다. 그렇게 인구가 작은 나라이지만 세계에서 가장 복잡한 다민족 국가 중 하나이기 때문이다. 이스라엘의 인구는 70개가 넘는 다른 국적의 사람으로 구성되어 있다. 이라크·폴란드, 또는 에티오피아에서 온 난민들은 심지어 언어·교육·문화·역사도 공유하지 않았다. 아일랜드 경제학자인 데이비드 맥윌리엄스(David McWilliams)는 "이스라엘은 일차원적인 유대인 나라와는 정반대다. …… 지구 곳곳에서 각기 다른 문화·언어·풍습을 가지고 와 '디아스포라'라는 일신교적인 용광로에 녹아든 나라라고 할 수 있다."라고 설명했다.

　그들은 일반적인 기도서나 박해라는 공동유산을 가지고 있지만 그런 이질적인 그룹이 하나의 국가, 그것도 일사분란한 팀워크와 혁신정신이 뛰어난 나라를 만들 줄은 몰랐다. 이스라엘 성공의 비밀은 어떤 개개인의 재능 때문이 아니다. 그런 재능을 가진 개개인의 숫자를 따진다면 오히려 다른 나라에 더 많을 것이다. 예를 들어 싱가포르 학생들은 세계에서 과학과 수학 점수가 가장 높고 많은 다국적 기업들은 이미 인도와 아일랜드에 사무실을 차렸다. "우리 미션 중 가장 중요한 업무는 다른 나라에 맡기지 않습니다. 우리가 죽고 사는 일은 이스라엘팀을 통해 우리가 직접 해내지요. 그건 인도에 콜센터 일을 아웃소싱하는 것과 IT서비스를 아일랜드에 맡기는 것과는 차원이 다릅니다. 우리가 이스라엘에서 하는 일은 다른 곳에서는 하지 못하는 일입니다."라고 이베이의 어느 미국 임원은 말한다.

흔히 말하는 또 하나의 성공 요소는 이스라엘 군사 및 방위산업 영역이 민간부문에서 좋은 회사를 많이 파생시켰다는 점이다. 그러나 이것은 답의 전부가 아닌 한 부분에 지나지 않는다. 이것은 이스라엘과는 비교도 되지 않는 거대한 군사시스템을 갖춘 나라들이 민간부문에 미치는 영향은 이스라엘의 그것과 같지 않음을 볼 때 더욱 자명하다. 그렇다면 이스라엘 군대제도의 어떤 요소가 창업가 정신을 촉진하는 것일까? 어떻게 이스라엘의 방어, 테러방지 대책 그리고 국토 안보 회사들이 국내 총생산의 5퍼센트나 차지하는 것일까?

거기에 대한 해답은 우리가 아는 것보다 훨씬 더 넓고 깊이가 있다. 샤이 아가시 같은 창업자를 보면 그 국가 자체의 상징성이 엿보인다. 그 상징은 재능이 아닌 집념, 윗사람과의 격의 없는 대화, 격식을 따지지 않는 실용성, 실패에 대한 독특한 태도, 팀워크, 미션, 모험 그리고 독립적인 훈련에 의한 창조력이다. 이스라엘에는 그런 구체적인 사례가 풍부하지만 이스라엘인 자신들도 그동안 정신없이 벤처창업에 몰두하다보니 정부나 대기업, 벤처기술자들이 그동안의 경험에서 무엇을 배울 수 있었는지 뒤돌아 보는 기회가 필요하다고 여기고 있다.

지금처럼 이스라엘의 경제 기적이 세계 경제위기 상황에서 관심의 대상이 되는 시기도 없었다. 아직도 미국 경제가 세계에서 가장 경쟁력 있다는 평가를 받고 있지만 이스라엘의 경제 기적과 비교해 보면 어딘가 근본적인 요소가 잘못 돼 있다는 생각이 든다.

2009년 세계금융위기가 닥치기 전 일부 학자들은 이미 위험이 닥칠 것을 경고했다. "인도와 중국은 우리에게 쓰나미 같은 영향을 미칠 겁니다."라고 스탠포드 연구소의 커티스 칼슨(Curtis Carlson)은 말했다. 그가 예측하기로는 미국은 정보기술, 서비스 그리고 의료기기 산업들이 없어지면서 1980년대의 일본처럼 수백만 개의 일자리가 없어질 것이다. 유일한 생존 방법은 "혁신의 새로운 방법을 배우는 것이며 새로운 지식기반 산업 중 에너지, 생명공학 그리고 과학을 기초로 한 분야를 키워나가야 한다는 것이다.

"우리는 자만하고 나태한 나라가 돼가고 있습니다."라고 하버드 경영대학원 존 카오(John Kao) 교수가 말했다. "우리는 늙은 소의 젖을 쥐어짜듯이 말라가기 직전입니다. 거기다 사회 전반적으로 우리가 지향하고자 하는 좌표와 의미, 열정과 야망, 그리고 달성의지를 잃어가고 있습니다."

경기 침체는 혁신의 중요성을 더 적나라하게 드러냈다. 금융위기는 부동산 가격 붕괴에 의해 촉발되었고 부풀어오른 부동산 가격은 무모한 은행 대출과 신용에 무리를 둔 악순환의 고리였다. 그간의 세계의 번영은 생산성 향상이 지속되어 파생된 성장의 토대 위에 있었던 게 아니라 투기거품에서 야기된 것이었다.

경제 발전론의 선구자이며 노벨상 수상자이기도 한 로버트 솔로우(Robert Solow)는 혁신적인 기술만이 생산성과 경제 성장의 궁극적인 동인이라고 했다. 특히 벤처기업들이 시작한 혁신이 경제가 지속적으로 앞서 갈 수 있는 유일한 방법이다. 최근 미국 인구조사 통계국의 데이터를 보면 1980년부터 2000년까지 대부분의 고용 상승은 5년이 안 된 회사들이 만들어 냈다. 즉 적극적인 창업이 없었다면 고용 성장률은 마이너스였을 것이다. 창업 경제를 분석하는 카우프만재단 사장이자 경제학자인 칼 슈람(Carl Schramm)은 "미국이 회생하여 세계 경제지도자로 계속 남고 싶다면 창업에 관심을 기울여야 하며 그것보다 더 좋은 지렛대는 없다."고 말했다.

창업의 모델은 여러 가지다. 중소 기업가 정신은 특별한 영역의 시장만을 목표로 하는 작은 회사이다. 그러나 이스라엘은 혁신에 바탕을 둔 기업가 정신을 통해 세계적인 영향력을 행사할 수 있는 고성장 전문 영역에 많은 관심을 기울이고 있다. 이 같은 고성장 영역의 기업은 근본적으로 혁신적인 아이디어를 상용화하기 위해 엔지니어나 과학자와 같은 전문 인재, 그리고 사업 경영자와 관리자를 모두 다 필요로 한다.

그렇다고 이스라엘 사람들이 창업의 보편적으로 높은 실패율에서 예외라는 말은 아니다. 그러나 그들의 문화나 규제는 실패에 대해 독특한 태도를 보인다. 반복적으로 실패한 창업자들을 영구적으로 비난한다든가 소외시키지 않고 사회로 다시 불러들여 건설적인 새로운 시도를 하도록 부추긴다.

세계적인 경영컨설팅 기업인 모니터그룹의 보고서에 따르면 "창업자들의 성공은 물론 시장의 대변혁을 불러일으킨다. 그러나 실패를 하더라도 현재의 일을 중단하는 것이 아니라 계속함으로써 경쟁력의 취약점이 무엇인지를 알아내고 더 진행시키기 위한 과제가 무엇인지 알아낼 때까지 버티는 것이다." 모니터그룹의 연구는 경제가 "진화하고 재생하려면 창업이 주동 엔진이 돼야 한다."고 주장한다.

〈비즈니스 위크〉 표지에는 '발명으로 미국이 다시 제자리를 찾을 수 있을까?' 하는 물음이 실렸다. 그리고 그에 대한 대답으로 "경제학자들이나 사업체 지도자들의 정치적 스펙트럼을 초월한 하나의 결론은 혁신만이 미국 경제를 곤경에서 벗어날 수 있게 하는 길이다."라고 나왔다.

혁신의 열쇠를 찾고 있다면 당연히 이스라엘을 주시해야 한다. 세계 경제는 혁신이 필요하며 이스라엘이 바로 그것을 가지고 있다. 창업의 에너지는 어디서 나와 어디로 가고 있는지, 어떻게 그것이 생기있게 유지될 수 있는지를 이해하고, 어떻게 하면 다른 나라들이 전형적인 창업국가인 이스라엘에서 배울 수 있을지 아는 것은 우리 시대에 가장 중요한 과제일 것이다.

제1부

작은, 그러나 가능성의 나라

남자들 넷이 길모퉁이에 서 있다.
미국인, 러시아인, 중국인 그리고 이스라엘인이다.
한 기자가 이들에게 다가와 말한다.
"실례합니다. 육류 품귀 사태에 대한 귀하의 의견은 무엇인지요?"
미국인 왈 : 품귀가 뭡니까?
러시아인 왈 : 육류가 뭡니까?
중국인 왈 : 의견이 뭡니까?
이스라엘인 왈 : "실례합니다."가 뭡니까?

– 마이크 리, 《2000년》 중에서

1장
불굴의 인내

    스콧 톰슨(Scott Tompson)은 시계를 보았다. 일주일 안에 끝내야 할 일이 산더미 같은데, 어느새 목요일이 되어 시간에 쫓기고 있었다. 톰슨은 분주한 남자다. 그는 세계에서 가장 큰 인터넷 결제 시스템인 페이팔(PayPal)의 최고 기술책임자였으며 지금은 사장으로 일하고 있다. 페이팔은 인터넷상에서 수표나 신용카드에 대한 온라인 결제 시스템을 제공하고 있는 회사이다. 그 바쁜 와중에 그는 온라인 지불 사기, 신용카드 사기, 전자 신원 도용에 대한 확실한 솔루션이 있다며 만나 보기를 간청하는 젊은이에게 20분의 시간을 주겠다고 약속했다.

    그러나 그 청년 샤바트 샤케드(Shavat Shaked)에게서는 창업 경영자의 박진감이라고는 찾아볼 수가 없었다. 톰슨이 알기론 대다수의 벤처기업들은 거의 성공하지 못했기 때문에 차라리 잘된 일이라고 생각했다. 미팅은 투자사인 벤치마크 캐피탈의 요구로 어쩔 수 없이 나오긴 했지만, 이 젊은이는 페이팔의 말단 엔지니어보다도 배짱이 없어 보였다.

벤치마크는 이베이 설립자가 자기 아파트에서 독특한 방법으로 소비재 교류 사이트를 만들었을 때 종잣돈을 투자했다. 오늘의 이베이는 시가 180억 달러의 공개 회사로 전 세계에 1만 6,000명의 직원을 거느리고 있으며 지급 결제 솔루션을 가지고 있는 페이팔의 모회사로 성장했다. 벤치마크 캐피탈은 이스라엘에 기반을 둔 샤케드의 프로드 사이언시스(Fraud Sciences) 회사에 투자를 고려하고 있었고 벤치마크의 파트너들이 인터넷 보안기술에 정통한 톰슨에게 검토해 보도록 하기 위해 샤케드를 만나보라고 요구한 것이다.

"그럼 사업모델이 뭡니까?" 한시라도 빨리 이 미팅을 끝내려는 마음에 톰슨이 물었다. 샤바트는 약장수 같은 입담은 없는 듯 조용히 말문을 열었다. "우리 아이디어는 간단합니다. 이 세상은 좋은 사람과 나쁜 사람으로 나누어져 있다는 전제 아래, 인터넷상에서 사기를 면하는 방법은 웹에서 그 둘을 구분하는 겁니다."

톰슨은 실망을 억제하느라 이를 악물었다. 벤치마크의 부탁으로 만났지만 이건 아니다 싶었다. 톰슨은 페이팔에 입사하기 전에 신용카드 업체의 대부 격인 비자의 중역을 지냈고 그 회사 역시 사기방지에 전력을 기울었다. 신용카드 회사나 온라인 벤더들의 가장 중요한 기술은 고객의 신분을 분석하고 신분도용과 사기를 방지하는 것이었으며 여기에 많은 에너지를 쏟고 있었다. 그런 일은 이 같은 인터넷상에서 사실상의 이윤을 결정하고 고객의 신뢰를 얻거나 잃게 되는 문제였다.

비자와 파트너가 된 은행들은 사기를 방지하는 일에 수천 명을 고용했다. 페이팔은 2,000명이 그 일을 해냈고 그중 50명은 가장 능력있는 박사급 엔지니어들로, 범죄자들보다 한 발 앞서 가려고 노력했다. 그런데 이 젊은이는 자기가 이 문제를 처음으로 발견했다는 듯 '좋은 사람 나쁜 사람' 타령이나 하고 있는 것이다.

"그럴 듯한 얘기네요." 톰슨은 비웃음을 자제하면서 "그럼 어떻게 해야 됩니까?"라고 물었다. "좋은 사람들은 인터넷에 디지털 발자국 같은 흔적을 남기죠. 그들은 숨길 게 없거든요." 샤바트는 악센트가 있는 영어로 계속했다. "나쁜 사람들은 자신을 숨기려고 하기 때문에 흔적을 안 남깁니다. 우리는 그 발자국을 찾는 일을 하지요. 발자국을 찾음으로써 손해를 최소한으로 줄여 허용 가능한 수준으로 만들어내는 겁니다. 그 정도로 간단해요."

톰슨은 이 이상한 이름을 가진 젊은이는 다른 나라에서 온 것이 아니라 다른 행성에서 왔다는 생각마저 들기 시작했다. 이 친구는 인터넷상에서 지능적인 사기꾼과 싸운다는 것이 얼마나 철저한 배경 검사를 해야 하고 또한 신용기록을 세심히 조사해야 하며 복잡한 알고리즘을 만들어 신뢰성을 확인하는 고도의 기술인 줄 몰랐다는 것인가? 이 사람의 말은 마치 나사에 가서 "고무줄 새총만 있으면 되는데 왜 그런 별난 우주선을 만들어요?" 하는 것과 같았다. 그래도 벤치마크를 생각해서 기회를 주기 위해 "그럼 어디서 이렇게 하는 걸 배웠습니까?"라고 물었다. "테러리스트를 추적할 때요." 샤케드는 아무렇지도 않게 대답했다.

그가 군대에서 했던 임무는 테러리스트의 온라인 활동을 추적해 그들을 잡아내는 것이었다. 그들은 웹에서 가짜신분으로 돈세탁을 하고 있었고 샤바트의 의무는 온라인에서 이들을 찾아내는 일이었다. 톰슨은 '풋내기 테러 사냥꾼'에게 들을 만큼 들었다는 생각으로 마지막 물음을 던졌다. "그것을 시도해 보았습니까?" "네." 샤케드의 대답에는 확신이 담겨 있었다. "수천 건의 거래를 시도해 본 결과 4개만 틀리고 다 맞았어요."

설마. 톰슨은 생각했다. 그러나 그는 점점 호기심이 생겼다. 그것이 얼나나 걸렸는지 물었다. 샤케드는 5년 전 회사를 차린 후 그동안 4만 건의 거래를 분석해 보았다고 말했다.

"좋습니다. 이렇게 한번 해 보지요." 톰슨은 이렇게 말하고 프로드 사이언시스에게 페이팔의 거래 10만 건을 분석해 보라고 제안했다. 그것은 페이팔이 이미 처리한 소비자들의 거래였다. 법적인 이유로 개인 정보를 조금 삭제해두어서 샤바트의 일이 더 어려워졌다. 톰슨은 "해 볼 수 있는 데까지 해 보고 알려주십시오. 우리 결과와 비교해 보겠습니다."라며 미팅을 마쳤다. 샤바트의 벤처회사가 첫 4만 건의 거래를 분석하는 데 5년이 걸렸으니 톰슨은 한동안 그를 만날 일이 없을 거라고 생각했다. 톰슨의 요청은 샤바트의 기괴한 시스템이 현실적으로 가능한지를 알아보는 가늠자로 적당했기에 부당한 것이 아니었다.

프로드 사이언시스가 분석한 4만 건의 거래는 수동작업이었다. 샤케드는 페이팔의 도전에 응하려면 그 많은 양을 신속히 처리할 수 있도록 그의 시스템을 자동화시키되 신뢰성을 저하시키지 않고 빠른 시간 안에 일을 마쳐야 한다고 생각했다. 그것은 5년 동안 시험해 본 시스템을 새롭게 뒤집어 봐야 한다는 뜻이었다. 그것도 빠른 속도로 말이다.

톰슨은 샤바트에게 거래 데이터를 목요일에 건네주며 벤치마크의 부탁을 들어 주었으니 이제 자신을 귀찮게 하지 않을 거라 생각하며 "샤바트는 한동안 연락이 없을 겁니다. 최소한 한 달간은요."라고 말했다. 그런데 놀랍게도 일요일에 그는 "우리가 해냈어요."라고 쓰인 샤케드의 이메일을 받았다.

톰슨은 믿을 수가 없었다. 월요일에 회사에 도착하자마자 그는 프로드 사이언시스의 결과를 연구팀에게 넘겼다. 일주일이나 걸려 페이팔의 결과와 비교한 뒤 그들은 프로드 사이언시스의 결과에 놀라움을 금치 못했다. 샤케드의 그 작은 팀은 불충분한 자료를 가지고 더 짧은 시간 안에 페이팔보다 더 정확한 결과를 작성한 것이었다. 가장 두드러지게 나타난 차이점은 페이팔이 분석하기 어려웠던 거래들에서 나왔고 그런 분석은 프로드 사이언시스가 17퍼센트나 더 잘 처리했다.

더 잘 처리된 부분은 페이팔에 고객으로 신청했다 퇴짜를 맞은 불합격자들이었다. 톰슨은 그 고객들의 최근 신용 보고서를 검토한 결과 그들을 불합격시킨 것이 실수였다고 말했다. "그들은 좋은 고객이었고 우리는 그들을 거절하지 말았어야 했어요. 우리 시스템으로는 그런 실수를 막지 못했는데 샤케드의 시스템으로 어떻게 막을 수 있었는지 모르겠습니다."

톰슨은 드디어 사기를 방지할 수 있는 독창적인 기술을 찾았다고 생각했다. 프로드 사이언시스는 페이팔보다 더 적은 데이터를 가지고도 누가 좋고 나쁜 고객이 될 것인지를 정확하게 예측할 수 있었다. "말문이 다 막혔습니다."라고 톰슨이 상기했다. "위험 관리 분야에서는 우리가 최고인데 어떻게 이스라엘에 있는 55명으로 구성된 회사가, 그것도 '좋은 사람 나쁜 사람'이라는 터무니 없는 이론으로 우리보다 한 수 위가 될 수 있습니까?" 톰슨은 프로드 사이언시스 시스템의 효율성이 페이팔보다 5년은 앞서 가 있다고 추정했고 그의 전 회사인 비자는 10년 내지 15년 후에도 그런 생각을 해내지 못할 거라고 말했다.

톰슨은 벤치마크에게 꼭 해야 할 말이 생겼다. 페이팔은 프로드 사이언시스의 획기적인 기술을 경쟁자들에게 빼앗길 위험을 막아야 했으며, 이 회사는 벤치마크의 투자대상이 아니라 오히려 페이팔이 당장 인수해야 할 회사였다. 그는 이베이 CEO인 멕 휘트먼(Meg Whitman)을 이 계획에 끌어들였다. "나는 스콧에게 그런 시스템은 불가능하다고 했고, 우리가 이 분야 최고의 마켓 리더인데 도대체 그 작은 회사가 어디서 나왔다는 말인지 물었습니다." 휘트먼이 말했다. 그녀는 톰슨과 박사들로 구성된 연구팀에게서 페이팔이 거래를 분석한 과정을 들은 후 할 말을 잃었다.

이제 톰슨과 휘트먼은 생각지도 못한 문제에 봉착했다. 샤바트에게 어떻게 말을 해야 하나? 샤바트에게 업계의 리더인 페이팔을 그렇게 쉽게 능가했다고 말하면 그들은 자기네들이 둘도 없는 시스템을 가지고 있다는 것을 깨달을 것이었다. 톰슨은 페이팔이 프로드 사이언시스를 인수해야 한다고 확신했지만, 어떻게 검사 결과를 말해야 인수 가격이나 협상 입장이 불리해지지 않을지 고민하기 시작했다.

그는 샤케드가 답을 기다리고 있는 것을 알고 있었지만 시간이 더 필요하다는 핑계를 대면서 프로드 사이언시스 팀이 산 호세에 오면 그때 결과를 검토하겠다며 시간을 벌었다. 그러나 샤케드는 이틀 만에 톰슨 앞에 나타났다. 프로드 사이언시스의 설립자들인 샤케드와 싸르 빌프(Saar Wilf)는 '8200부대'라고 불리는 이스라엘 엘리트 정보 부대에서 같이 복무했었다. 이 둘은 회사를 파는 데는 관심이 없었고 그저 벤치마크가 요청한 실사 과정을 무사히 마치려 했을 뿐이었다.

톰슨은 멕에게 다시 가 "결정을 해야 합니다. 그들이 왔어요."라고 말했다. 그들은 7,900만 달러를 제시했지만 샤케드는 거절했다. 프로드 사이언시스의 이사로 있는 이스라엘 벤처회사 중 하나인 BRM 캐피탈은 적어도 2억 달러의 가치가 있다고 했다.

BRM의 설립자 중 하나인 일라이 바르카트(Eli Barkat)는 나름대로 그 가치의 근거를 설명했다. 제1세대의 기술적 보안은 컴퓨터 바이러스에 대한 보호였고 제2세대는 해커의 공격을 막는 방화벽을 구축했다. 바르카트는 이런 위험을 막는 회사를 설립했고 그중 하나인 체크포인트(Checkpoint)의 가치는 이제 50억 달러였다. 역시 8200부대의 동문들이 시작한 체크포인트는 나스닥 상장회사이자 '포춘 100대 기업' 안에 드는 회사와 국가들을 고객으로 많이 확보하고 있었다. 제3세대의 보안은 전자상거래 활동에 해킹을 막는 일이다. "이것이 가장 큰 시장이 될 겁니다." 바르카트는 "이전까지만 해도 해커들은 그저 장난을 했을 뿐이에요. 그러나 이제 전자상거래가 보급되면 해커들이 돈을 벌 수가 있어요."라고 말했다.

바르카트는 프로드 사이언시스 팀이 인터넷과 신용카드 사기를 방지할 수 있는 최고의 기술을 가진 가장 능력있는 팀이라고 믿었다. 그는 "이스라엘인의 사고력을 이해해야 합니다. 무고한 생명을 보호하기 위해 테러리스트를 찾아내려고 개발한 기술이기 때문에 도둑을 찾는 일 정도는 식은 죽 먹기입니다."라고 말했다.

협상은 며칠 안에 끝났고 톰슨과 샤케드는 1억 6,900만 달러에 합의했다. 협상이 시작되고 샤케드가 높은 가격을 고집했을 때 톰슨은 그것이 그저 허세인 줄만 알았고 페이팔 측은 가격을 좀 더 깎을 수 있다고 생각했다. 그러나 프로드 사이언시스는 그들의 회사 가치에 확신이 있었다. 게다가 그들은 장사꾼이 아니었다. 샤케드는 "우리는 우리의 솔루션이 최고라는 것을 압니다. 그 가격은 우리가 정당하게 제시한 값입니다."라고 말했다. 톰슨의 생각으로는 그들의 객관적인 태도는 순수하고 꾸밈이 없었다.

그 거래가 성사된 직후 톰슨은 자신이 인수한 회사를 방문하려고 비행기에 몸을 실었다. 샌프란시스코로부터 20시간이 걸리는 비행 중 내리기 45분 전에 그는 비행 궤적을 지도로 보여주는 스크린을 보게 됐다. 곧 텔아비브에 착륙하게 될 비행기의 아이콘이 비행 경로의 막바지에 있었다. 이스라엘을 둘러싸고 있는 베이루트·레바논·다마스쿠스·시리아·암만·요르단, 그리고 이집트 카이로가 지도 위에 보였다. 그는 갑자기 두려워졌다. '내가 이런 곳에 있는 회사를 샀단 말이야? 난 지금 교전지대로 들어가고 있잖아!' 물론 그는 이스라엘의 이웃 나라들을 알고 있었지만 이스라엘이 얼마나 작고 그 이웃 나라들이 얼마나 가까운지를 그제야 실감했다. "그때의 기분은 뉴욕으로 비행하던 중 뉴저지가 있어야 할 곳에 갑자기 이란이 나타난 것만 같았어요."라고 톰슨이 회상했다.

비행기에서 내린 지 얼마 안 돼 톰슨은 눈에 익은 환경에 다시 여유를 찾았고 좋은 느낌까지 받았다. 처음 그가 좋은 인상을 받은 곳은 자동차마다 페이팔의 범퍼 스티커가 붙어 있는 프로드 사이언시스의 주차장이었다. "미국 회사에서는 그런 긍지와 열정을 보지 못합니다."라고 톰슨이 말했다. 그가 두 번째로 감동받은 것은 미팅 중 프로드 사이언시스 직원들이 보여준 태도였다. 문자 메시지를 보내거나, 인터넷 서핑을 하거나, 조는 직원이 하나도 없었고 모두 그의 말에 열중했으며 그런 열중은 토론 시간이 되자 더 배가됐다. "모든 질문이 정곡을 찌르는 것이었기에 나는 좀 불안하기까지 했습니다. 나는 그렇게 틀에 얽매이지 않고 자유로운 관찰력을 처음 보았지요. 그것도 동료나 상사가 아닌 부하직원인 그들이 아무 거리낌 없이 페이팔이 일하는 방식의 논리에 도전해 온 것입니다. 나는 여태 이렇게 꾸밈없고, 흔들림 없고, 흐트러짐 없는 태도를 보지 못했기에 '도대체 누가 직원이고 누가 임원인가' 하는 생각까지 들었습니다."

스콧 톰슨이 경험한 것은 이스라엘인의 '후쯔파(chutzpah)'였다. 유대인 학자 레오 로스텐(Leo Rosten)은 이 단어를 "주제 넘은, 뻔뻔스러운, 철면피, 놀라운 용기, 오만이라는 뜻을 담고 있지만, 다른 단어나 언어가 제대로 형언할 수 없는 이스라엘만의 고유 단어"라고 설명한다. 이스라엘 어디서나 후쯔파를 볼 수 있다. 가령 대학생이 교수와 이야기할 때, 직원이 상사를 대할 때, 병장이 대장을 대할 때, 서기가 정부 장관을 비판할 때 말이다. 그러나 이스라엘 사람들에게는 뻔뻔함이 아니라 그저 몸에 밴 태도라고 할 수 있다.

이스라엘 사람들은 성장하면서 학교에서나 집에서, 또는 군대에서 강한 주장을 내세우는 것을 올바른 가치기준이라고 배우고 오히려 그렇게 하지 않을 때 자기 발전과 경쟁상황으로부터 낙오자가 될 가능성을 염두에 두며 생활한다. 그런 기준은 호칭을 부르는 유행에서도 나타난다. 창업자이자 벤처 캐피탈의 투자자인 욘 메드베드(Jon Medved)가 '별명의 잣대'에 대해 언급했다. "시민이 그 국가의 엘리트를 어떻게 부르는지 보면 그 사회에 대해 많은 것을 알 수 있다. 이스라엘에서는 가장 높은 위치에 있는 사람들, 예를 들어 총리나 육군 대장에게도 별명이 있고 누구든 그 별명으로 통한다."

벤야민 네타냐후(Benjamin Netanyahu) 전 총리는 '비비(Bibi)', 아리엘 샤론(Ariel Sharon) 전 총리는 '아릭(Arik)', 전 노동당 리더인 벤야민 벤엘리에제르(Binyamin

Ben-Eliezer)는 '퓌아드(Füad)', 전 참모총장 모세 야론(Moshe Yaalon)은 '보게이(Bogey)', 1980년대 전설적인 참모총장 모세 레비(Moshe Levi)는 '모세 베헤찌(Moshe VeHetzi, 하나 반의 모세라는 뜻. 그는 키가 198센티미터로 한 사람 반 만한 껑다리였다.)'였다. 전 관광부 장관 레하밤 지비(Rehavan Zeevi)는 '간디(Gandhi)', 전 참모총장인 다비드 엘라자르(David Elazar)는 '다도(Dado)', 라파엘 에이탄(Rafael Eitan)은 '라풀(Raful)'이라 불렸다. 쉬누이 당 설립자인 요세프 라피드(Yosef Lapid)는 '토미(Tommy)', 사회복지부 장관을 지낸 아이작 허조그(Isaac Herzog)는 '버기(Burgie)'라 불렸다. 그런 별명은 그들 등 뒤에서 부르는 게 아니라 다들 면전에서 공개적으로 썼으며 메드베드는 이것이 바로 이스라엘의 비형식성의 수준을 나타낸다고 주장했다. '건설적인 실패' 또는 '지능적인 실패'는 문화적으로 모두 관용이 되고 이스라엘 사람들의 미지의 세계에 대한 도전 의식과 실패를 두려워하지 않는 진정한 용기 함양에 영향을 준다. 대부분의 이스라엘 투자가들은 아예 실패를 감안하지 않으면 진정한 혁신을 얻을 수 없다고 믿는다. 이스라엘 군대는 그것이 훈련이든 시뮬레이션이든 실제 전쟁터에서 발생한 것이든 똑같이 무게를 두고 평가하며 판단한다. 모험을 감수한 일이 무모하지 않고 현명했다면 거기에서도 배울 점이 있다고 믿기 때문이다.

하버드 경영대학원의 로렌 게리(Loren Gary) 교수는 "잘 계획된 실험과 카지노 룰렛 게임에서 우연히 행운을 얻는 것을 구별하는 일은 매우 중요하다."고 했다. 이스라엘에서는 이런 구별을 군대훈련에서 일찌감치 터득하고 체화한다.

"우리는 좋은 성과에 대해 크게 칭찬하지 않지만 나쁜 성과에도 낙제자 취급을 하지 않는다."고 이스라엘 공군 훈련자는 말했다. 2006년 하버드 대학의 연구에 의하면 전에 실패한 창업자가 그 다음에 성공할 확률은 거의 다섯 명 중 한 명꼴이다. 그 확률은 처음 창립을 한 사람보다 높고, 전에 성공한 적이 있는 창업자보다 그다지 낮지 않다.

특히 이스라엘 법은 비록 전 회사가 파산을 했더라도 새로운 회사를 다시 만들어 재기하는 것에 관대하여 중동에서뿐만 아니라 세계에서 가장 쉽게 새로운 회사를 설립할 수 있도록 허용하고 있다. 그렇지만 그런 환경 때문에 이스라엘 사람들이 호시탐탐 기회를 노리고 있다는 안 좋은 인상을 풍기기도 한다.

이스라엘을 처음 방문하는 외국인들은 이스라엘 사람들이 무례하다고 느낄 수 있다. 이스라엘 사람들은 잘 알지도 못하는 사람에게 나이나 아파트 또는 자동차 가격을 서슴지 않고 물어본다. 뿐만 아니라 상점이나 거리에서 날씨에 맞지 않게 옷을 입은 아이들을 보면 아이의 부모에게도 잔소리를 할 정도다. '유대인은 둘인데 의견은 셋'이라는 말이 있는데 이것은 사실이기도 하다. 이런 솔직함이 이스라엘에 대한 거부감을 갖게 할 수도 있지만 어떤 사람들은 이를 긍정적으로 보기도 한다.

"우리는 이스라엘 사람들만의 방법으로 해냈다. 우리의 상황을 죽기 아니면 살기로 끝까지 논의했다." 이것은 슈무엘 에덴(Shmuel Eden)이 산타클라라에 있는 인텔사의 임원들과 이스라엘 연구팀의 역사적인 한 판 대결을 요약한 말이다. 이것 역시 후쯔파 정신의 단면을 엿볼 수 있는 사례였다.

이 대결의 결과는 인텔의 생존을 좌우한 셈이었다. 치열한 몇 달간의 싸움은 단순히 인텔 내부의 의견대립 차원이 아니라, 지금은 당연하게 사용하며 장소에 구애받지 않고 편리하게 사용하는 무선 랩톱 시장이 열릴 수 있는지를 판가름하는 그런 중요한 토론이었다.

에덴은 인텔 이스라엘 지사의 리더이고 그 지사는 이 나라 민간부문 최대 규모를 자랑하고 있다. 거기다 연간 수출액은 15억 3,000만 달러에 이르고 있다. 그가 이스라엘에서 경영하는 인텔사와 인텔 본사와의 대결에 대해 말해줬다. 그동안의 현대 컴퓨팅 역사를 보면 칩의 속도가 정보처리 속도를 (컴퓨터가 얼마나 빨리 작동하는지를) 결정했다. 칩은 0과 1을 반복하면서 코드를 만들어 낸다. 마치 글자를 모아 단어를 만들어 내는 것과 같다. 초당 수천만 번의 신호는 끝 없이 많은 기록과 데이터를 만들어 낼 수 있다. 더 빨리 작동하면 할수록 더 강력한 프로그램을 작동시킬 수 있었고 이로써 컴퓨터를 그저 단순한 계산기에서 멀티미디어 기기 그리고 기업용 전산시스템으로 변환시켰다. 1970년까지는 로켓 과학자나 큰 대학교나 연구소들이 주로 컴퓨터를 사용했다. 어떤 컴퓨터는 방 하나, 심지어 빌딩 한 채를 다 차지했기 때문에 컴퓨터를 사무실 책상 위에서나 가정에서 쓴다는 것은 공상 과학소설에나 나오는 얘기였다.

그러나 1980년에 이스라엘 제2의 상업도시 하이파에 있는 인텔 팀이 설계한 칩 '8088'이 그런 생각을 바꾸기 시작했다. 이 칩은 기존의 것보다 초당 5만 배 이상 빠른 속도(4.77메가헤르츠)로 작동할 수 있었고, 특히 월등히 작은 크기 때문에 사무실이나 가정에서 쓸 수 있는 컴퓨터로 진화시킬 수 있는 획기적인 기회를 제공했다.

IBM은 이스라엘의 칩 8088을 'PC의 뇌'라 칭하고 새로운 컴퓨터 시대의 막을 열었다. 그 칩은 인텔의 획기적인 발명품이었고 "IBM과의 계약은 인텔

이 마이크로프로세서 전쟁의 승자라는 것을 의미했다."고 기자인 마이클 말론(Michael Malone)이 말했다.

그때부터 컴퓨팅 기술은 더 작고 빠르게 만드는 영원한 레이스를 시작하게 됐다. 그러다 1986년에 인텔의 유일한 해외 공장인 예루살렘에서 PC기능을 획기적으로 향상시킨 칩 386을 만들었고 정보 처리 속도는 33메가헤르츠의 초고속 클락 발전기가 담당하고 있었다. 오늘날의 칩 속도에 비하면 아주 작은 규모 밖에 되지 않지만 당시에는 8088칩과 비교해 7배나 빨라서 "타오르는 칩"이라고도 불렸다. 이때 인텔의 공동 설립자인 고든 무어(Gordon Moore)가 자기 이름을 딴 '무어의 법칙'을 만들어 냈고, 그 내용은 컴퓨터 칩의 사이즈가 18개월마다 반으로 줄면서 처리 속도는 두 배가 될 거라는 예언이었다.

18개월마다 규칙적으로 속도는 2배가 되고 크기는 절반으로 작아지는 무어의 법칙에 따라, 인텔의 연구팀은 더 빠른 칩을 만들어 내라는 기대에 부응하기 바빴다. IBM과 월가, 그리고 주요 경제지들도 이제 칩의 가치는 '처리 속도와 사이즈'라고 믿게 되었다.

2000년까지 칩의 개발은 무어의 법칙대로 잘 진행되고 있었는데 빠른 속도만큼이나 증가하는 전력 소모가 새로운 문제를 가져왔다. 무어의 예언대로 칩은 더 작아지고 빨라졌지만 그렇게 됨으로써 더 많은 파워를 소모했고 더 많은 열이 발생했다. 그 결과 칩이 과열되면 치명적인 문제가 야기될 수밖에 없었다. 가장 확실한 대책은 미세 선풍기였으나 소형 랩톱에는 선풍기를 장착할 공간이 없었기 때문에 인텔 전문가들은 이 막다른 문제를 '전력소비의 장벽(power wall)'이라고 불렀다.

이스라엘에 있는 인텔 팀은 회사 내 어느 팀보다 더 일찍감치 그런 문제가 닥칠 것이라고 예감하고 있었다. 어떻게 이 '장벽'을 뛰어 넘을 수 있을까 하는 과제를 푸느라 인텔의 하이파 팀은 몇 날 며칠 밤을 지새웠고, 이 문제 해결을 통해 향후 대세가 될 이동용 단말기에 장착될 모바일 칩에 대해서도 고려하고 있었다. 그 칩은 랩톱과 결국에는 모든 종류의 모바일 장치에 쓰이도록 설계되었다. 인텔 본사에서 이런 추세를 알아차리자 전 회사의 모바일 칩 개발하는 일을 이스라엘 팀에 맡겼다.

이런 막중한 책임과 인정을 받고서도 인텔 이스라엘 팀은 미국 본사의 일방적 지시에 대해 저항했다. "우리는 과전력소비 문제를 해결하기 전에 이동성을 고려한 칩을 먼저 개발하라고 지시한 아이디어는 맞지 않다고 생각했다."라고 인텔 이스라엘 책임자 데이비드 펄뮤터(David Perlmutter)가 말했다. 그는 이스라엘의 MIT라 불리는 테크니온 대학을 졸업했고 1980년부터 인텔사에서 칩을 설계해 왔다.

본사의 지시와 달랐던 아이디어 중에 하나가 전력소비 장벽의 솔루션이었다. 그 당시 인텔 이스라엘의 최고 엔지니어로 있었던 로니 프리드먼(Roni Friedman)은 칩의 처리속도가 빨라지면 전력 소모는 당연히 늘어난다는 일반적인 생각을 뒤엎고 파워 소모가 낮은 칩의 가능성을 연습삼아 생각해 오고 있었다.

그의 생각은 더 빠른 칩을 만들어 더 많은 파워를 분배할 수 있게 만든다는 기존의 방법과는 정 반대방향이었다. 그는 지금의 방식은 차의 속도를 내려고 엔진의 회전 속도를 높이는 것과 같다고 생각했다. 엔진의 회전 속도와 차의 속도가 연결되어 있어 어느 시점에서 엔진이 너무 빠르게 회전하면 엔진이 과열될 것이고, 그러다 보면 속도는 오히려 감속할 것이다.

프리드먼과 이스라엘 팀은 자동차의 기어 시스템에서 답을 찾았다. 기어를 바꾸면 엔진의 회전 속도는 줄되 차의 속도는 빨라지듯이 칩에다 이런 명령을 나눠서 넣는 것이었다. 이를 시도해 본 결과, 효과는 비슷했다. 인텔 이스라엘의 저 전력 소자의 칩 안에 있는 회로는 소프트웨어를 더 빨리 작동시키려고 더 빨리 구동할 필요가 없었다. 그건 마치 자동차의 기어를 고단으로 높이는 차원이었다.

이스라엘 팀은 새로운 혁신으로 넘치는 기쁨을 주체할 수 없을 정도여서 산타클라라에 있는 본부에 이를 전했을 때 엔지니어들과 임원들도 그런 줄만 알았다. 과열되지 않고 더 빨리 갈 수 있는 차를 만들었다는데 누군들 환성을 지르지 않을까. 그러나 이스라엘 팀이 이점이라고 생각한 회전이 느려진 엔진에 대해 본사에서는 시큰둥하게 여겼다. 기업 전체가 칩의 파워는 엔진이 얼마나 빨리 회전하는지(시계 속도)에 달려 있다고 믿었기 때문이다.

이스라엘 팀이 만든 칩이 소프트웨어를 더 빨리 작동시켰다는 사실도 주목을 받지 못했다. 칩으로 구성된 컴퓨터 엔진의 구동 속도가 충분치 않았기 때문이었다. 거기다 월가의 투자 분석가들은 인텔 주식 가치의 범위를 단순히 이렇게 여겼다. '더 빠른 프로세스 속도=구입, 더 느린 속도=매각.' 그런 측량법은 진부한 방법이라고 이들과 업계 그리고 언론기관을 설득하려는 것은 무익했다. 인텔이 만들어 낸 '무어의 법칙'을 바꾸는 일은 포드에게 더 높은 마력을 추구하지 말라고 하는 것이나 보석회사 티파니에 캐럿의 크기는 상관 없다고 말하는 것과도 같았기 때문이다.

"우리는 그들의 관심 밖에 있었습니다. 방식에 전혀 동의하지 않았습니다. 그들에게는 단순히 칩의 속도가 왕이었고 우리는 서자 취급을 받고 있었어요."라고 로니 프리드먼이 회상했다. 인텔 칩 부서의 책임자 폴 오텔리니(Paul Otellini)는 프로젝트 전체를 유보하려 했고 칩 속도 지상주의는 인텔 임원진의 뇌리에 깊이 새겨져 있었기 때문에 그것을 변경시키기 위한 세미나를 개최하는 일엔 전혀 관심이 없었다.

다양한 의견을 수렴하는 절차와 수단으로 세미나는 이스라엘 문화에서 중요한 한 부분이라고 할 수 있으며, 심지어 이 같은 문화는 이스라엘의 건국과도 관련이 있다.

1947년 3월 말부터 5월까지 이스라엘의 조지 워싱턴과 같은 인물인 벤 구리온(David Ben-Gurion)은 이스라엘이 독립을 선언하면 벌떼처럼 일어날 전쟁에 대비한 군사 태세에 대한 조사를 실시했다. 몇 날 며칠에 걸쳐 위아래로 다양한 계급의 군인들을 만나고 의견을 경청했다. UN이 팔레스타인을 나누는 분단 계획을 통과시키기 6개월 전부터 벤 구리온은 다음 단계의 아랍-이스라엘 전쟁은 그동안의 국지적인 전쟁과는 확실히 다를 것이라는 점을 인식했기 때문이다. 그는 지속적인 전쟁 속에서도 생존의 위험에 대해 한 발물러서서 접근하는 계획을 세웠고 다양한 대책 마련 세미나를 통해 전쟁에서 이기기 위해서는 먼저 군인들이 가지고 있는 막연한 자신감을 근절하는 어려운 일을 해야 했다. 그는 "사실 우리는 가진 게 없고 싸우려는 의지와 숨겨진 능력이 있을 뿐이다. 그러나 우리가 먼저 알아야 할 것은 구두를 만들려는 자는 먼저 구두를 수선하는 법부터 배워야 한다는 겸손함이 필요하다는 것이다."라고 말했다.

이스라엘 팀은 CEO인 오텔리니 모르게 그들의 터무니 없는 자신감을 근절하는 방법을 구상하고 있었다. 그들은 전력소비 장벽 문제가 큰 고비가 될 것이라는 것을 알고 있었기에 대책을 마련해 나갔다. 가장 효율적인 방법은 그 고비를 맞부딪치지 않고 피해가는 것이었다. 그것은 오텔리니가 한 발 물러서서 관습적인 사고에서 벗어나 스스로 회사의 기술 방법론에 근본적인 변화를 불러 일으키게 하는 것이었다.

이스라엘 팀이 귀찮을 정도로 설득하는 통에 산타클라라 임원들은 그들을 모두 해고하고 싶은 심정이었다. 그 팀은 텔아비브와 캘리포니아 간의 장거리 비행을 감수하며 복도나 화장실까지 임원들을 따라다니며 그 문제를 논의했다. 데이비드 펄뮤터는 한 달 중 일주일을 본사에 머물며 설득하는 일에 전력을 다했다.

이스라엘 팀은 칩의 속도 지상주의를 포기하지 않아서 얻는 위험이 포기해서 얻는 위험보다 더 크다고 주장했다. 인텔 이스라엘 설립자인 도브 프로먼(Dov Frohman)은 통상 혁신이라는 진정한 변화가 어렵사리 꽃을 피우는 순간에도 여전히 "포기에 따르는 두려움이 이득을 얻을 가능성보다 더 강하다."고 말했다.

프로먼은 인텔 이스라엘에서 서로의 의견 차이를 존중하고 끊임없이 토론을 자극하는 문화를 만들어 가는데 노력해 왔고 그 사고 방식을 산타클라라에 전수하려 했다. "리더의 목적은 저항을 극대화시키는 일이다. 그래야 의견 차이나 반대를 자연스럽게 드러낼 수 있기 때문이다. 한 조직이 위기에 처했을 때 저항하는 반대 의견이 부족한 것은 큰 문제가 된다. 조직이 만들려는 변화가 획기적이지 않거나 아니면 반대파가 냉담 속에 잠적해 버렸다는 뜻이기 때문이다. 직원들의 반대 의견을 모르는 리더는 큰 문제가 있는 것이다."라고 그는 말했다.

끝 없는 이스라엘 팀의 논의에 미국 임원들은 두 손을 들었고 그들은 다분히 "이스라엘적인 방법으로 해냈다."고 했다. 그 팀은 컴퓨터 산업의 방향을 완벽하게 조사했고 인텔은 그 방향을 따르느냐 아니면 낙오자가 되느냐를 선택해야 했다. 그들의 압도적인 연구와 인내력에 드디어 오텔리니는 그들을 인정했고 2003년 3월에 이스라엘 북쪽에 있는 온천의 이름을 딴 새로운 칩 '바니아스(Banias)'가 랩톱의 '센트리노 칩'으로 공개되었다.(센트리노는 세계 최초로 유선 및 무선 인터넷을 지원하는 이중 기능을 탑재하고 있다.)

새로운 칩의 구동 속도는 2.8기가헤르츠 펜티엄 칩의 반 밖에 되지 않았지만 값은 두 배가 넘었다. 그러나 랩톱 사용자들이 휴대할 수 있었고 충분한 속도를 제공했다. 열 출력과 파워의 필요성을 고려하지 않고 그저 더 높은 속도만 추구하다 갑자기 이스라엘 설계 방식대로 전환한 이 사건을 업계에서는 '우회전 패러다임'이라 부르고 있다. 인텔은 우회전 패러다임을 이동용 컴퓨터인 랩톱의 칩 뿐만 아니라 고정용 컴퓨터인 데스크톱의 칩에도 응용했다.

엔지니어들이 앞서서 발전적인 칩의 새로운 구조를 미리 제시한 것을 보면 그들의 충실함에 놀라지 않을 수 없다. 그들은 회사의 앞날을 진심으로 걱정하고 회사 내의 논쟁에서 이기는 것을 초월해 경쟁 산업들을 이기려고 했던 것이다.

결과적으로 전에는 비웃음의 대상이 되었던 이스라엘 팀의 설계 구조가 이제는 핵심이 되었고 인텔의 매출 성장을 2003년부터 2005년 사이 13퍼센트나 증가시켰다. 그래도 인텔은 업계의 위기에서 벗어나지 못했다. 초기의 성공에도 불구하고 2006년의 새로운 경쟁상대는 인텔의 시장 점유율을 11년 만에 가장 낮아지게 만들었다. 인텔이 지배적 지위를 지키고자 가격을 내린 결과 이익은 42퍼센트 급락했다.

그래도 다행히 2006년 7월 말에 좋은 소식이 있었다. 오텔리니가 펜티엄 칩을 능가하는 '코어 2 듀오 칩'을 공개한 것이다. 칩의 속도도 획기적으로 증가했을 뿐만 아니라 이스라엘 팀의 우회전 개념과 그들이 추가로 개발한 '듀얼-코어 프로세싱'을 응용해서 만들어 냈다. 그는 산타클라라 본사에서 500명의 관객 앞에서 말했다. "이것은 우리가 최고로 디자인하고 구축한 프로세서입니다. 이것은 단순한 발전적 변화가 아니고 개혁적인 도약입니다." 이 칩을 만들어 낸 자랑스러운 엔지니어들은 축제의 자리를 같이 하지 못했으나 이스라엘에서 인공위성을 통해 스크린으로 소개가 되었다. 일년 내내 인텔 주식은 19퍼센트가 떨어졌지만 7월의 발표 이후로 16퍼센트가 올랐다. 인텔은 그 후 100일 조금 넘는 기간 안에 새로운 프로세서를 40개나 공개했고 그중 대부분이 이스라엘 팀의 설계에서 나왔다.

멀리 바다 건너 고립된 전초기지가 이제는 인텔의 생명선이 되었다. 아메리칸 테크놀로지 리서치(American Technology Research)의 더그 프리드먼(Doug Freedman)은 "이스라엘 팀이 회사를 살렸다."고 했다. 하이파에 있는 개발자들이 그들의 상사에게 도전하지 않았으면 오늘의 세계적 입지에는 오르지 못했을 것이다.

이스라엘 팀이 만들어낸 전력소비 장벽의 솔루션은 또 다른 아이디어를 파생시켰다. 컴퓨터가 전기를 많이 소모하지 않는다는 생각에 전원을 켜 놓고 있을 때가 많지만 총체적으로는 많은 소모가 따른다. 인텔의 환경공학 임원인 존 스키너(John Skinner)가 우회전의 낮은 파워 칩 디자인을 응용하지 않고 그들이 하던대로 칩을 만들어냈다면 전기가 얼마나 낭비되었을지 계산해 본 결과, 우회전 디자인이 2년 반 만에 20테라와트의 전기 소모를 줄인 것으로 판명되었다. 그것은 2,200만 개의 100와트 전구를 하루 24시간 주 7일을 켜 놓은 상태에서 1년 동안 소모될 전기를 줄인 것에 해당된다. 그는 "우리는 전기요금을 연간 2조 원 정도 절약했을 뿐만 아니라 몇십 개의 석탄 발전소나 자동차 몇백 만 대를 제거한 것과도 같은 효과를 얻게 되었다. 그렇게 함으로써 우리 회사가 이산화탄소 배출량을 줄이는 데 일조할 수 있었다는 점을 매우 자랑스럽게 생각한다."라고 말했다.

인텔 이스라엘 팀 이야기의 중요성은 그들이 혁명적인 솔루션으로 회사를 살린 것 때문만은 아니다. 좋은 아이디어 하나로 타협이 어려운 경영진과 맞서고 그들의 명령에만 따르지 않고 도전하는 배짱이 있었다는 점 또한 의미심장하다. 그런데 그런 당돌함은 어디서 나오는 것일까?

미국 동료가 이스라엘 사람들의 기업 문화를 처음 접했을 때 받은 충격을 목격한 펄뮤터가 말했다. "미팅이 끝나 회의장을 나오고 있었는데, 다들 소리를 지른 터라 얼굴이 불그스레했다. 놀라면서 무슨 안 좋은 일이라도 있냐고 묻는 미국인 동료에게 나는 '아니, 아주 좋은 결론에 도달했을 뿐이야.'라고 말해주었다."

다른 신사적인 기업에서는 그런 열띤 토론이 혐오의 대상이 될 수도 있지만 이스라엘 사람들은 문제를 해결하는 데 가장 효과적인 방법이라고 생각한다. 이스라엘을 대상으로 하는 어느 미국인 투자자는 이렇게 설명했다. "자존심이 상하고 말고 하는 차원을 초월하면 아주 홀가분해진다. 이스라엘 사람들은 뒤에서 수근거리는 일이 드물고 다른 사람이 나를 어떻게 생각하고 있는지 잘 알고 있다. 그러다 보니 쓸데없는 심리전에 시간을 낭비하지 않는다."

펄뮤터는 산타클라라로 전근했고 인텔 모바일 컴퓨팅의 부사장으로 승진했다. 그의 부서는 회사 수익의 거의 반을 책임지고 있다. 그는 "내가 이스라엘에 가면 옛날의 인텔 문화로 돌아가는 것 같다. 예절을 덜 따지는 나라에서 일하는 것이 더 수월하다."고 말한다. 인텔은 미국과 이스라엘의 문화적 차이를 줄이려는 노력의 일환으로 문화간 세미나도 개최했다. 세미나 운영자인 슈무엘 에덴은 "이렇게 미국에서 5년을 살고 보니 이스라엘 문화보다 독특한 것이 없다. 이스라엘 사람들의 문화는 통제가 잘 돼 있는 까닭에 0살부터 당연함에 도전하고, 물어보고, 논의하고, 혁신하라고 교육을 받는다."고 말했다. 그가 덧붙였다. "다섯 명의 이스라엘 사람들을 다루는 것이 오십 명의 미국인을 다루는 것보다 어렵다. 이스라엘 사람들은 항상 도전해 오기 때문이다. 그들은 시작부터 '왜 당신이 나의 관리자입니까, 내가 당신의 관리자가 아니고?'라고 물어오는 사람들이다."

시리아 전쟁에서 싸웠던 이스라엘 탱크부대 지휘관은
세상에서 가장 유능한 엔지니어링 경영자이다.
지난 20년 동안 그들과 함께 일하고 관찰한 나의 경험으로 비추어 볼 때
이스라엘 탱크부대 지휘관들은 어마어마한 섬세함과
최고의 운용기술을 가지고 있다.

– 에릭 슈미트

2장
전쟁터의 기업가들

    1973년 10월 6일 이스라엘 사람들이 경건한 마음으로 가장 성스럽게 지키는 '속죄의 날', 이집트와 시리아 군대는 기습공격으로 욤 키퍼(Yom Kippur) 전쟁을 일으켰다. 불과 몇 시간 만에 이집트 군대는 수에즈 운하를 따라 길게 펼쳐진 이스라엘의 방어선을 돌파했고, 이집트 보병은 어느새 이스라엘 탱크를 덮쳤으며 1차 공격의 뒤를 이어 수백 대의 적의 탱크가 계속 진격해 오고 있었다.

    전 세계인을 놀라게 한 1967년의 6일 전쟁이 이스라엘 최고의 승전을 가져다 준 지 6년 밖에 되지 않았을 때였다. 당시 건국된 지 19년을 갓 넘긴 이스라엘은 아랍군의 침공 태세에 전면 위기에 처해 있었다. 그러나 이스라엘 군대는 6일 만에 이집트·요르단 그리고 시리아 군대를 동시에 무찌르고 영토를 확장했다. 시리아에서 골란 고원을, 요르단에서 웨스트뱅크와 동예루살렘을, 그리고 이집트에서 가자지구와 시나이 반도를 확보했다.

이 전쟁의 승리로 이스라엘 국민들은 무한한 자신감을 갖게 되었고 그 후로 어느 누구도 아랍 연합군이 또 다시 대대적인 침공을 해 올 거라고는 상상도 못했다. 군내에서도 만약 아랍군이 무모하게 다시 쳐들어 온다고 해도 이스라엘군이 1967년의 6일 전쟁 같이 최대한 빠른 시간에 정복할 수 있으리라고 믿었다.

그러나 가장 경건한 마음으로 보내는 속죄의 날인 1973년 10월 6일, 이스라엘은 전쟁을 치를 준비가 전혀 되어 있지 않았다. 수에즈 운하를 따라 가늘게 늘어선 이스라엘의 요새들은 이집트의 압도적인 침공에 무기력하게 쓰러졌다. 힘없이 무너진 1차 방어선 뒤에는 3개의 이스라엘 탱크 여단만이 돌격해 오는 이집트 군대와 이스라엘의 심장부 사이를 가르고 있었다.

겨우 56개의 탱크로 120마일이나 되는 길고 긴 전선을 방어할 책임을 지고 있던 인물은 암논 레세프(Amnon Reshef) 대령이었다. 그는 이집트의 공격에 자신의 탱크가 차례로 공격당하는 것을 목격했으나 정작 공격하고 있는 적의 탱크나 대전차포는 하나도 그의 눈에 띄지 않았다. 그는 처음에 보병의 일반적인 대전차 무기인 로켓 추진식의 수류탄(RPGs)이 그들의 탱크를 쳐부수고 있는 줄로만 알았다. 레세프는 RPGs의 사정거리를 벗어나기 위해 일단 후퇴했으나 무슨 영문인지 그의 탱크들은 계속 공격을 입고 폭파당하고 있었다.

그는 그제서야 보이지 않는 무언가에 의해 공격을 당하고 있었다는 것을 깨달았다. 전투가 격해지면서 실마리가 풀리기 시작했다. 미사일 공격에 살아남은 탱크 부대원들은 아무것도 못 봤다고 했지만 바로 옆 부대원들은 탱크를 따라 움직이는 빨간 불빛을 봤다고 했다. 박살 난 탱크에 이르니 부서진 탱크까지 연결된 기다란 전선이 발견됐다. 드디어 부대장들은 이집트가 사용하고 있는 비밀병기가 새거(Sagger, 소련에서 도입한 대전차미사일)라는 것을 알아차렸다.

새거는 1960년도에 세르게이 파블로비치 네파베디무이(Sergei Pavlovich Nepobedimyi)가 만들어 냈다. 공교롭게도 그의 러시안 이름은 '무찌를 수 없다'는 뜻을 담고 있었다. 새로운 무기는 바르샤바 동맹국에 제공되었지만 실제 전쟁에서는 욤 키퍼 전쟁 때 이집트와 시리아 군대에 의해 처음 사용하게 된 셈이다. 당시 이스라엘방위군(IDF) 집계에 의하면 남쪽과 북쪽 전선에서 400대의 탱크가 파괴됐고 600대의 탱크는 수리 후 다시 전선에 투입되었다. 시나이 지역 부대의 경우 290대의 탱크 중 180대는 전쟁 첫날 파괴되었다. 이것은 IDF가 자랑하는 무적의 자신감에 큰 상처를 주었다. 피해의 절반은 RPGs, 그리고 나머지 절반은 새거가 입혔다.

새거는 전선으로 유도되는 미사일로 사수가 땅바닥에 엎드려 손쉽게 발사할 수 있었다. 탱크를 공격할 수 있는 사정거리는 3,000미터, 즉 1.86마일이었고 RPGs의 사정거리보다 열 배가 넘을 뿐만 아니라 파괴력 또한 월등했다. 거기다 새거는 사수 한 사람이 쏠 수 있었고 숨을 필요도 없이 사막의 모래 웅덩이에서도 발사할 수 있었다. 사수는 목표 탱크를 향해 새거를 발사한 후 전자 게임기의 조정기와 같이 생긴 '조이스틱'으로 미사일 뒤쪽의 빨간 불을 유도했다. 사수가 빨간 불빛만 볼 수 있으면 미사일에 부착된 전선을 통하여 먼 거리에서도 정확하게 목표물을 타격할 수 있었다.

이스라엘 정보군은 새거의 존재에 대해 전쟁 발발 전부터 알고 있었고 1967년 6일 전쟁 이후 수시로 일어난 지구전 중 이집트가 국경 공격을 가했을 때의 교전에서 여러 차례 공격을 받은 적이 있었다. 그러나 군 고위층은 새거를 그저 또 하나의 대전차 무기로 생각했고 6일 전쟁 때처럼 손쉽게 쳐부술 수 있을 거라고 여겼다. 그들은 새거를 격퇴할 준비가 돼 있다는 오만에 빠져 새거의 위협에 대해서는 아무런 대책을 세우지 않은 상태였다. 레세프와 그의 부대원들은 치열한 전투가 벌어지는 와중에 어떤 무기가 공격해 왔고 어떻게 대처를 할 것인지 알아내야만 했다.

대원들의 보고서를 근거로 지휘관들은 새거도 취약점이 있음을 발견했다. 새거는 비교적 저속으로 날았고 사수는 육안으로 이스라엘 탱크를 볼 수 있을 때만 적중이 가능했다. 따라서 그들은 새로운 전략을 세웠다. 빨간 불빛을 보면 탱크들은 무작위로 흩어져서 볼 수 없는 사수를 향해 포격을 가하는 것이었다. 탱크가 흩어지면서 일으키는 흙먼지는 사수로 하여금 미사일 뒤쪽 빨간 불을 볼 수 없게 시야를 흐리게 했고 거기다 포격은 사수의 집중력을 떨어뜨렸다.

새로운 전략은 대성공이었고 전쟁이 끝난 후 나토군의 전략으로도 채택되었다. 이 전략은 국방대학에서 수년간 가상 전략으로 연마된 것도 아니었고 전투 매뉴얼에도 나오지 않는 실전에서 얻은 최전방 전투 대원들의 즉흥적인 전략이었다.

일반적으로 이스라엘군의 전술 전략 혁신은 탱크 지휘관에서부터 장교까지 상향식으로 이루어진다. 이스라엘 군인들은 상급자에게 문제 해결책을 요구할 생각을 하지 않으며 그들 스스로 전략을 구축하고 실행할 수 있는 권한을 갖고 있다고 믿었다. 상황에 따라 새 전략을 고안하고, 채택하고, 적용하는 것이 당연하다는 생각은 이스라엘 군인들에게는 일반 상식이었다. 그렇지만 이러한 이스라엘 군인의 접근방법은 특이했다. 만약 이들이 다른 나라의 군대나 다국적 기업에서 일을 했다면 아마 똑같은 방식으로 행동하지는 않았을 것이다. 한때 IDF에 파견군으로 근무했던 마이클 오렌(Michael Oren)에 의하면 "이스라엘 중위는 다른 어느 나라 군대의 중위보다 결정 권한 범위가 넓다."고 한다.

1장에서 언급했듯이 이런 범위는 기업뿐만 아니라 특히 군조직에서 널리 적용되는 개념이었다. 일반적으로 우리가 군조직 문화를 생각할 때는 엄격한 명령체계와 철저한 복종체계를 떠올리고 군인 개개인은 거대한 바퀴의 나사와 같은 군조직의 미미한 조직원으로 인식되어 있다. 그러나 IDF는 이러한 인식과는 거리가 멀다. 이스라엘에서는 모든 국민이 2~3년간의 국방 의무 기간 동안 군의 문화가 심어지고 이것이 이스라엘인의 시민 문화로 자연스럽게 이어지고 있다.

《팬타곤과 전쟁의 기술(Pantagon and the Art of War)》의 저자이고 《이스라엘 군대(The Israeli Army)》의 공저자인 에드워드 루트와크(Edward Luttwak)가 군역사가이자 전략가로서 말했다. "이스라엘 군대에서 하급자에게 책임을 과감하게 위임하는 것은 다분히 계획적이고 필요 불가결하다. 모든 군대는 순발력을 강조한다고 중국·프랑스·영국의 군대가 똑같이 말한다. 그러나 말만으로는 아무런 의미가 없다. 조직의 구조를 보아야 한다." 그의 주장에 의하면 이스라엘 군대는 특이한 장교 대 사병의 비율을 지키고 있다. 전 세계의 어느 군대 조직보다 이스라엘 군대의 피라미드 조직구도는 위가 아래보다 숫자적으로 현저하게 적다. 루트와크는 "IDF는 의도적으로 상급 레벨을 줄였다. 즉 명령을 지시할 고위 장교를 줄인 셈이다."라고 말했다. 고위 장교가 많지 않다는 것은 하급 사병들의 개인적인 가치와 역량을 보장한다는 뜻이기도 하다.

루트와크는 이스라엘 군대는 사병은 많지만 장교는 적다고 지적했다. 미국의 장교 대 사병 비율은 1 대 5이지만 IDF는 1 대 9이다. 프랑스와 영국보다 더 큰 규모를 자랑하는 이스라엘 공군(IAF)도 마찬가지로 상위 장교의 숫자가 적을 뿐만 아니라 공군의 최고 지휘관은 별 두 개의 소장이며 이 또한 다른 나라보다 낮은 계급이다.

그러나 미군은 두터운 상층부를 갖춘 조직이 필요할 수도 있다고 본다. 미국 군대는 규모도 훨씬 클 뿐 아니라 전쟁이 몇 천 마일 떨어져 있는 여러 대륙에서 수행되는 경우가 많으므로 거기에 따르는 복잡한 수송 병참을 포함한 특수한 명령체계와 여러 이슈를 고려해야 하기 때문이다.

군조직의 규모와 체계가 적당한가를 따지기에 앞서 고급 장교의 수를 줄여서 명령 체계를 단순화한 것은 결과적으로 중요한 의미가 있다. 30살의 IDF 소령인 지라드 파히(Gilad Farhi)가 그 의미를 분명하게 나타내 주고 있다. 그의 군 경력은 지극히 평범한 시작이었다. 18살에 특공대원으로 시작하여 보병 소대장으로, 중대장으로 그리고 남부 사령관의 대변인을 거쳐 대대장급인 하루브 부대 부사령관을 지냈다. 지금은 보병 연대의 신병 훈련소의 총지휘관이다.

그를 만난 곳은 요르단 계곡 기슭에 있던 황량한 훈련소였다. 구겨진 군복 차림에 동안이었던 그는 아무리 봐도 훈련소 총지휘관처럼 보이지 않았다. 우리는 신병들의 첫 소집이 시작되는 바로 전날 인터뷰를 했다. 그는 앞으로 7개월 동안 이제 갓 고등학교를 졸업한 850명의 신병들과, 120명의 장교, 분대장, 하사관 그리고 사무직원들의 교육 지휘관이었다.

파히는 "이곳의 가장 흥미로운 그룹은 중대장입니다."라고 했다. "그들은 정말 대단한 군인이죠. 이제 겨우 23살의 중대장이지만 100명의 사병과 20명의 장교와 하사관 그리고 세 대의 군용 트럭을 통솔하고 있습니다. 다 계산해 보면 120개가 넘는 소총과 수많은 기관총·폭탄·수류탄·지뢰 등이 있다 보니 그들의 책임이 막중합니다."

중대장은 또한 행정지역을 지키는 책임자이기도 하다면서 "만약 테러범이 침투해 오면 그 지역을 맡은 중대장이 책임을 지는데, 세계 어느 곳에서 23살의 젊은이가 그런 중책을 맡겠습니까?"라고 말했다. 파히는 23살의 중대장들이 일상적으로 겪는 일과를 예를 들어 설명했다.

웨스트뱅크에 위치한 나블러스 시에서 작전을 수행하는 중 테러범이 점령하고 있던 집에 부상당한 중대원이 갇혀 있었다. 그때 중대장에게는 군용견, 중대원들 그리고 불도저 이 세 가지가 있었다. 만약 중대원들을 투입하여 구출 작업에 나선다면 더 많은 희생자가 생길 수 있었고 불도저로 밀어붙인다면 집에 갇힌 부상병이 다칠 수 있었다.

상황을 더 어렵게 만든 것은 그 집 벽에 붙어 있던 팔레스타인 학교에 갇혀 있는 학생들과 교사들이었다. 방송 기자들은 학교 지붕에서 취재를 하고 있었고 테러범들은 이스라엘 군인과 기자들을 향해 총을 쏘고 있었다. 이런 극한 대치 상황에서 중대장은 혼자서 판단하고 지휘해야 한다. 파히가 먼거리에서 지원해 줄 수도 있었지만 중대장의 지휘 영역이라고 판단했다. "그 중대장에게는 진퇴양난의 상황에서 문제 해결을 위한 매뉴얼도 없었습니다." 중대원들이 들어가 부상당한 대원을 구조했고 테러범은 그대로 집에서 대치하고 있었다. 중대장은 학교 관계자가 위험을 알고 있었지만 대피하면 테러범으로부터 '협력자'라는 낙인이 찍힐까 봐 못하고 있다는 것을 알고 있었고, 기자들은 특종을 놓치지 않기 위해 지붕에서 내려오지 않는다는 것도 알고 있었다. 중대장의 솔루션은 학교에 최루탄을 터뜨려서 모두를 대피시키는 쪽으로 굳혀졌다. 학생·교사 그리고 기자들을 안전하게 대피시킨 다음 불도저로 옆집을 밀어붙여 테러범을 집 밖으로 몰아낸다는 결정을 했다. 불도저로 집을 갈아엎을 때 군용견을 풀어 테러범을 포위했다. 이때 예상치도 못한 다른 테러범이 학교에서 뛰어 나왔고 밖에 있던 중대원이 그를 사살했다. 이 작전의 종료까지는 4시간이 걸렸고 "내가 현장에 도착하기 전까지 23살의 중대장은 혼자서 작전을 수행했습니다."라고 파히가 말했다.

"작전 후 막사에 돌아온 중대장은 대원들로부터 존경의 눈길을 받았고 중대장 자신도 새로운 면을 발견했습니다."며 파히가 계속했다. "그의 중대원들, 팔레스타인 학생들, 기자들의 생명이 그의 손에 달려 있다는 점이 그를 한층 더 성숙한 중대장으로 만든 것입니다. 그가 한 일이 동유럽을 정복한 것만큼의 큰 사건은 아니지만 그 어려운 상황에서 그런 독창적인 솔루션을 찾아 낸 것입니다. 그것도 23살의 젊은 나이에 말이지요."

우리는 어느 준장으로부터 2006년 레바논 전쟁 때 있었던 갓 20살 된 헬리콥터 조종사 요씨 클라인(Yossi Klein)의 이야기를 들었다. 그는 레바논 남쪽 깊숙이 갇혀 있는 부상병을 구출하라는 명령을 받고 헬리콥터를 조종하여 격전지에 도착해서 들것 위에 누워있는 부상병을 발견했다. 그러나 덤불이 너무 우거져 착륙이나 가까이 접근하는 것이 불가능해 들것을 끌어올릴 수가 없었다.

이러한 상황에 대처하는 요령을 알려주는 매뉴얼도 없었지만 설사 있다고 해도 이 상황에서는 매뉴얼을 볼 수도 없었다. 그는 헬리콥터의 뒤편 날개로 덤불을 쳐냈다. 만에 하나 날개가 부러지면 헬리콥터는 그대로 추락을 면치 못할 작업이었다. 클라인이 성공적으로 덤불을 쳐냄으로써 헬리콥터가 맴돌 수 있는 공간이 확보되어 부상병을 구조할 수 있었다. 부상병은 이스라엘 병원으로 후송됐고 생명을 건질 수 있었다.

파히는 자기 밑에서 근무한 중대장들에 대해 다음과 같이 반문했다. "23살의 대학 3학년들 중에 몇 명이나 이런 경험을 해 봤을까요? 그리고 어떻게 23살의 젊은이에게 이런 막중한 책임을 감당할 수 있도록 교육하고 임무를 수행할 수 있도록 한다는 말입니까?"

얼마나 많은 권한이 군의 하위계급 사병에게 이관되고 있는지 이스라엘의 최고위 리더도 놀랐다. 이츠하크 라빈(Yitzhak Rabin) 총리 시절인 1974년에 IDF 8200부대의 한 젊은 여군이 테러범에 납치되었다. 미국의 국가안전보장국과 같은 이 정보부대의 총지휘관이었던 아론 지비 파르카시(Aharon Zeevi-Farkash) 중장은 라빈 총리가 놀랐던 상황을 회고했다. "납치된 여군은 하사관이었다. 라빈 총리는 그 여군이 알고 있는 사항을 조목조목 보고하라 했고 총리의 표정에는 그 여군이 알고 있는 국가기밀이 납치범에게 넘어갈 것에 대한 걱정이 역력했다. 브리핑을 받은 총리는 바로 집중 수사를 지시했으나 그제서야 비로소 하사관이 국가 안전에 관한 주요 기밀을 너무 많이 알고 있다는 사실을 깨달았다. 어떻게 이런 일이 있을 수 있단 말인가?"

라빈 총리가 놀라지 않을 수 없었던 것은 총리 자신이 6일 전쟁 때 국무장관을 지냈기 때문이었다. 파르카시가 그에게 말했다. "총리님, 이 하사관 혼자만이 아닙니다. 이건 실수도 아닙니다. 8200부대원 모두가 그런 기밀을 알고 있습니다. 만약 그런 정보를 장교들에게만 한정한다면 우리 부대는 임무를 수행할 수 없습니다." 사실 예나 지금이나 이 점에서는 똑같은 시스템이었다. 다른 정보 시스템을 구축하려 해도 인력이 충분치 않기 때문에 불가능했다.

현재 기업과 가정에 혁신적인 보안 시스템을 제공하는 회사를 운영하고 있는 파르카시는 강대국에 비교해 이스라엘은 중요한 네 가지 요소가 부족하다고 말했다. "이스라엘에는 땅·사람, 그리고 시간과 예산이 부족하다." 바로 그것이다. 사람 숫자가 적은 것에 대해서는 어떻게 할 방법이 없었다며 파르카시는 "우리는 다른 나라처럼 장교들을 많이 배출할 수 없으니 하사관들이 중령이 하는 일을 한다."라고 말했다.

인력 부족은 IDF의 가장 특별한 기능을 맡고 있는 예비군의 역할과 연결된다. 다른 나라와 달리 예비군은 이스라엘군의 중추 역할을 한다. 대부분의 군대는 현역군이 국방의 중심이 되고 예비군은 현역군을 지원하는 부속조직이지만 주변의 적들이 숫자적으로 압도적인 이스라엘은 현역군만으로는 주변의 침략을 막아내지 못한다는 것을 처음부터 인지하고 있었다.

독립전쟁을 치른 바로 뒤에 이스라엘 리더들은 예비역 장교가 직접 통솔하는 예비군을 중심으로 한 아주 특이한 군조직을 구축하기로 결정했다. 다른 나라의 예비군들은 현역 장교들이 직접 지휘하든 안 하든 이스라엘 예비군은 통상 몇 주 또는 몇 달의 재훈련을 받은 뒤에 실전에 투입된다. 루트와크는 "어느 나라도 하루 또는 이틀간 훈련을 받고 실전에 투입되는 예비군을 구축하는 군대는 없다."고 말했다.

과거에 시도된 바 없는 이러한 이스라엘의 특이한 예비군 시스템이 잘 운용될지는 누구도 자신하지 못했지만 이스라엘이 유일하게 이 제도를 운용하고 있다. 미국의 군 역사학자인 프레드 케이건(Fred Kagan)은 이렇게 말했다. "이러한 제도는 아주 안 좋은 군 운용체계이지만 이스라엘은 다른 선택의 여지가 없기 때문에 이 제도를 지금까지 훌륭하게 운용하고 있다." 이스라엘의 예비군 시스템은 국가 혁신의 한 예일 뿐만 아니라 다른 혁신을 가져오는 촉매 역할을 하고 있다. 택시 운전사가 백만장자를 서슴없이 대하고, 23살의 청년이 삼촌뻘 되는 나이 많은 어른을 훈련시킬 때는 자연스럽게 연공서열이 희석되기 때문에 이러한 서열타파 기질은 군·학교·회의실 등 이스라엘 사회 곳곳에서 볼 수가 있다.

나티 론(Nati Ron)은 사회인으로서는 변호사이면서 예비군제도 안에서는 육군을 지휘하는 중령이다. 그는 아주 자연스럽게 말했다. "예비군에서는 서열이 아무 의미가 없다. 훈련장에서 일등병이 장성에게 '지금 잘못하고 있습니다. 이렇게 해야 합니다.'라고 말한다."

텔아비브에 있는 아팩스 파트너스(Apax Partners) 벤처 캐피탈 투자가로 일하고 있는 아모스 고렌(Amos Goren)도 동의했다. 그는 이스라엘 현역에서 5년간 군복무를 했고 그 후 25년을 예비군으로 활동한 바 있다. 그는 "나는 장교도 아니었고 그저 한 사람의 사병이었지만 그 기간 동안 누구한테도 거수경례를 해 본적이 없다."고 말했다. "예비군 시스템에서는 군사문화 속에 민간사회의 질서 또한 깊이 배어 있다."고 루트와크가 말했다.

그렇다고 군인이 상관의 명령을 따르지 않는다는 것은 아니다. 고렌이 설명했듯이 "이스라엘 군인은 계급장이 아닌 무엇을 잘 할 수 있는지에 따라 역할이 결정"된다. 또는 루트와크가 말한 대로 "명령을 전달하고 따른다는 의미는 임무를 수행할 의지와 임무를 완수하기 위한 사람들의 테두리 안에서 정해지는 것이지 나이와 계층 간의 갈등을 초래하는 계급은 크게 중요하지 않다."

이스라엘 군대는 왜 비계급 조직이고 하급자가 상급자에게 서슴없이 질문하고 또한 이에 대해 관대한지 묻자 파르카시 중장은 그것은 군에만 속한 것이 아니라 이스라엘 전 사회와 역사의 저변에 깊이 배어 있다고 답했다. 그는 어렸을 때 트란실바니아에 살았던 영향으로 약간의 유럽식 억양으로 말했다. "우리 종교는 모든 사람들이 기초로 하는 '오픈 북'이다." 그가 말하는 '오픈 북'이란 탈무드를 가리킨다. 탈무드는 수천 년 동안 유대교 랍비들이 성경 해석과 규율을 지키는 것에 대해 논쟁한 기록이자 유대교의 생활 태도와 이스라엘 건국이념의 초석이 되었다.

이스라엘 작가 아모스 오즈(Amos Oz)가 말했다. "유대교와 이스라엘은 틀에 박히지 않은 무제한의 해석, 재해석, 대립적인 해석, 반대 해석 등 질의와 논쟁의 문화를 항상 장려해왔다. 논쟁은 유대 문명의 시작 때부터 보편적 가치로 여겨왔다."

IDF의 비 계급 주의는 민간 사회에 널리 퍼져 있고 여러 분야에서 많은 영향을 미치고 있다. 루트와크는 "교수들은 학생들을, 회사 상사는 사원들 한 사람 한 사람을 존중한다. 이스라엘인들은 예비군 제도가 아니었으면 만날 수 없는 친구들과 인연을 맺는다."라고 말했다. "야영 텐트에서 함께 자고 맛 없는 군 급식을 먹고 며칠 동안 샤워도 못한 채 함께 지내면서 환경과 배경이 다른 예비군들이 서로를 대등하게 대한다."는 것이다. 이스라엘이 지금도 다른 어떤 나라보다 계층차별이 적은 것은 바로 이 예비군 제도가 공헌한 것 중 하나이다.

서열과 상하 관계를 최소화하는 비 계급 주의 시스템은 다른 나라 군대에서는 찾아보기 어렵다. 역사학자이자 IDF 예비군 장교이며 현 주미 이스라엘 대사인 마이클 오렌은 자신이 이스라엘 파견군으로 근무할 때 일화를 소개했다. "이스라엘 장성 여럿이 함께 모여 커피를 마시려 한다면 커피 통에 가장 가까이 앉은 사람이 커피를 만든다. 그 사람이 어떠한 직위에 있던 상관 없다. 장성이 사병에게 커피 서비스를 하는 것은 일반적이고 이런 사소한 것에 대한 의전 규율이 없다. 그러나 미국 군대에서는 대위들과 함께 있을 때 소령이 들어오면 모든 대위들이 경직되고, 그 후 대령이 들어오면 소령 또한 경직된다. 미국 군대는 상하관계가 뚜렷한 경직된 조직이고 따라서 계급을 매우 중요시 여긴다. 미국 군대에서 통상 하는 말이 '계급에 경례하지 사람한테 경례하는 것이 아니라는 것'이다."

IDF에서는 상관에게 이의를 제기하는 방법이 매우 특이하다고 오렌이 말했다. "내가 이스라엘군 사병이었을 때 장교를 내쫓은 일이 있었다. 사병들이 모여서 투표로 결정했고 이런 상황을 두 번이나 경험했다. 나는 그 장교를 개인적으로 좋아했지만 다수결에 의해 어쩔 수 없었다." 이 이야기가 믿기지 않아 좀 더 자세히 말해달라고 요청하자 그가 말했다. "당사자한테 가서 당신의 능력이 부족하니 우리를 지휘할 수 없다고 했다. 존칭어가 없다 보니 이름을 부르면서 말이다. 그리고 그의 상관한테 가서 그는 경질되야 한다고 말했다. 그것은 계급보다는 개인의 자질과 능력에 관한 사안이다."

두 번째 팔레스타인 반란이 있었을 때 육군 총사령관을 지낸 모세 야론 장군은 그 당시 발생했던 비슷한 일화를 들려줬다. "레바논의 다부라는 마을에서 예비군 부대가 작전을 수행했다. 여기에서 아군 장교와 사병 9명이 전사했고 내 조카를 비롯한 다수가 부상을 당했다. 이 전투에서 살아남은 대원들은 대대장의 미숙한 작전 수행능력 때문이었다고 비난했다. 중대원들은 여단장을 찾아가서 대대장에 대한 불만을 털어 놓았고 그는 당연히 자체 조사를 받았다. 결과적으로 대대장은 부하들이 제기한 불만 때문에 경질되었다."

야론 장군은 이러한 독특한 제도는 이스라엘군의 효율성에 매우 긍정적인 요소라고 믿고 있다. "리더십의 관건은 지휘관에 대한 병사의 신뢰이다. 만약 병사가 지휘관을 믿지 못하면 신뢰가 무너지고 자연히 지휘관의 지시에 따르지 않게 된다. 위 경우에서는 대대장이 실패한 것이고 특히 작전실패로 본다. 다른 경우에서는 도의적인 실패가 원인일 수 있다. 어떤 요인이든지 사병들은 이러한 사안에 대해 마음속으로 삭이지 않고 적극적으로 나서서 말하며, 그것이 수용될 수 있다는 것도 알고 있다."

전 미국 육군사관학교 프레드 케이건 교수는 미국 또한 이스라엘 제도에서 배울 점이 많다는 것에 동의한다. 그는 "IDF 지휘관들처럼 부하들이 자기 위의 상관한테 자신을 직접 고발할 수 있다는 두려운 마음을 갖는 것이 좋은 현상은 아니지만, 한편으로는 이러한 360도 평가를 미국 군대가 장교들의 진급평가 제도에 활용하면 유익한 점이 한두 가지가 아닐 것이다. 현재의 평가시스템은 일방적이다. 진급을 하려면 윗사람한테만 잘 보이면 되고 부하직원의 의견은 묵살될 수 있다."라고 말했다.

결론적으로 오렌과 케이건 교수는 "IDF는 미국 군대보다 합리적"이라고 했다. 물론 미국은 모병제이고 이스라엘은 징병제라는 점에서 같은 결론을 내리기는 어려울 수도 있다.

오렌의 설명에 의하면 "이 나라에는 묵시적인 사회적 계약이 하나 있는데 그 사회적 약속은 국가와 군대가 국민에 대해 책임감을 갖는다면 국민은 기꺼이 국방의 의무를 다한다는 것이다. 이스라엘 군대는 2008년의 미국 군대보다 1776년 독립전쟁 당시의 군대와 아주 흡사하다. 조지 워싱턴은 '대장'이라는 계급에 별 의미를 부여하지 않았고 대신 자신이 위대한 대장이 되어야만 그들이 자율적으로 따른다는 것을 알고 있었다."

　　당시 미국 건국 초기 병사들은 거의 매일 자진해서 군에 계속 남을 것인지를 결정했기에 오렌이 설명한 이스라엘 군대의 의무 복무 개념과는 큰 차이가 있다. 그러나 미국 병사들도 IDF와 마찬가지로 '국민의 군대'였다. 오렌의 설명대로 미국의 대륙군과 같이 사병들이 국가의 생존을 위해 스스로 목숨 바쳐 싸우는 국민의 구성 요소들이기 때문에 계급이란 관점에서 IDF는 적극적이고 형식을 따지지 않고 합의적인 요소를 가지고 있다.

　　이제 어떻게 해서 사병들이 계급에 개의치 않고 서슴없이 상위 계급자에게 "당신은 옳지 않습니다."라고 말할 수 있는지 이해할 수 있을 것이다. IDF 군복무에서 몸에 배인 이 후쯔파는 샤바트 샤케드가 페이팔 사장한테 인터넷상의 좋은 사람과 나쁜 사람의 차이를 가르칠 수 있고 인텔 회사의 이스라엘 엔지니어들이 핵심제품으로 기초적인 구성과 업계의 가치평가 방법을 뒤집는 것을 결정한 사례의 근본 배경임을 알 수 있다. 강한 자기주장 또는 건방진 태도, 비판적이면서 독자적인 사고력 또는 반항적 행위, 야심과 비전 또는 거만함. 각자의 견해의 따라 달리 이해할 수 있겠지만 이것들이 하나하나 모여서 전형적인 이스라엘의 기업가 정신을 만들어 가는 것이다.

제2부

혁신을 지피는 문화의 씨앗

멀리 가고, 오래 머물고, 깊이 보라.

− 〈아웃사이드〉에서

3장
개척이란 이름의 사람들

볼리비아 라파즈의 고도는 11,200피트이고 엘로보는 그보다 한 층 높다. 엘로보는 레스토랑이자 호스텔이며 사교클럽이기도 하고 마을에서 유일하게 이스라엘 음식을 맛볼 수 있는 곳이다. 이곳은 이스라엘 출신의 도리트 모랄리(Dorit Moralli)와 그녀의 남편 일라이(Eli)가 설립, 운영하고 있다.

볼리비아를 거치는 거의 모든 이스라엘인 여행객은 엘로보에 한 번쯤 들르지만 그 이유는 단지 고향의 맛을 느낄 수 있는 정갈한 음식과 익숙한 히브리어, 그리고 다른 이스라엘 사람들을 만나기 위한 것에 그치지 않는다. 그들은 그곳에서 더욱 가치 있는 다른 무언가를 찾을 수 있음을 알고 있다. 바로 '더 북'이다. 보통은 '책'이라는 단수의 의미를 갖는 단어로 통칭되지만 사실은 한 권이 아니라 정해진 틀없이 끊임없이 바뀌고 진화하는 일기 모음집이라고 할 수 있으며 전 세계의 가장 멀고 외딴 지역들에 널리 퍼져 있다. 각 일지는 여행객들이 다른 여행객들에게 전하는 각종 조언들이 직접 손으로 쓰여져 있는 일종의 바이블이라고 할 수 있다. 현재 이 일지들은 더 이상 이스라엘 사람들만의 것으로 국한되지 않지만, 그 저자와 독자들은 이스라엘 사람들인 경우가 많다.

엘로보에서 '더 북'이 탄생한 것은 1986년 식당이 문을 연 지 겨우 한 달 정도 지났을 때였다. 네 명의 이스라엘인 배낭 여행객들이 들어와 "그 책이 어디 있느냐?"고 물었다. 가게 주인 도리트가 어리둥절해하자 여행객들은 사람들이 다른 여행자들을 위해 추천과 경고의 메시지를 적는 책을 의미하는 것이라고 설명했다. 그들은 새 일기장을 한 권 사서 다른 이스라엘 사람들이 좋아할 만한 어느 외딴 정글 마을에 대한 첫 번째 글을 히브리어로 완성한 후 식당에 기부했다.

그 책은 인터넷보다 더 앞선 시기에 등장했지만—이스라엘에서는 1970년대에 시작했다—오늘날의 블로그와 채팅방, 실시간 메시지의 홍수 속에서도 이러한 원시적이고 종이와 펜에 기반한 전통은 여전히 견고히 유지되고 있다. 엘로보는 총 6권의 '책'을 보유하여 지역적인 '북 허브'가 되었는데 1989년 완성된 가장 첫 번째 북과 그 후에 만들어진 브라질·칠레·아르헨티나·페루, 그리고 기타 남아메리카 지역을 다룬 다섯 권을 소유하고 있다. 이밖에 아시아의 여러 지역에도 다른 '책'들이 곳곳에 위치하고 있다. 가장 먼저 쓰여진 책은 오로지 히브리어만을 사용했으나 요즘의 책들은 수많은 다양한 언어들로 쓰여있다.

권위 있는 잡지 〈아웃사이드(Outside)〉는 1989년 간행물에 "수개 국어로 쓴 일지들은 무계획적이고 자유분방하며 아름다웠다. 그것은 아이디어와 변명, 자랑, 그리고 쓸모없는 전화번호들의 집합체였다."라고 책에 대해 평했다.

한 페이지에는 어떤 디스코텍의 '예쁜 여자들'에 대한 찬사를 늘어놓았고 그 다음 글에는 특정 얼음 동굴을 반드시 가봐야 할 곳으로 추천하기도 했다. (다른 사람이 그 일지 위에 커다랗게 "아니다!"라고 적어두긴 했지만.) 그 뒤로는 반 페이지짜리 일본어 일지와 해발고도에 관한 각종 차트 및 여러 가지 식물들의 도표와 함께 빽빽한 독일어로 쓰여진 일지가 뒤따랐다. 그 다음 페이지에는 페루 마누국립공원의 열대림에서 카누를 타는 것에 관해 휘갈겨 쓴 일기로 꽉 채워져 있다. 이 일지에는 무려 일곱 개의 댓글과 추신이 덧붙여져 있는데 그 내용은 어느 식당의 음식 쿠스쿠스에 대한 경고, 펠리페라는 이름을 가진 투칸(새의 일종)의 화려한 그림 등이다.

비록 '더 북'은 세계화되었지만 여전히 기본적으로는 '이스라엘적인' 현상으로 남아 있다. 특정 지역을 다룬 지역 버전의 책들은 계속 유지, 관리되고 있으며 여행의 물결을 형성하는 길잡이가 된다. 히브리 대학의 사회학자 다르야 마오즈(Darya Maoz)에 의하면 이 '물결'이란 이스라엘 사람들이 많이 찾는 여행지의 경로이며 이는 그곳이 어디든 끊임없이 새로 만들어진다. 많은 젊은 이스라엘 배낭 여행객들은 히브리어가 다수를 차지하는 수많은 국제적인 모험가들로부터의 조언을 찾아 이 책에서 저 책으로 옮겨 다니며 모험을 한다.

이스라엘 여행객들에 관해 잘 알려진 농담은 네팔·태국·인도·베트남·페루·볼리비아 혹은 에콰도르에서도 똑같이 잘 통한다. 한 호텔의 매니저가 이스라엘 여권을 지닌 투숙객을 보고 "(여행하러 다니는 사람이) 몇 명이나 됩니까?"라고 물어보았다. 젊은 이스라엘인이 "700만 명이요."라고 대답하자, 매니저가 다시 물어본다. "그렇다면 아직 이스라엘에 남아 있는 사람은 몇 명이나 됩니까?"

끊임없이 맞닥뜨리는 이스라엘 여행객들의 숫자를 보고 많은 사람들이 이스라엘이 중국처럼 광활하고 인구가 많은 나라라고 착각하는 것은 놀라운 일이 아니다. 〈아웃사이드〉는 이스라엘인들의 여행에 대한 남다른 열정을 이렇게 표현하기도 했다. "다른 어떤 나라 사람들보다도 이스라엘인들이 적극적으로 외국여행의 가치를 받아들였으며 그것을 실행에 옮길 때의 모토는 세 가지로 요약된다. 그것은 '멀리 가고, 오래 머물고, 깊이 보라'이다."

이스라엘인의 방랑벽은 단지 세계를 경험하기 위한 것만은 아니다. 그 근원은 보다 깊은 곳에 있다. 첫 번째 이유는 몇 해 동안의 의무적인 군생활을 끝내고 난 후의 '해방감'을 만끽하기 위해서이다. 〈아웃사이드〉의 기자가 만난 야니프(Yaniv)라는 이스라엘 청년은 아주 전형적인 이스라엘 여행객이었다. 그는 수년간의 군사 생활에 대한 일종의 보상으로 자신의 몸에 나는 모든 종류의 털을 기르고 있었다. 그의 턱에는 너저분한 수염이 성기게 나 있었고 햇빛에 희게 변색된 머리카락은 유대 정교 식의 긴 귀밑머리로 땋아내린 후 마치 늑대인간으로 보이게끔 아무렇게나 묶여 있었다. "나의 머리스타일은 군대 때문이다. 지금 가장 중요한 것은 머리이고, 그 다음이 여행이다." 라고 그가 이야기했다.

이스라엘 사람들이 여행을 즐기는 것은 군대 외에도 더 큰 이유가 있다. 군생활을 하는 외국의 군인들도 여행을 할 수 없듯이, 이스라엘 젊은이들도 아마 다른 많은 군대의 군인들과 마주칠 기회가 별로 없을 것이다. 이스라엘인들이 집착하는 여행 열기에는 또 다른 심리적인 요소가 작용한다. 바로 물리적, 외교적 고립에 대한 반응이 그것이다. 이스라엘의 한 여행잡지의 편집자인 야이르 케다르(Yair Qedar)는 "사방이 적들로 둘러싸여 있는 환경에서 살다 보니 정신적인 감옥에 갇힌 것 같은 느낌을 받는 경우가 많다."고 말한다. "그래서 하늘이 열리면 일단 밖으로 나가게 된다."

베이루트·다마스커스·암만·카이로 등이 모두 이스라엘로부터 자동차로 하루도 걸리지 않는 거리에 있음에도 불구하고 최근까지도 이스라엘 국민은 인접한 국가 단 한 곳도 여행할 수 없었다. 사실 이 나라는 이스라엘이라는 국가가 만들어지기 아주 오래 전부터 고립되어왔다. 이스라엘인들에 대한 아랍권 국가들의 경제적인 보이콧은 멀리는 1891년까지 거슬러 올라갈 수 있다. 당시 이스라엘 근방의 아랍인들은 팔레스타인의 오토만 지도자들에게 유대인의 이민과 땅 매매를 막아달라고 요청했다. 1922년 제5차 팔레스타인 아랍 의회에서는 모든 유대인의 상업 및 비즈니스에 대해 보이콧할 것을 결정했다.

스물두 개국의 아랍권 국가 연합이 이스라엘이 건국되기도 전인 1943년부터 장기간 실행에 옮긴 공식적인 보이콧은 팔레스타인 내의 유대인들이 만들어낸 생산물을 사지 못하도록 하는 것이었다. 이 금지조약은 외국 회사들부터 이스라엘과 무역 관계를 갖는 모든 국가들까지 확대됐으며, 심지어 이러한 블랙리스트에 오른 회사들과 교역하는 회사들까지 보이콧의 대상이 되었다. 따라서 혼다·도요타·마쯔다·미츠비시 등 일본과 한국의 주요 자동차 회사들에게까지 2차적인 보이콧이 따랐으며 이 자동차들은 이스라엘 도로 위에서는 전혀 찾아볼 수 없었다. 단 한 가지 눈에 띄는 예외가 있다면 일제 자동차 스바루인데, 이 회사는 오랫동안 이스라엘 자동차 시장을 독점했지만 아랍권에서의 영업은 전면 금지당했다.

모든 아랍권 연합의 정부는 공식적인 보이콧 관청을 만들었는데 이 기관들이 1차 보이콧을 강행하고, 2차 및 3차 보이콧 실시 국가들의 행동을 감시했으며 새로이 동맹에 가담할 만한 국가들을 물색했다. 조지 워싱턴 대학교의 크리스토퍼 조이너(Christopher Joyner)에 따르면 "현대에 실행된 수많은 보이콧 중에서 이데올로기적으로 가장 가혹하고 교묘하게 조직되었으며 정치적으로 가장 오래 지속되고 법적으로 가장 논쟁거리가 되는 보이콧이 바로 아랍권 국가들이 주도한 이스라엘에 대한 보이콧"이라고 한다.

이 보이콧은 때로 의외의 목표물을 설정하여 진행하기도 했다. 1974년에는 아랍권 연합이 이스라엘 바하이교 신자 전체를 블랙리스트에 올렸는데 그 이유는 하이파에 있는 바하이 사원이 성공적인 관광지로 자리잡으면서 이스라엘에 이윤을 가져다 주었기 때문이다. 레바논의 경우에는 월트디즈니 애니메이션 〈잠자는 숲속의 미녀〉의 상영을 금지했는데 영화에 나오는 말 이름이 히브리 이름인 '삼손'이었기 때문이다.

이러한 환경 속에서 젊은 이스라엘인들이 자신들의 국가를 배척하고 소외시키는 아랍권 세계로부터 벗어나려고 하면서, 다른 한편으로는 그것에 대항하는 경향을 보이는 것은 자연스럽다고 할 수 있다. 마치 "너희들이 우리를 억압하려고 하면 할수록 우리는 그로부터 자유로워질 수 있다."는 것을 보여주려는 듯이 말이다. 같은 이유로 이스라엘인들이 인터넷과 소프트웨어, 컴퓨터, 텔레커뮤니케이션 산업에 집중하는 현상을 설명할 수 있다. 이러한 산업에서는 국경과 거리, 운송비가 거의 무의미하기 때문이다. 이스라엘 벤처 자본가인 오르나 베리(Orna Berry)는 "하이테크 정보통신 산업은 사방이 적으로 둘러싸인 작은 나라에서 살아가야만 하는 사람들이 폐쇄된 삶을 이겨낼 수 있는 국가적인 산업이 되었다."고 말한다.

이것은 단지 선호나 편의의 문제가 아니라 필요의 문제였다. 이스라엘은 지리적으로 멀리 떨어진 시장으로 수출할 수밖에 없었기 때문에 이스라엘 사업가들은 운송비가 많이 드는 크기가 크고 다 만들어져 그것이 무엇인지 확연히 알 수 있는 제품들─TV, 컴퓨터 등─을 자연스럽게 기피하게 되었다. 대신 작고 그 용도를 한눈에 알아 볼 수 없는 부품들과 소프트웨어에 관심을 돌렸다. 이는 전 세계가 지식 기반 경제로 행보를 옮겨가고 있는 가운데 이스라엘이 우월한 위치를 차지하는 바탕이 되었다.

아랍권의 보이콧과 그 외 국제적인 통상 금지조약들이 지난 60년 동안 시장의 제한과 국가 경제 발전의 어려움 등 여러 측면에서 이스라엘에 미친 경제적인 악영향이 어느 정도인지 정확히 짐작하기는 어렵다. 많게는 1천억 달러 정도로 추측하는 사람들도 있다. 그러나 그 반대의 경우도 짐작하기 어려운 것은 마찬가지이다. 이스라엘에 적대적인 국가들이 이스라엘의 경제 발전을 저해하기 위해 기울이는 노력들에 대항하기 위해 이스라엘이 발전시킨 여러 가지 것들의 가치는 과연 얼마나 될까?

오늘날 이스라엘의 기업들은 중국·인도·라틴 아메리카 등의 경제와 떼려야 뗄 수 없는 관계를 형성하고 있다. 오르나 베리가 말했듯이 텔레커뮤니케이션은 이스라엘에서 일찍부터 우선순위의 산업으로 개발되었기 때문에 중국의 모든 주요 전화 회사들은 이스라엘의 텔레콤 장비와 소프트웨어에 의존하고 있다. 또한 2,500만 명의 젊은 중국 네티즌들이 사용하는 중국에서 세 번째로 큰 소셜 네트워킹 웹사이트는 사실 이스라엘의 신생기업 쿠라누(Koolanoo, '우리 모두'라는 뜻)로부터 시작됐다. 이 회사는 이라크에서 이민 온 한 이스라엘인이 만든 것이다.

이스라엘의 민첩성과 영리함을 보여주기라도 하듯 유대인들의 소셜 네트워킹 사이트 쿠라누에 투자한 이스라엘의 벤처 자본가들은 그것을 완전히 중국화하는 데 성공했으며 경영진을 모두 중국으로 보내 젊은 이스라엘인과 중국인 최고 경영자들이 나란히 일하도록 하고 있다.

8200부대 출신인 길 케르브스(Gil Kerbs) 역시 중국에서 많은 시간을 보낸다. 그는 IDF를 나온 뒤 베이징으로 건너가 한 중국 기업에서 일을 하는 동시에 원어민 선생님과 1 대 1로 하루에 다섯 시간씩 1년여 동안 중국어를 공부했다. 중국에서 비즈니스 네트워크를 형성하기 위한 노력이었다. 오늘날 그는 중국 시장을 전문으로 하는 이스라엘의 벤처 자본가이다. 그의 이스라엘 기업 중 하나는 음성합성기술을 중국의 가장 큰 시중 은행에 제공하고 있다. 그는 이스라엘인들은 유럽보다 오히려 중국에서 사업하는 것이 더 쉽다고 말한다. "일단 우리 이스라엘인들은 '관광객들'이 중국에 들어오기 전부터 와 있었다." 그가 말하는 '관광객들'이란 최근 들어서야 중국을 새로이 부상하는 시장으로 인식하기 시작한 투자가들을 의미한다. "둘째로, 중국에는 유대인들에 대한 적대감이 없다. 그래서 이스라엘인들에게는 더욱 기업하기 좋은 환경이다."

이스라엘 사람들은 중동지역을 훌쩍 건너뛰어 새로운 기회를 찾아야만 하는 상황에 처해 있었기 때문에 이러한 시장을 파고드는 데 있어서 그들의 세계적인 경쟁자들보다 훨씬 앞서 있다. 전 세계 곳곳에 퍼져 있는 젊은 이스라엘인 배낭 여행객들과 이스라엘인 시장 개척자들의 원활한 시장 침투 사이의 연관성은 명확하다. 이스라엘 젊은이들은 30대가 될 때쯤이면 독특하고 희귀한 기회를 찾아내는 데 연습이 되어 있으며 낯선 환경에 뛰어들어 자기 자신의 문화와는 매우 이질적인 문화에 적극적으로 다가가는 것을 두려워하지 않는다. 군사학자인 에드워드 루트워크는 제대한 이스라엘인들의 대부분이 35살 이전에 12개 이상의 국가를 방문한다고 추정한다. 이스라엘인들이 새로운 경제와 미지의 땅에서도 번영하는 이유는 그들이 '더 북'을 좇아 전 세계를 여행해 본 경험이 있기 때문이다.

이러한 적극적인 세계화의 한 예가 바로 네타핌(Netafim)이다. 이 이스라엘 기업은 현재 전 세계에서 가장 큰 세류관개(뿌리에 관을 연결하여 식물이 필요한 때에만 간헐적으로 물을 공급한다.) 시스템 공급자로 성장해 있다. 1965년에 세워진 네타핌은 과거 이스라엘의 저 기술, 농업 중심적인 면모와 현재의 청정 환경기술을 이어주는 몇 안 되는 기업 중 하나이다.

네타핌은 이스라엘이 신생국가였을 당시 가장 큰 기반 산업 프로젝트들 중 하나를 담당했던 건축가 심카 블라스(Simcha Blass)에 의해 만들어진 기업이다. 폴란드에서 태어난 그는 바르샤바에서 1차 세계대전 당시 조직되었던 유대인 자기방어 부대에서 활발히 활동했다. 1930년대에 이스라엘에 도착한 직후 그는 수자원공사의 최고 기술자가 되어 요르단 강과 갈릴리호수로부터 건조한 네게브 지역으로 물을 끌어올 파이프 라인과 운하를 설계했다.

블라스는 뿌리에 파이프 라인을 직접 연결하는 세류관개 사업 아이디어를 이웃집 뒷마당에서 '물 없이' 자라고 있는 것처럼 보이는 나무를 보고 얻었다. 그 거대한 나무는 알고 보니 지하에 매설되어 있던 수도 파이프에서 조금씩 새어 나오는 물로부터 양분을 공급받고 있었다. 현대의 플라스틱이 일반화된 1960년대에 블라스는 세류관개가 기술적으로 실현 가능함을 깨달았다. 그리고 그는 자신의 발명에 대해 특허를 출원하고 네게브 사막 지역의 키부츠(Kibbutz, 이스라엘의 집단농장)와 이 새로운 기술을 생산하기로 계약을 맺었다.

그가 추앙받는 것은 40퍼센트 더 적은 양의 물로 농산물의 수확을 50퍼센트까지 늘릴 수 있는 혁신적인 방법을 만들어냈기 때문만은 아니다. 이 산업이 키부츠에 기반한 최초의 산업들 중 하나였기 때문이다. 그때까지만 해도 거의 모든 키부츠는 농업에 기반해 있었다. 키부츠에 들어선 공장이 세계로 수출한다는 개념은 매우 신선한 것이었다.

그러나 네타핌의 실질적인 성공의 열쇠는 그들의 상품을 절박하게 필요로 하는 시장이라면 그곳이 아무리 멀고 외진 곳에 있더라도 찾아가는 것으로부터 비롯되었다. 1960, 1970년대 서구 벤처기업들이라면 절대로 가지 않을 곳들 말이다. 네타핌은 현재 5개 대륙 110개국에서 기업을 운영하고 있다. 아시아에는 베트남·대만·뉴질랜드·중국·인도·태국·일본·필리핀·한국, 그리고 인도네시아에 사무실을 두고 있다. 남아메리카에는 아르헨티나·브라질·멕시코·칠레·콜롬비아·에콰도르·페루 등에 지사가 있다. 네타핌은 또한 유럽과 러시아에 11개의 사무실이 있으며, 호주와 북아메리카에도 각각 한 곳씩 있다.

게다가 네타핌의 기술이 매우 긴요하고 필수적이기 때문에 역사적으로 이스라엘에 대해 적대적이었던 몇몇 국가도 이스라엘과 외교적인 통로를 열기 시작했다. 네타핌은 구소련연맹의 아제르바이젠·카자흐스탄·우즈베키스탄 등 이슬람 국가들에서도 활발히 영업했으며 이것은 소련이 해체된 이후 이스라엘 정부와 화해의 분위기를 조성하는 데 일조했다. 2004년에는 당시

무역부 장관이었던 에후드 올메르트가 네타핌의 남아프라카공화국행에 동행했는데 이는 현지의 전략적인 동맹을 찾기 위해서였다. 그 여행에서 네타핌은 3,000만 달러치의 새로운 계약을 따냈으며 양국 정부 간의 농업과 황무지 개발에 관한 양해 각서를 체결하는 데도 성공했다.

이스라엘의 벤처기업들과 그 경영진은 스스로 자청하여 국가를 대표해 외교적인 미션을 활발히 수행하는 것으로 잘 알려져 있다. 전 세계를 누비는 수많은 이스라엘의 사업가들은 테크놀로지 전도사일 뿐만 아니라 이스라엘 경제 전체를 통째로 '팔기 위해' 애쓰는 사람들이다. 친근함을 위해 '별명 붙이기'를 처음으로 시작한 욘 메드베드가 바로 좋은 예이다.

캘리포니아에서 자란 메드베드는 원래 공학이 아니라 정치적 행동주의가 주된 활동 분야였다. 그의 첫 번째 인생 경력은 시오니스트 조직책이었다. 그는 1981년 이스라엘로 이사하여 사람들에게 이스라엘의 미래에 대해 설교하는 스피킹 투어를 하면서 그리 많지 않은 돈을 벌었다. 그러나 1982년에 이스라엘의 가장 큰 군수업체 중 하나인 라파엘(Rafael)의 임원과 우연히 나눈 대화가 그의 환상을 깨뜨렸다. 지금 메드베드 자신이 하고 있는 일은 시간과 에너지를 낭비하는 것일 뿐이라는 가혹한 말을 그 임원에게서 들은 것이다. 그는 이스라엘에는 더 이상 전문적인 시온주의자나 정치가들이 필요하지 않다고 명확하게 이야기했다. 이스라엘이 필요로 하는 것은 사업가였다. 메드베드의 아버지는 캘리포니아에서 작은 회사를 시작했는데 광학 전도체를 생산하는 기업이었다. 그래서 메드베드는 아버지 회사의 상품을 이스라엘에서 팔기 시작했다. 키부츠를 돌아다니며 시온주의의 미래를 설교하는 대신 여러 회사들을 돌아다니며 광학 기술을 팔기 시작한 것이다.

이후에 그는 투자 사업에 뛰어들어 예루살렘에 있던 그의 집 차고에서 벤처자본 기업인 이스라엘 시드 파트너스(Israel Seed Partners)를 설립했다. 그의 펀드는 2억 6,000만 달러를 웃도는 규모로 불어났으며 그 돈으로 60개의 이스라엘 기업에 투자했는데 그중에는 이베이가 사들인 Shopping.com, 그리고 나스닥에 상장된 Compugen and Answers.com이 포함되어 있다. 2006년에 메드베드는 스스로 새로운 벤처를 만들기 위해 이스라엘 시드를 떠났다. 그가 만든 회사는 브링고(Vringo)인데, 휴대폰을 위한 연결음 분야를 개척하여 빠른 속도로 유럽과 터키 시장을 장악했다.

그러나 그에게는 자신의 회사보다 더 중요한게 있다. 메드베드는 자신의 기업경영을 위해 애쓰는 동시에 아주 많은 시간을—그의 투자자들은 '너무' 많은 시간이라고 불평한다—이스라엘의 경제에 대해 설명하는 데 할애하고 있다. 외국으로 나갈 일이 있을 때마다 메드베드는 이동식 프로젝터와 랩톱을 가지고 다니는데, 거기에는 이스라엘의 기술적인 업적과 발전에 대한 프레젠테이션이 저장되어 있다. 연설을 할 때든 일반적인 대화를 할 때든 들어주는 사람만 있으면 메드베드는 이스라엘의 회사들이 팔리거나 주식이 상장된 성공적인 사례, 소위 '이스라엘표' 기술들을 끊임없이 읊어댄다.

프레젠테이션에서 그는 반 농담으로 만약 이스라엘 회사들이 인텔 인사이드처럼 자신들의 모든 제품에 자사 로고 스티커를 붙인다면 그 스티커는 아마 전 세계 사람들이 손을 대는 거의 모든 것에 붙여야 할 것이라고 말하며 몇 개의 예를 든다. 컴퓨터, 휴대폰, 의료 장비, 기적의 의약품, 인터넷 기반 소셜 네트워크, 친환경 에너지, 음식, 그리고 우리가 매일 쇼핑하는 마트의 계산대까지.

메드베드는 방 안에 있는 수많은 국적의 사람들에게 만일 아직도 이스라엘에 지점을 열지 않았다면 그들이 아마도 무언가를 놓치고 있는 것이라고 말한다. 그는 매 프레젠테이션마다 어느 회사의 경영진이 청중으로 참석하는지를 미리 알아두고 프레젠테이션 도중 이미 이스라엘에 들어와 있는 그들의 경쟁 기업을 빼놓지 않고 언급한다. "우리가 만지는 거의 모든 것에 이스라엘이 들어 있는 이유는 당신의 경쟁사를 포함해서 거의 모든 기업들이 이스라엘에 들어와 있기 때문이다. 당신은 어떠한가?" 그가 사람들의 얼굴을 들여다보며 묻는다.

메드베드는 다른 나라 같으면 무역부 장관, 대외 사무관, 혹은 지역상공회의소가 할 만한 역할을 자청해서 맡아 하고 있다. 그러나 메드베드가 그의 프레젠테이션에서 치켜세우고 칭찬하는 창업 기업들은 자신이 투자한 곳인 경우가 거의 없다. 그는 연설을 준비할 때 항상 고민한다. '떠오르는 유망한 이스라엘의 새 기업들 리스트에 내 회사인 브링고를 언급할까? 회사를 홍보할 수 있는 좋은 기회가 될 텐데.' 그러나 그는 그 유혹을 뿌리친다. "내 프레젠테이션의 핵심은 이스라엘이다. 나의 미국인 투자자들은 이것에 대해 불만이 많다. (자신의 기업이 아니라 경쟁사들을 광고하기에 바쁘기 때문이다.) 그들의 말이 맞다. 그러나 그들은 큰 그림을 보지 못하고 있다."

메드베드는 항상 움직이고 있다. 그는 지난 15년 동안 1년에 50번씩 프레젠테이션을 해왔다. 전 세계 40여 개국의 각종 기술 컨퍼런스와 대학들을 돌아다니고, 이스라엘을 방문한 수많은 고위 인사들까지 다 합쳐서 총 800여 회의 프레젠테이션을 한 것이다.

잡지 〈레드 해링(Red Herring)〉의 CEO 알렉스 뷰(Alex Vieux)가 말했다. "다수

의 대륙에서 수없이 많은 하이테크 기술 컨퍼런스에 참석해보았다. 나는 메드베드와 같은 이스라엘 사람들과 다른 나라 사람들이 프레젠테이션하는 것을 늘 본다. 다른 나라 사람들은 항상 자신의 기업을 홍보하는 데 열을 올린다. 그런데 이스라엘 사람들은 항상 이스라엘을 홍보하는 데 주력한다."

이곳의 사회적 관계는 무척 간단합니다.
모두가 서로를 아니까요.

– 요씨 바르디

4장
하버드, 프린스턴, 예일 그리고 엘리트 군대

　다비드 아미르(David Amir)는 예루살렘에 있는 그의 자택에서 비행기 조종사 제복을 입고 우리를 반겼지만 그에게서 별다른 '최우수 공군 조종사'라는 느낌은 받을 수 없었다. 부드럽고 생각이 깊으며 겸손한 그는 제복 차림이었음에도 불구하고 날카롭고 전형적인 군인이 아니라 미국의 자유분방한 대학생에 가까워 보였다. 그러나 그가 여러 국제 대회와 실제 전투에서의 기록을 들어가며 이스라엘 공군이 세계에서 가장 우수한 조종사들 중 몇 명을 키워냈음을 자랑스럽게 이야기하는 것을 들으면 그가 얼마나 그 세계에 어울리는 사람인지 알 수 있다.

　다른 나라의 학생들이 어느 대학을 갈 것인지에 대해 고민하는 동안, 이스라엘의 학생들은 서로 다른 군사 유닛들 간의 장점을 비교한다. 그리고 다른 곳의 학생들이 가장 우수한 학교에 들어가기 위해 무엇을 해야 하는지를 생각할 때 많은 이스라엘의 학생들은 IDF의 엘리트 유닛에 들어가기 위한 준비를 한다.

아미르는 겨우 12살이었을 때 아랍어를 배워야겠다고 결심했다. 아직 어린 나이였지만 아랍어를 할 줄 알면 나중에 가장 훌륭한 군사 정보기관에 들어가는 데 도움이 될 것임을 알고 있었기 때문이다.

그러한 유닛에 들어가기 위한 경쟁과 압박감은 이스라엘인들이 17살이될 때 가장 커진다. 우리의 고등학교 2학년, 3학년에 해당하는 이스라엘의 고등학교 11학년, 12학년 학생들은 매년 이에 대한 이야기로 소란스럽다. 누가 조종사 코스 적성 검사를 했는가? 누가 해군 특공대, 보병 여단, 그리고 모든 유닛 중 가장 치열한 사령부관 시험을 치렀는가? 그리고 어떤 학생들이 세계적인 보안회사인 프로드 사이언시스의 샤바트 샤케드와 그의 공동 창업자가 복무한 8200부대와 같은 엘리트 정보 부대의 시험 응시 자격을 얻었는가? 또한 누가 최상위 특공 부대의 모든 작전에 대한 훈련과 기술적인 훈련을 결합한 탈피오트(Talpiot) 부대로 스카우트될 것인가?

이스라엘에서는 징병 연령이 되기 1년 전쯤부터 모든 17살의 남녀 학생들이 IDF의 신병모집센터에 출석하여 하루 동안 능력·적성 검사, 심리 검사, 인터뷰, 신체 검사 등의 1차 심사를 받도록 되어 있다. 모든 검사가 끝나고 나면 신체 점수와 심리 점수에 등급이 매겨지며 개인 인터뷰에서 어느 부대에 지원할 수 있는지 선택지가 주어진다. 신체, 학습능력, 성격 등 모든 면에서의 요구 조건을 충족시키는 후보들에게는 IDF의 엘리트 유닛에 들어가기 위한 추가 시험을 볼 수 있는 기회가 주어진다.

예를 들어 공수특전 부대를 위한 시험은 1년에 세 번, 일반적으로는 후보자들의 징집 몇 달 전에 치러진다. 학생들은 이틀 동안의 혹독하고 엄격한 신체적, 정신적 시험과정에 참여하게 되는데, 시작할 때는 4,000여 명에 이르던 후보가 이 과정을 통해 400여 명으로 좁혀진다. 이 400명의 후보들은 특수 부대에 들어가기 위한 실전시험과 추가적인 선별 과정을 신청할 수 있다. 이 과정에서는 한 훈련 당 서너 시간이 소요되는 11개의 서로 다른 훈련을 엄격한 시간제한과 신체적, 심리적 압박 아래에서 5일 동안 끊임없이 격렬하고 집중적으로 반복하게 된다. 이 기간 동안에는 휴식시간이 매우 짧으며 수면시간 또한 거의 없고 음식과 그것을 먹을 수 있는 시간 역시 부족하다. 참가자들은 이 5일 동안의 과정을 낮과 밤을 구분할 수 없는 하나의 길고 흐린 기억이라고 묘사한다. 심사자들은 훈련 과정 동안 최대한 시간분별을 어렵게 하기 위해 시계나 휴대전화를 허용하지 않는다. 5일 간의 훈련이 끝난 뒤 모든 병사들에게 순위가 매겨진다.

각 유닛의 최상위 병사들 20명은 바로 20개월 동안의 훈련 기간에 돌입한다. 훈련을 함께 마치는 병사들은 그들의 정규 군복무 생활과 예비군 생활까지 한 팀을 이루어 복무한다. 그들은 유닛 안에서 제2의 가족이 되는 것이며, 40대 중반이 될 때까지 예비군으로 함께 활동하게 된다.

이스라엘의 최고 대학들에 들어가는 것은 어렵지만, 이스라엘에서 하버드·프린스턴·예일과 견줄 수 있는 곳은 대학이 아니라 이스라엘 군대의 엘리트 유닛들이다. 지원자가 어떤 유닛에서 복무했는지는 장래의 고용주에게 지원자가 어떠한 선발 과정을 거쳤으며 어떠한 능력과 실전 경험 등을 갖고 있는지를 말해준다.

"이스라엘에서는 한 사람의 군사적 경력이 학문적인 경력보다 더 중요하다. 모든 취업 인터뷰에서 지원자들에게 하는 질문이 바로 어느 부대에서 군복무를 했느냐는 것이다." 정보 부대 출신이며, 한때 '더 북'을 좇아 여행을 한 뒤 지금은 이스라엘의 벤처자본 산업에서 중국의 기술 시장을 전문적으로 공략하고 있는 길 케르브스가 말했다. "인터넷과 구직 전단에는 '8200부대 출신들을 원함'이라고 구체적으로 적혀 있다. 8200부대 출신자 협회는 오늘날 전국적인 친목회를 열고 있다. 그러나 그 시간을 과거 전투에 대한 회고와 군복무 시절의 향수에 젖어 보내는 것이 아니라 매우 진취적으로 보낸다. 졸업생들은 비즈니스 네트워킹에 초점을 맞춘다. 8200부대 출신의 성공적인 벤처 사업가들은 모임에 나와 자신들의 회사와 산업에 관한 프레젠테이션을 한다."

이미 본 바와 같이 이스라엘의 엘리트 특공 부대와 공군은 그들의 까다로운 선발 절차, 훈련의 높은 난이도, 그리고 졸업생들의 우수한 능력으로 유명하다. 그러나 IDF에는 최근의 기술 혁신과 더불어 선발되기까지의 난이도와 훈련 범주 등에서 이보다 한 차원 더 높은 기준을 요구하는 유닛이 있다. 바로 탈피오트이다.

탈피오트라는 이름은 성경 아가서의 어느 구절에 나오는 성의 탑을 의미하는 단어에서 따온 것이다. 이 용어는 성취의 정점이라는 뜻을 내포하고 있다. 탈피오트 부대는 가장 들어가기 어렵고 IDF의 모든 부대 중 가장 훈련 기간이 긴 (대부분의 다른 병사들의 전체 복무기간보다도 긴 41개월) 유닛이다. 탈피오트 프로그램에 참여하는 병사들은 추가적으로 6년 동안의 군복무를 해야 하기 때문에 최소한 9년을 군대에서 보내게 되는 셈이다.

이 프로그램은 히브리 대학의 과학자들인 펠릭스 도탄(Felix Dothan)과 사울 야찌브(Shaul Yatziv)의 아이디어였다. 그들은 1973년 욤 키퍼 전쟁에서의 참담

한 결과를 목격한 후 이러한 아이디어를 생각해냈다. 당시 이스라엘은 아직도 기습적인 공격과 그로 인해 받은 수많은 인적, 물적 피해 및 정신적 충격으로부터 회복하고 있던 단계였다. 이 전쟁은 이스라엘의 국가 영토와 인구 규모가 작으므로 그만큼 질이 높은 최첨단의 기술적 우위로 그 단점을 만회해야 한다는 값비싼 교훈을 주었다. 두 교수는 당시 IDF 참모총장이었던 라파엘 에이탄에게 간단한 아이디어를 제시했다. "이스라엘의 가장 뛰어난 젊은 수재들을 모아 대학과 군대가 제공할 수 있는 가장 집중적이고 밀도 높은 기술 훈련을 시켜라."

1년짜리 실험으로 시작된 프로그램은 지금까지 30년 동안 계속되고 있다. 매년 이스라엘 고등학교의 상위 2퍼센트 학생들 2,000여 명은 탈피오트 프로그램에 지원해보도록 권유 받으며, 이들 10명 중 1명 정도만이 물리와 수학이 주를 이루는 일련의 종합 테스트 과정을 통과한다. 이것을 통과한 200명은 이틀 동안의 강도 높은 성격 및 능력 검사를 치르게 된다.

일단 프로그램에 받아들여지면, 탈피오트 생도들은 매우 빠른 속도로 수학 또는 물리 과목의 대학 학위 과정을 이수함과 동시에 모든 IDF 부문들의 기술적인 요구 및 필요 사항들에 대해 숙지하게 된다. 그들이 받는 학문적인 훈련은 일반적인 대학생 수준을 크게 뛰어넘는다. 그들은 더 많은 양을 더 적은 시간 안에 소화해낸다. 그들은 또한 공수 특전요원들과 기초적인 훈련을 함께 한다. 탈피오트 훈련 프로그램의 핵심은 그들에게 모든 주요 IDF의 부문들에 대한 대략적인 개관을 설명해주고 그들이 기술과 군사적 필요성, 그리고 특히 그 둘 사이의 밀접한 연관성을 이해할 수 있도록 하는 데 있다.

그러나 생도들에게 이렇게 폭넓은 범위의 지식을 제공하는 것은 이 코스의 궁극적인 목적이 아니다. 오히려 임무수행자로서의 리더쉽과 문제 해결 능력을 키우는 것이 그 목표이다.

이것은 그들에게 최소한의 지시사항과 함께 끊임없이 미션을 줌으로써 스스로 달성할 수 있도록 하는 것이다. 어떤 과제들은 동료 생도들을 위해 컨퍼런스를 계획하는 것과 같이 평범하지만 어떤 과제들은 실제 테러리스트의 통신 네트워크를 뚫고 침입하는 것과 같이 매우 복잡하기도 하다.

그러나 더욱 전형적인 형태는 병사들에게 여러 분야를 넘나들며 구체적인 군사적 문제들을 해결하도록 만드는 것이다. 예를 들면, 한 팀의 생도들은 IDF 헬리콥터 조종사가 겪는 헬리콥터의 진동으로 인한 극심한 허리통증 문제를 해결해야 했다. 그들은 직접 좌석을 만들어 헬리콥터 시뮬레이터에 설치하고 등받이 부분에 구멍을 뚫었다. 그 다음 그들은 조종사의 등에 펜을 부착한 뒤 시뮬레이터에서 모의 비행을 해보도록 하고 등받이 구멍에 설치한 고속 카메라를 이용하여 서로 다른 진동에 의해 생기는 서로 다른 자국들을 사진으로 찍었다. 컴퓨터로 정리된 고속 사진 데이터를 이용하여 움직임을 분석한 결과 그들은 결국 새로운 좌석을 디자인해냈다.

처음 2, 3년 동안의 고된 훈련에서 살아남으면 이들은 민간에서의 생활이든 군에서의 생활이든 명성있는 '탈피온'이 된다.

탈피오트 프로그램은 전체적으로 마파트(Mafat)라는 IDF의 국방과학연구소에 속해 있는데 이곳은 미국의 방위고등연구계획국(DARPA)과 동급의 기관이다. 마파트는 탈피온들이 이후 6년 간의 복무를 할 구체적인 IDF의 유닛을 결정하는 중요한 일을 한다.

탈피오트 프로그램의 초엘리트주의는 처음부터 많은 비판을 받았다. 군 당국 지도자들은 막대한 자금을 그렇게 적은 인원에 투자할만한 가치가 없다고 생각하여 하마터면 이 프로그램이 무산될 뻔 했다. 최근 몇몇 반대자들은 탈피오트 출신들이 의무 복무기간인 9년이 지나면 대개 군대를 떠나게 됨으로써 결국 IDF의 수뇌부에는 탈피오트 출신들이 거의 없다는 점을 들어 프로그램을 실패작이라고 말한다.

그러나 탈피오트 프로그램은 IDF의 최첨단 기술력을 유지하기 위해 최적화된 훈련을 실시하는 것이기는 하지만 그 기술적 지식과 리더십 경험의 조합은 새로운 기업을 창조하는 데 가장 적합하기도 하다. 프로그램을 통해 지금까지 30년 동안 겨우 650명 정도의 졸업생을 배출했지만 그들은 이스라엘 최고의 대학과 국가의 가장 성공적인 기업의 창업자들이 되었다. '포브스 100대 기업' 중 85곳이 사용하는 통화감시장치를 제공하는 나이스 시스템(NICE Systems)이라는 글로벌 기업은 탈피온 출신자 팀이 만든 것이다. 뿐만 아니라 이스라엘 바이오 벤처산업을 이끌고 있는 컴푸젠(Compugen, 인간 게놈 해독 및 제약 개발 회사다.) 또한 그렇다. 나스닥에서 거래되는 수많은 이스라엘 기업들은 보통 탈피온 출신들이 직접 회사를 만들거나 요직을 차지하고 있다.

그렇기 때문에 탈피오트를 디자인한 도탄과 야찌브는 세간의 비판을 모두 인정하지 않는다. 첫째, 그들은 IDF 내에서 탈피온 부대원들을 확보하기 위한 치열한 경쟁 자체(어쩔 때는 경쟁이 너무 치열해서 총리가 직접 나서기도 한다.)가 프로그램의 우수성을 그대로 보여준다고 주장한다. 둘째, 탈피온들은 그들의 훈련에 들어간 엄청난 비용을 6년 간의 복무기간 동안 충분히 환원한다. 셋째, 가장 중요하게는 탈피온 출신의 3분의 2 이상이 기술기업이나 학문 분야에 정착하여 지속적으로 이스라엘의 경제와 사회에 엄청난 기여를 하며 이로써 국가를 여러 측면에서 부강하게 한다.

탈피온들은 이스라엘 군대의 엘리트 중에서도 엘리트를 상징하지만 이 프로그램의 밑바탕에 있는 전략(혁신적이고 적응력 있는 문제해결 능력을 기르기 위해 폭넓고 깊이 있는 훈련을 제공하는 것)은 매우 뚜렷하며 이것은 이스라엘의 민족정신, 사회기조인 것 같기도 하다. 사람들에게 단 한 가지만을 매우 뛰어나게 잘하도록 가르치기보다는 여러 가지를 잘 하도록 가르치는 것 말이다.

이처럼 누구에게나 균등하게 주어진 국가에 대한 복무 경험이 이스라엘 경제와 사회에 가져다 주는 이점은 이스라엘인도 아니고 미국인도 아닌 다른 곳에서 왔다. 게리 쉐인버그는 18년간의 해군 경력 때문인지 뛰어난 기술 전문가라기보다는 항해사에 가까워보였다. 현재 브리티시 텔레콤의 부사장인 그는 늦은 저녁 텔아비브의 한 바에서 우리를 만났다. 그는 이스라엘을 들러 두바이로 출장을 가는 길이었다.

"이스라엘 사람들의 혁신에는 뭔가 설명할 수 없는 것이 있습니다." 쉐인버그가 말했다. 그러나 그는 대략적인 가설을 세우고 있었다. "나는 그것이 결국 성숙함으로부터 연유한다고 생각합니다. 왜냐하면 세계 어디에도 기술 혁신의 중심에서 일하는 사람들이 동시에 국가에 대해 의무적인 군복무를 해야 하는 곳은 없기 때문이지요."

18살이 되면 이스라엘 사람들은 최소 2~3년 동안 군복무를 해야만 한다. 복무를 연장하지 않으면 일반적으로 대학에 등록한다. 군대를 마치고 대학을 가는 비율은 세계 어느 곳과 비교해도 이스라엘이 압도적으로 높다.

실제로 OECD 통계에 의하면 45퍼센트의 이스라엘 사람들은 대학교육을 받았는데 이는 세계에서 가장 높은 수치 중 하나이다. 또한 세계적인 권위를 자랑하는 스위스 국제경영개발원(IMD)의 〈세계경쟁력보고서〉에 의하면 이스라엘은 60개의 선진국들 중에서 '대학 교육이 경쟁적인 경제의 필요와 요구를 충족한다.'는 항목에서 2위를 차지했다.

대학을 마칠 때면 그들은 20대 중반이 되고 일부는 이미 석·박사 학위를 받았으며 많은 이들이 결혼을 한다. "이러한 모든 것들은 개인의 정신적 능력을 바꿉니다." 쉐인버그가 주장했다. "그들은 훨씬 더 성숙하지요. 그들은 더 많은 삶의 경험을 갖고 있습니다. 혁신은 결국 아이디어를 생각해내는 것입니다."

혁신은 많은 경우에 '새롭고 다른 관점을 지니는 것'으로부터 나오고, 관점은 경험으로부터 얻어진다. 실제 경험은 또한 일반적으로 나이와 성숙도에 비례하여 쌓인다. 그러나 이스라엘에서는 경험과 관점 그리고 성숙함을 비교적 더 어린 나이에 갖게 된다. 왜냐하면 사회가 너무나 많은 변화무쌍한 경험들을 겨우 고등학교를 졸업한 청년들로 하여금 겪도록 하기 때문이다. 그들이 대학을 갈 즈음에는 이미 미국의 또래들과는 다른 수준에 도달해 있다.

"아주 새로운 삶에 대한 관점을 가지게 됩니다. 나는 조금 늦은 교육, 이른 결혼, 군대 경험이 큰 역할을 한다고 생각합니다. 군대에서는 즉각 생각을 해야만 하는 환경에 처하게 되지요. 생사가 오가는 결정들을 내려야 합니다. 규율에 대해서도 배우게 됩니다. 스스로 이런저런 일들을 하도록 마음을 훈련시키는 것을 배웁니다. 특히 최전방에 있거나 무언가 작전을 수행하는 임무를 맡게 된다면요. 그리고 보통 이러한 경험들은 비즈니스 세계에서 도움이 될 수밖에 없어요."

이러한 성숙함이 어린 아이와 같은 조급함, 열망, 안달과 결합하면 더욱 강력한 힘이 된다.

이스라엘이 세워진 이후로 이스라엘 사람들은 미래가 불투명하다는 것을 항상 의식하고 있다. 매 순간이 전략적으로 중요성을 갖는다. 몇 개의 이스라엘 창업기업에 투자한 미국의 벤처 기업가 마크 게르손(Mark Gerson)은 이렇게 말한다. "이스라엘 남자는 어떤 여자와 만나고 싶으면 그날 밤 당장 데이트를 신청한다. 이스라엘인 벤처 사업가가 사업 아이디어를 생각해내면 그는 당장 그 주에 사업을 시작한다. 벤처를 시작하기 전에 우선 신용을 쌓아야 한다는 관념은 존재하지도 않는다. 이것은 오히려 사업을 하는 데 더욱 좋다. 시간이 너무 많거나 고민이 많을수록 무엇이 잘못될 수 있는지만 생각날 뿐이다."

다른 수많은 병사들과 마찬가지로 아미르는 IDF로부터 자신을 시험하고 능력을 증명해 보일 수 있는 기회를 제공받았다. 그러나 IDF는 지원자들에게 또 다른 가치 있는 경험을 제공한다. 이스라엘 사회의 특별한 위치에서 서로 다른 문화적, 사회경제적, 종교적 배경을 가진 젊은 사람들과 매우 가깝고 친밀하게 일하는 것이다. 러시아계 유대인, 에티오피아에서 온 유대인, 이스라엘에서 나고 자란 세련된 유대인, 키부츠 농가 출신의 유대인 등이 모두 하나의 유닛에서 만나 함께 일하는 것이다. 그들은 2~3년 동안 함께 군 생활을 하고 그 이후에도 20여 년간 매년 예비군 훈련에 참여하게 된다.

우리가 본 바와 같이 이스라엘처럼 작은 나라가 상시 방어를 할 수 있을 만큼 충분히 큰 부대를 유지하는 것은 불가능하기 때문에 IDF는 예비군에 많이 의지해야 하는 구조로 만들어져 있다. 따라서 전투병들이 군대에서 만들게 되는 각종 인적 네트워크들은 수십 년 동안의 예비군 생활을 하면서 끊임없이 늘어나게 된다. 매년 몇 주 동안, 혹은 한 번에 일주일씩 이스라엘인들은 자기의 본업과 개인적 삶은 잠시 접어두고 자신의 군대 유닛과 함께 훈련을 받는다. 당연하게도, 이 기간 동안 훈련을 받고 보초를 서고 오랜 시간 작전을 수행하면서 많은 사업상의 연결고리들이 형성된다.

"하버드 경영대학원은 5년마다 홈커밍 행사를 갖는다." 탈 케이넌(Tal Keinan)이 말했다. "그 행사는 재미있다. 자기 자신의 네트워크를 유지하는 데 큰 도움이 된다. 우리는 이틀 동안 동기들을 만나고 강의를 듣는다. 그러나 해마다 한 번 열리면 2~4주 동안 계속되는 홈커밍을 상상해보라. 게다가 거기서는 3년 동안 함께 군복무를 했던 동료들을 만나게 된다. 그리고 강의를 듣는 대신 함께 국경에서 보안 순찰을 한다고 생각해보라. 그것은 완전히 다른 종류의, 평생을 가는 유대감과 결속력을 형성한다."

실제로 군복무 기간 동안 형성된 관계들은 원래부터 매우 작고 상호연결된 국가 안에서 또 다른 네트워크를 형성한다. "이스라엘은 사회 전체가 여러 단계를 거치지 않고도 직접 의사소통할 수 있는 나라이다." 인터넷 창업자들의 대부이자 유선화된 세계적인 네트워크 구축의 선두자인 요씨 바르디가 말했다. 욘 메드베드처럼 바르디도 전설적인 이스라엘 '경제 대사' 중 하나이다.

바르디는 이스라엘 기업들 중에는 더 이상 구인 광고를 내지 않는 곳이 많아지고 있다고 한다. "이제는 입에서 입으로 모든 것이 이루어진다. 이곳의 사회적 관계는 매우 간단하다. 모든 사람들이 서로를 알고 있다. 사람들은 다른 사람들의 형제, 자매와 함께 군복무 생활을 했고, 다른 사람의 엄마가 자기가 다니던 학교의 선생님이었다. 삼촌은 또 다른 어떤 사람의 군대 유닛의 상관이었다. 아무도 숨을 수 없다. 미국처럼 잘못된 행동을 하고 와이오밍 계곡이나 드넓은 캘리포니아로 도망칠 수도 없다. 이곳은 투명성이 매우 높은 사회이다." 이와 같은 상호 연결성의 장점은 이스라엘에서 유독 두드러지지만 이스라엘에만 국한되는 것은 아니다.

IDF는 세계의 다른 많은 군대들과 비슷한 점이 많다. 예를 들자면 지원자들을 녹초로 만들 정도로 엄격한 선발 훈련이 있다. 그러나 대부분의 다른 군대의 선별 과정은 자원자들 중에서 합격자를 뽑아야 한다는 점에서 이스라엘과 다르다. 그들은 모든 고등학교의 학생 기록을 샅샅이 훑어보고 가장 뛰어난 학생들로 하여금 자신과 같이 능력이 우수한 학생들과 경쟁하도록 만들 수가 없다.

예를 들면, 미국의 군대는 관심이 있는 잠재적인 지원자들 중에서만 군인을 뽑을 수 있다는 한계가 있다. 한 미군 채용담당자는 "이스라엘에서는 군대가 가장 우수한 사람을 선택할 수 있는 권한이 있다. 미국에서는 정반대이다. 우리는 가장 뛰어난 사람들이 우리를 선택해주기를 바랄 수밖에 없다." 라고 말했다.

미국의 군대는 가장 뛰어난 사람을 찾아내기 위해 엄청난 노력을 기울이며 그들이 군에서 복무하는 것에 관심이 있기를 바랄 뿐이다. 미국의 웨스트포인트 사관학교의 신입생들을 살펴보자. 그들 졸업성적의 평균치는 약 3.5 정도이고 입학관리본부는 각종 통계자료를 들어 신입생 병사들의 리더십 능력을 알아볼 수 있다. 60퍼센트는 고등학교 때 운동부 대표를 했고 14

퍼센트는 전교회장을 했다는 것 등등 말이다. 그리고 입학관리본부는 웨스트포인트에 관심이 있어 문의하는 잠재적인 지원자들에 대해 (심지어 초등학생일 경우에도) 매우 광범위한 데이터베이스를 구축해두고 관리한다. 웨스트포인트에 관한 책 《앱솔루트리 아메리칸(Absolutely American)》의 저자 데이비드 립스키(David Lipsky)는 그의 저서에서 "초등학교 6학년 때 웨스트포인트에 전화 한 통만 해도 당신은 고등학생이 될 때까지 6개월마다 입학관리본부로부터 연락을 받을 것이다. 고등학생이 되면 3개월에 한 번씩 연락이 온다."고 말한다. 매년 약 5만 명의 고등학교 2학년 학생들이 웨스트포인트 지원에 관심을 가지며 최종적으로 이들 중 1,200명이 신입생으로 선발된다. 5년 동안의 프로그램이 끝난 뒤 각 졸업생은 약 25만 달러 어치의 교육을 받은 셈이 된다.

그러나 웨스트포인트와 같이 대단한 학생선발 노력에도 불구하고 몇 명의 미군 고위 간부들은 학생들의 학업성적에 대한 접근 권한을 가질 수 없다는 점에 대해 불만이 많다. 이 접근이 없이는 필요에 딱 들어맞는 대상들을 전략적으로 선발하는 것이 어렵다.

한 미군과의 대화가 이스라엘 시스템의 경제적 가치를 강조해준다. 존 로우리(John Lowry) 연대장은 고등학교를 졸업한 뒤 보병 장교로 해군에 들어왔고 지난 25년 간 계속해서 정규 복무와 예비군 복무를 해오고 있다. 그는 하버드 경영대학원에서 MBA를 땄으며 수백억짜리 오토바이 제조업체인 할리 데이비슨의 임원까지 지낸 인물이다. 그는 이러한 성공을 예비군으로서의 각종 훈련과 작전에 성실히 참여하면서 이루어냈다. 로우리는 매달 2번의 주말을 1,000명의 해군을 이끌고 이스라엘 내 각 예비군 기지를 순회하는

데 할애하며 추가로 1년에 한 번씩 있는 4주 동안의 소집에도 응한다. 또한 로우리는 할리 데이비슨의 몇 개의 공장들을 관리하는 것을 도와주며 약 1,000명의 노동자들을 관리한다. 낮에는 기업의 고위급 임원이지만 밤에는 해군 병사들의 이라크 순찰을 준비시키고 그들을 훈련시키는 군인이다. 그는 두 개의 서로 다른 세계를 문제없이 넘나든다. 그의 바람이라면 미국의 비즈니스 세계에도 이스라엘의 벤처 사업가들에게 흔한 이러한 군대 경험이 좀 더 많았으면 좋겠다는 점이다.

"군대는 젊은 사람들을 데려다가 많은 것을 가르친다. 무언가 일을 맡게 되면 일어나는 모든 일에 대해 반드시 책임을 져야 하며 일어나지 않은 모든 일에 대해서도 책임이 있다. '내 탓이 아니다.'라는 말은 군대 문화에는 존재하지 않는다." 로우리의 이러한 설명은 2장에 나온 파히의 주장과도 매우 비슷하다. "그 어떠한 대학 경험도 극한 위험과 강한 압박 아래에서 이렇게 생각하도록 만들지 못한다." 프린스턴 출신의 로우리가 말한다. "그 나이에 엄청난 압박 아래 놓이게 되면 그것은 서너 수 앞서서 생각하도록 마음을 훈련시키는 것이나 다름없다. 전투가 이루어지는 전장에 있든 사업을 하고 있든 말이다."

해군 네트워크는 로우리에게 매우 중요하다. 군대 동료들은 그의 붙박이 조언자들이다. "이들은 직장 밖에서 형성되는 또 다른 친구 관계이다. 그러나 그들 중 많은 사람들이 내가 일하는 분야와 밀접한 연관이 있다. 바로 며칠 전만 해도 레이데온(Raytheon)이라는 아부다비의 기업에서 경영을 하는 군대 동료와 이야기를 나누었다. 이러한 사람들은 대부분 짧게는 5년에서 길게는 20년 정도 알고 지낸 사이다."

군대는 또한 젊은 지도자들에게 '사회적 울타리'라는 개념에 대해 대학보다 훨씬 더 잘 가르쳐준다. "나와 함께 복무하는 사람들은 매우 다양한 삶의 배경 속에 살던 사람들이다. 군대는 우리 사회 내부에 순수하게 조성된 한 기관이다. 상대방이 어디에서 왔든 그 누구와도 상대할 수 있는 능력을 키울 수 있는데, 이 능력이야말로 내가 오늘날 사업상 만나는 많은 공급자들과 고객에게 유용하게 사용하는 수단이다."

이 모든 것은 이스라엘 벤처 문화의 육성이라는 IDF의 역할과 매우 유사하다는 것을 알 수 있을 것이다. 대부분의 이스라엘 벤처 사업가들이 IDF에서의 경험에 크게 영향을 받은 반면에 미국의 실리콘 밸리나 기업들의 고위계층에게서는 이러한 군대 경험이 흔하지 않다.

욘 메드베드가 말한 것과 같이 "군대 이력에 대해 말한다면, 실리콘 밸리는 까막눈이나 마찬가지이다. 매우 안타까운 일이 아닐 수 없다. 이라크와 아프가니스탄에서 복무하면서 쌓은 수많은 경험들과 리더십이 모두 낭비돼버리는 것이다. 미국의 비즈니스 세계는 그러한 사람들을 데리고 무엇을 해야 하는지 잘 모르고 있다."

이러한 비즈니스와 군대 사이의 격차는 미국의 군대와 민간사회에서 나타나는 더욱 큰 분리 현상의 징후가 되기도 한다. 1998년 여름, 웨스트포인트의 감독관인 대니얼 크리스츠만(Daniel Christman) 중령과 웨스트포인트 교장인 존 아비자이드(John Abizaid) 장군이 뉴저지 턴파이크를 따라 운전을 하다가 길가의 휴게소에 잠시 차를 세우고 간단한 식사를 하러 데니스라는 패스트푸드점에 들어갔다. 그들이 너무도 확연히 눈에 띄는 초록색 군 제복을 입고 있었음에도 불구하고 종업원은 그들을 보고 미소를 지으며 공원이 깨끗하게 관리되고 있는 것에 대해 감사하다고 말했다. 그녀는 그들이 공원 관리소 직원들인 줄로 알았던 것이다.

세계적인 군사강국임에도 불구하고 아주 소수의 젊은 미국인들만이 그들 또래의 군인들과 유대감을 느끼며 실제로 군복무를 하고 있는 군인들에 대해 알고 있다. 두 번의 새로운 전쟁이 있었으나 오늘날 미국인 221명 중 1명만이 군복무를 하고 있다. 2차 세계대전이 끝날 무렵 10명 중 1명 꼴로 군복무를 하던 것과 비교해 보라. 《위대한 세대(The Greatest Generation)》의 저자인 톰 브로커(Tom Brokaw)에 따르면 2차 세계대전 이후에는 군대에서 복무한 적이 없는 젊은이는 좋은 직장을 구하기가 매우 어려웠다고 한다. "무언가 문제가 있을거야." 군대 경험이 없는 사람이 비즈니스 분야에서 일을 찾으러 다닐 때 당시 고용주들의 전형적인 반응이 이와 같았다.

그러나 데이비드 립스키의 표현에 의하면, 1975년 베트남 전쟁을 끝으로 징병제도가 없어진 후로는 정반대의 분위기가 조성되기 시작했다. "민간 문화와 군인 문화가 서로에 대해 무관심해지기 시작했다."

이러한 흐름이 경제적으로 함축하는 바를 알 체이스(Al Chase)가 이야기했다. 알 체이스는 군복무를 마치고 사기업 영역에서 일하고자 하는 사람들을 작은 개척기업에서부터 펩시나 GE처럼 '포춘 100대 기업'에 드는 대기업에 이르기까지 적절한 곳에 배치해주는 인력회사를 운영하고 있다. 이미 수백 명의 퇴역 군인들에게 직업을 찾아 준 그는 전투 현장에서의 경험을 통해 벤처 기업가적 통찰력과 능력이 어떻게 배양되는지 잘 알고 있다. 체이스에 의하면 냉전 시기의 군대는 달랐다. 젊은 병사들은 복무 기간 전체를 통틀어 단 한 번도 실전을 경험하지 못하는 경우가 많았다. 그러나 이라크와 아프가니스탄이 이를 바꿔놓았다. 거의 대부분의 젊은 병사들이 여러 번의 해외 근무를 하고 있다.

우리가 이라크에서 보았듯이, 9·11 테러 이후의 전쟁들은 반란 진압 활동들이 대부분이며, 하급 지휘자들이 많은 중대한 결정들을 내린다. 예를 들어, 데이비드 페트라우스(David Petraeus) 장군의 이라크에서의 반란 대응 전략은 미군 부대들이 이라크 주거 지역에서 순찰을 하면서 이라크 민간인들의 안전을 도모하는 것만이 아니라 실제로 그런 주거 지역에 사는 것이었다. 이 것은 이전의 미군 부대들이 전쟁에서 싸웠던 방식과 상당히 다르다. 예전에도 물론 미국 군인들과 해군들은 전방 전략 기지(FOB)에서 살았는데, 이곳은 거대하고 자가생존이 가능한 복합 단지로서 미국에 있는 군 기지를 거의 똑같이 모방하여 만든 형태였다. 일반적인 FOB는 수만 명 이상의 병력을 수용할 수 있었다. 그러나 2007년 이후부터 현지의 주거 지역과 마을에서 직접 주둔하고 있는 군인들과 해군의 숫자는 겨우 수십에서 수백 명에 불과하다. 이것은 작은 유닛들에게 매일 이루어지는 작전 중에 훨씬 더 큰 독립성을 부여하게 되며, 초급 지휘자에게는 결정을 내리고 또한 이를 즉흥적으로 변경하는 데 더 많은 권한이 주어진다.

나다니엘 피크(Nathaniel Fick)는 아프가니스탄과 이라크 전쟁에서 싸운 경험이 있는 해군 대령 출신으로 복무를 마친 뒤 하버드 경영대학원과 케네디 행정대학원에서 복수 학위 프로그램을 이수하고 그의 경험들을 담은 《죽음의 경계선에서(One Bullet Away)》라는 책을 펴냈다. 그는 '세 블록 전장'에 임하고 있다고 생각하도록 훈련 받았다고 한다. "이라크와 아프가니스탄에서는 한 블록에서 해군들이 쌀을 배급하고 있고, 또 다른 블록에서는 안전을 유지하기 위해 순찰을 하고 있으며 또 다른 블록에서는 치열한 총격전이 벌어진다.” 이 모든 것이 한 동네의 서로 다른 세 블록에서 동시에 일어날 수 있다는 것이다.

미국의 새 전쟁들에 참여하는 젊은 지휘관들은 그날그날 상황에 따라 작은 동네의 이장, 경제를 재건하는 군주, 외교관, 협상가, 수백만 달러 어치의 자산을 관리하는 매니저, 혹은 보안관의 역할을 담당하고 있는 스스로의 모습을 발견하게 된다.

그리고 IDF에서와 마찬가지로 오늘날의 초급 장교들은 과거와는 달리 상관에게 좀더 자유롭게 이의를 제기하는 경향이 있다. 이것은 여러 번의 군사작전을 펼치는 과정에서 상급 장교들이 나쁜 결정을 내리거나 전략이 미흡하거나 물자의 궁핍으로 자신들의 동료가 죽는 것을 직접 보았기 때문에 나타나는 현상이라고 할 수 있다. 미국 군대 분석 전문가인 프레드 케이건의 설명에 따르면 “군사 작전에 여러 번 배치되었던 하급 장교들이 그들의 상관에 대한 지나친 예의와 친절한 태도를 버린다는 점에서 보면 미국 병사들과 해군들은 이스라엘을 따라잡았다.”고 한다. 전장에서의 경험과 상관에 대한 하위 계급의 도전적인 기질 사이에는 분명 상관관계가 있다.

이러한 전쟁터에서의 기업경험을 토대로 이라크와 아프가니스탄에서 단련되어 돌아오는 군인들은 비즈니스 세계에 적응하도록 준비된다. 격동의 시기를 거쳐 기업을 창업하든 대기업의 경영에 참여하든 말이다.

알 체이스는 군대를 제대하고 구직 시장에 나온 사람들에게 이미 비즈니스 세계에서 일해 온 경력이 있는 사람들에 대해 위축되지 말라고 조언한다. 베테랑 전역 군인들은 비즈니스 세계에만 있어 온 그들 또래들이 절대로 가질 수 없는 것들을 갖고 있으며 특히 결정을 내릴 때 균형감각(무엇이 생사의 기로에 선 상황인지, 그리고 어떠한 것이 그보다 덜 위급한 것인지)이 뛰어나다. 동기를 부여하기 위해 무엇이 필요한지, 대립이 있는 상황에서 어떻게 하면 합의에 도달할 수 있는지 등에 대해서도 알고 있으며 전투의 모진 경험을 통해 단련된 윤리적 바탕을 갖고 있다는 점도 그들만의 장점이다.

보병대 장교인 브라이언 타이스(Brian Tice)는 미국 해군 대위 시절 비즈니스 쪽으로 진로를 바꾸고 싶다는 생각을 했다. 당시 그는 서른 살이었으며 아이티와 아프가니스탄 등에서 5번의 실전을 완수한 후 여섯 번째 작전을 수행하는 중이었다. 그는 스탠포드 대학의 MBA 프로그램에 들어가기 위해 이라크 작전지 근처의 다 타버린 건물에서 노트북을 켜놓고 지원서를 작성했다. 수행해야 하는 미션이 항상 한밤중에 있었기 때문에 그는 그때그때 남는 시간에 지원서를 작성해야 했다. 120명의 해군으로 구성 된 유닛의 야전 장교로서 타이스는 반정부 집단과 알 카에다에 대한 모든 작전을 직접 짜야 했다. 얼마나 많은 병력이 필요한지, 몇 명의 해군이 필요한지, 어느 정도의 공군 지원이 필요한지 등에 관해서 말이다. 그래서 쉬거나 이후의 작전들을 짤 수 있는 시간은 낮 동안뿐이었다.

스탠포드 대학으로부터 8,000마일 이상 떨어진 곳에서 근무하던 그는 학교에서 요구하는 인터뷰에 응할 수가 없었다. 그래서 입학관리본부는 전화 인터뷰를 잡았고, 그는 군사 작전이 없는 빈 시간에 사막 한 가운데서 인터뷰를 했다. 타이스의 입학사정관은 헬리콥터 소음 때문에 인터뷰를 예정보다 짧게 끝내야 했다.

점점 더 많은 수의 미군장교들이 타이스처럼 MBA 프로그램에 지원하기 위해 많은 노력을 기울이고 있다. 2008년에 경영대학소양평가(GMAT)에 응시한 MBA 지망생들 중에서 6퍼센트(15,259명)가 군복무 경험이 있다. 버지니아 대학의 경우 군 전역자의 비율이 2007년에서 2008년까지 1년 사이에 무려 62퍼센트나 증가했다. 2008년에는 신입생 333명이 입학했는데 그중 40여 명이 군인 출신이었으며 38명은 아프가니스탄이나 이라크에서 복무한 경험이 있는 사람들이었다.

GMAT를 주관하는 GMAC는 군인 출신들이 경영대학원에 갈 수 있도록 지원하는 것을 주된 목표로 삼기로 했다. GMAC은 이를 위해 '오퍼레이션 MBA 프로그램'을 시작했는데, 이는 군사 집단에 소속되어 있는 사람들이 돈이 넉넉하지 못할 경우 지원 응시료를 면제해주거나 재정적 지원을 해주고 등록금도 유예해주는 경영대학원을 찾을 수 있도록 도와주는 프로그램이다. 또한 위원회에서는 GMAT 시험장을 군 기지에도 설치하고 있는데, 2008년에는 텍사스의 포트후드에 문을 열었고 앞으로 일본의 요코타 공군 기지에도 문을 열 예정이다.

하지만 미국의 기업 채용담당자들과 임원들은 전투 경험과 그것의 가치를 비즈니스 세계에서 활용하는 능력에 아직 한계를 보인다. 욘 메드베드가 설명한 바와 같이 대부분의 미국인 사업가들은 군대 이력서를 보는 눈이 없다. 알 체이스가 말하기를 자신이 아는 몇 명의 전역자들이 기업 인터뷰에서 전장에서의 자신의 리더십 경험을 자세하게 설명했으나 설명이 끝난 뒤 반응은 "흥미롭긴 한데, 진짜 직업을 가져 본 적은 없나요?"였다는 것이다.

이스라엘의 상황은 이와는 반대이다. 이스라엘 비즈니스 세계에서는 사적 영역에서의 경험도 중시하지만 고용주들에게는 군대 복무가 더욱 결정적인 기준으로 작용한다. 그들은 병사로 일한다는 것이 어떤 것인지, 그리고 엘리트 유닛에서 복무한다는 것이 어떤 의미인지 너무나 잘 알기 때문이다.

끊임없는 질문과 토론, 이것이 오늘날 이스라엘 발전의 원동력이다.

– 아모스 오즈

5장
혼돈, 그 속의 질서

약 30개국의 나라가 18개월 이상의 의무 군복무 제도를 실시하고 있다. 이러한 나라들의 대부분은 개발도상국이거나 비민주주의 국가이거나 둘 다에 해당된다. 그러나 세계적으로 앞서 가고 있는 국가들 중에서 오직 세 곳만이 이렇게 장기간의 의무 군복무 제도를 유지하고 있다. 바로 이스라엘, 한국, 그리고 싱가포르이다. 세 국가는 모두 국가 존속에 위협을 받고 있거나 멀지 않은 과거에 생존을 위한 전쟁을 치른 경험이 있다.

이스라엘의 경우 그 존속에 대한 위협은 이스라엘이 독립적인 자주국으로 세워지기 전부터 존재했다. 1920년대부터 아랍 세계는 팔레스타인에 유대인 국가 건설을 반대했고, 이스라엘이 세워진 이후에는 여러 번의 전쟁에서 이스라엘을 패배시키고 약화시키고자 노력했다. 한국은 수도인 서울의 북쪽으로 겨우 수백 킬로미터 떨어진 지점에 있는 대규모 북한 군대의 계속되는 위협을 받고 있다. 또한 싱가포르는 2차 세계대전 당시 일본에 점령당한 기억과 독립을 위한 투쟁, 그리고 1965년 이후의 격동의 역사를 잊지 않고 살아가고 있다.

싱가포르 정규군은 1967년 처음 창설되었다. "우리는 스스로를 방어해야만 했다. 그것은 생존의 문제였다. 적은 인구를 가진 작은 국가로서 방어에 충분한 규모의 군대를 만들기 위해서는 징병제를 실시해야만 했다."고 싱가포르 국방장관이 말했다. "모든 싱가포르 국민에게 미칠 지대한 영향을 생각한다면 징병제라는 제도는 결코 쉽게 내린 결정이 아니다. 그러나 그것 이외의 대안은 없었다."

독립할 무렵 싱가포르는 겨우 두 개의 보병부대가 있었으며 그것도 영국에 의해 창설, 통솔되는 군대였다. 군사의 3분의 2는 싱가포르에 거주하는 주민도 아니었다. 이 도시국가의 첫 국방장관이었던 고켕쉬(Goh Keng Swee)는 보다 나은 방법을 찾기 위해 이전부터 알고 지냈던 당시 태국 주재 이스라엘 외교관 모르데카이 키드론(Mordechai Kidron)에게 도움을 요청했다. "고켕쉬는 이슬람권 국가로 둘러싸여 있는 작은 국가 이스라엘만이 작고 다이나믹한 싱가포르 군대를 세우는 것을 도와줄 수 있을 것이라고 생각했다."라고 키드론이 말했다.

싱가포르는 2년의 기간에 걸쳐 독립을 두 번 쟁취했다. 첫 번째는 말레이시아의 일부분으로서 1963년 영국으로부터 독립한 것이었다. 두 번째는 1965년 사회 갈등에 의한 내전을 피하기 위해 말레이시아로부터 독립한 것이었다. 싱가포르의 고촉통(Goh Chok Tong, 吳作棟) 전 총리는 싱가포르와 말레이시아 사이의 관계를 "불행한 결혼생활 이후 매몰차게 이혼한 것"과 같은 긴장상태라고 묘사한다. 싱가포르인들은 또한 인도네시아로부터도 위협을 받았으며 그와 동시에 싱가포르의 북쪽에 있는 '인도차이나'의 완전 무장한 사회주의 반정부 폭도에 대한 걱정도 해야 했다.

당시 싱가포르 국방장관의 도움 요청에 IDF는 예후다 골란(Yehuda Golan) 중령에게 창설 단계의 싱가포르 군대를 위해 두 개의 매뉴얼을 작성하는 임무를 맡겼다. 하나는 전투 교본과 방위군의 구조에 대한 것이었고 다른 하나는 정보기관에 관한 것이었다. 이를 위해 여섯 명의 이스라엘 장교들과 그 가족들이 싱가포르로 이주하여 싱가포르 병사들을 훈련시키고 징병제에 바탕을 둔 군대를 창설했다.

징병제, 직업군인제도와 더불어 싱가포르는 또한 이스라엘식 예비군 제도 모델을 받아들였다. 정규 복무를 마친 모든 병사는 33살이 될 때까지 매년 짧은 기간 동안의 훈련에 참여할 의무가 있다.

싱가포르를 건국한 세대에게 국가에 대한 복무란 단순한 방어 그 이상의 의미를 지니고 있었다. "다양한 사회적 계층의 싱가포르인들이 어깨를 나란히 하고 뜨거운 햇빛과 비를 맞으며 함께 훈련하고 언덕을 달리고 정글에서 팀으로써 싸우는 방법을 배웠다. 의무복무에서의 공통적인 경험은 그들에게 특별한 유대를 형성시켜 주고 싱가포르인들의 자긍심과 싱가포르인만의 독특한 문화를 형성했다."고 고촉통 전 총리가 싱가포르 군대 35주년을 기념하며 말했다.

그는 "우리는 아직도 진화하는 국가이다."라며 계속했다. "우리의 선조들은 이민자들이었다. 군에서는 중국인이든 말레이인이든 인도인이든 유라시아인이든 똑같은 피부색을 가진 싱가포르 사람이다. 햇볕에 짙게 그을린 갈색 피부라도 그들이 한 유닛으로서 싸우는 방법을 배우면 피부 빛깔은 잊어

버리고 서로를 믿고 존중하게 된다. 싱가포르를 방어하기 위해 전쟁터로 나갈 일이 생긴다면 그들은 나라를 위해 싸우는 것만큼이나 부대 동료들을 위해 열심히 싸울 것이다."

"싱가포르" 대신 "이스라엘"을 대체해 넣으면 이 말은 이스라엘의 벤 구리온이 한 것이라 해도 무방할 것이다.

비록 싱가포르 군대가 이스라엘의 수많은 벤처기업들의 시험장이라고도 할 수 있는 이스라엘군을 모방하여 조직되었지만 이 '아시아의 호랑이' 싱가포르는 벤처 창업문화를 배양하는 데 실패했다. 그 이유는 무엇일까?

싱가포르의 성장이 놀랍지 않은 것은 아니다. 싱가포르는 1인당 GDP가 3만 5,000달러로 세계에서 가장 높은 수치 중 하나이며, 이는 국가의 건립 이후로 계속해서 매년 평균 8퍼센트의 성장률을 보이고 있다. 그러나 이러한 놀라운 성장에도 불구하고 싱가포르 지도자들은 싱가포르의 문화와는 이질적인 세 가지 기질에 큰 가치를 두는 현재의 세계적인 흐름을 따라가지 못하고 있다. 이 세 가지 성질은 바로 창의성, 위험을 감수하는 리스크 테이킹, 그리고 민첩성이다.

리스크 테이킹의 격차를 감지한 타르만 샨무가라트남(Thaman Shanmugaratnam) 싱가포르 재무장관은 히브리 대학의 기술전수회사를 운영하고 있는 이스라엘의 벤처 자본가 나바 스베르스키 소퍼(Nava Swersky Sofer)를 찾았다. 이숨(Yissum)이라는 이름의 히브리 대학교 학내 기업은 학술 연구의 상업화라는 측면에서 세계 10대 성공 프로그램 중 하나로 꼽힌다. 그런데 당시 재무장관에게 한 가지 질문이 있었다. "이스라엘은 도대체 어떻게 합니까?" 그는 G20 회의 참석차 중동에 와 있었지만 이스라엘에 오기 위해 회담의 마지막

날을 건너뛰었다.

오늘날에는 싱가포르 건국의 아버지이자 30년간이나 총리를 역임한 리콴유(Lee Kuan Yew, 李光耀)조차 경종을 울리고 있다. "비즈니스에 새로운 창의성의 분출이 필요한 시점이다. 우리는 보다 많은 새로운 창업시도와 이를 위한 새로운 기업가 정신이 필요하다."라고 그가 말했다.

징병제와 외부의 위협이 있으며 싱가포르처럼 창업문화가 자리잡지 못한 또 다른 나라인 한국에도 유사한 분위기가 있다. 한국은 분명 거대 기술기업들이 부족하지는 않다. 여러 개의 미디어 벤처를 갖고 있는 이스라엘의 벤처 기업가 에렐 마르갈리트(Erel Margalit)는 오히려 한국을 최첨단 기업들이 탄생할 수 있는 비옥한 토양이라고 평가한다. "미국은 콘텐츠의 여왕이다." 마르갈리트가 말한다. "그러나 그것은 여전히 한 가지 방향의 브로드캐스팅 시대에 머물고 있는 반면 중국과 한국은 양방향성에 의한 상호작용의 시대에 들어와 있다."

그렇다면 한국은 왜 이스라엘만큼 많은 벤처창업을 만들어내지 못하는 것일까? 우리는 로렝 허그(Laurent Haug)의 통찰과 분석을 들어보았다. 허그는 '리프트 컨퍼런스'의 창시자인데 이 회의의 모토는 '기술과 문화 사이의 연계'에 초점을 둔다. 그의 모임은 2006년부터 스위스 제네바와 한국의 제주도를 오가며 열리고 있다. 우리는 허그에게 기술에 대한 한국인들의 엄청난 친화력에도 불구하고 왜 한국에 더 많은 창업이 일어나지 않는지 물었다.

"체면을 잃는 것에 대한 두려움, 그리고 2000년의 IT 거품의 붕괴가 그 원인이다." 그는 "한국에서는 실패하는 것이 남에게 알려져서는 안 된다. 그러나 2000년 초반에 수많은 벤처가들이 새로운 경제의 시류에 뛰어들었다. 거품이 꺼지고 난 뒤 그들의 공공연한 실패는 도전적인 기업가 정신에 커다란 상처를 남겼다." 허그는 한국의 기술 인큐베이터 책임자로부터 새로운 프로젝트 모집에 겨우 50여 개의 신청이 들어왔다는 이야기를 듣고 적잖이 놀랐다. "한국이 얼마나 혁신적이고 미래 지향적인지를 안다면 이는 분명 낮은 수치이다." 이스라엘의 기술 현장을 속속들이 탐방해 본 허그는 "이스라엘 사람들은 스펙트럼의 반대편에 있는 듯하다. 그들은 실패로 인한 사회적 평가를 전혀 신경 쓰지 않고 그들의 경제적, 정치적 상황과 상관없이 자신들의 프로젝트를 진행한다."고 평가했다.

그래서 스베르스키 소퍼는 싱가포르, 한국 그리고 수많은 다른 나라들로부터 온 손님들을 접대할 때 이스라엘을 벤처창업의 보고로 만드는 특징들에 대해 주의 깊게 설명한다. 징병제, 예비군에서 복무하는 것, 위협 아래에서 살아가는 것, 그리고 기술적으로 우수한 것으로도 충분하지 않다. 그렇다면 도대체 어떤 요소들이 필요한 것일까?

"내가 완전히 다른 관점에서 비유를 한 가지 들어보겠다." 탈 리센필드(Tal Riesenfeld)가 말했다. "우리가 어떻게 혁신을 가르치는지 알고 싶다면 미국의 아폴로 프로젝트를 보라. 진 크란츠(Gene Kranz)가 나사에서 직접 경험한 사건(미국 역사가들이 모범적인 리더십으로 찬양하는)이 바로 전투 현장에서 많은 이스라엘의 지휘관들에게 요구되는 행동의 한 사례이다." 이스라엘의 혁신에 관한 우리의 질문에 대한 그의 대답은 완전히 핵심을 빗나간 것처럼 보였지만, 그는 경험을 토대로 이야기하고 있었다. 하버드 경영대학원 2년차일 때 그는 이스라엘인 동료 한 명과 함께 벤처를 시작했다. 그들은 하버드 비즈니스 계획경시대회에서 그들의 계획을 발표하여 70개의 경쟁 팀들을 물리치고 1위를 차지했다.

하버드 경영대학원을 수석으로 졸업한 뒤 리센필드는 구글의 구미 당기는 제안을 거절하고 텔아비브에 기반을 둔 아이뷰(Eye View)를 창업했다. 일찍이 리센필드는 이스라엘 군대 가운데서 선발 및 훈련절차가 가장 까다로운 부대를 통과한 경력이 있었다.

하버드에 있는 동안 리센필드는 아폴로 13호와 콜롬비아호 우주비행선 사태의 교훈을 비교한 사례를 살펴보았다. 2003년의 콜롬비아호 미션은 이스라엘인들에게 큰 반향을 일으켰다. 승무원 중 최초의 이스라엘인 우주인이었던 공군대령 일란 라몬(Ilan Ramon)이 콜롬비아호가 폭발하면서 사망한 것이다. 그러나 라몬은 그보다 훨씬 전부터 이스라엘의 영웅이었다. 그는 1981년 이라크의 핵시설인 오시라크를 파괴한, 대담한 공군작전을 수행한 조종사였다.

하버드 대학 교수인 에이미 에드먼슨(Amy Edmondson), 마이클 로베르토(Michael Roberto), 그리고 리처드 뵈머(Richard Bohmer)는 아폴로와 콜롬비아 사태를 비교연구하는 데 2년을 할애했다. 그들의 연구는 우주선 폭발로부터 얻은 교훈을 비즈니스 경영의 관점에서 분석한 리센필드의 수업의 기반이 되었다. 리센필드가 2008년에 처음 그 연구물을 읽었을 때 이 연구가 제기한 이슈들은 이미 장교 출신인 그에게 익숙한 것이었다. 그러나 리센필드가 왜 우리에게 그 사례를 언급했을까? 이스라엘, 그리고 이스라엘의 혁신적인 경제와 무슨 연관성이 있길래?

아폴로 13호 폭발사고는 1970년 4월 15일 우주선이 달까지의 비행거리 4

분의 3을 지날 때 발생했다. 당시는 닐 암스트롱(Neil Armstrong)과 버즈 알드린 (Buzz Aldrin)이 아폴로 11호에서 내려 달에 발자국을 남긴 지 1년이 채 되지 않은 시점이었다. 나사는 자신감에 차 있었다. 그러나 아폴로 13호의 미션 수행 이틀째 시속 2,000마일로 우주를 비행하던 도중 우주선의 1차 산소탱크가 폭발하고 말았다. 이때 우주비행사 존 스위가르트(John Swigert)는 오늘날 너무나 유명한 대사가 되어버린 "휴스톤, 문제가 생겼다(Houston, we've had a problem)."라는 말을 했다.

진 크란츠는 휴스턴의 지상관제센터에서 미션, 그리고 그 위기상황을 관리하는 책임자였다. 그는 매분 마다 급격히 암울해져가는 데이터 송신을 보고받고 있었다. 먼저 그는 선원들이 18분 동안 숨 쉴 수 있는 양의 산소가 있다는 것을 알았다. 몇 분 후 그 정보는 18분에서 7분으로 내려갔고 또 조금 후에는 4분으로 줄었다. 문제가 걷잡을 수 없이 커지고 있었다.

몇 개의 나사팀과 상의한 결과 크란츠는 승무원들에게 아폴로에서 분리되어 우주에서 짧은 유영을 하기 위해 준비된 작은 달 탐사 모듈로 옮겨가라고 말했다. 그 탐사 모듈에는 작은 규모이기는 하지만 산소와 전기공급장치가 있었다. 크란츠는 훗날 그 일을 상기하면서 "2명이 이틀 동안 겨우 쓸 수 있는 원래의 자원을 나흘 동안 세 명이 사용할 수 있도록 늘리는 방법을 생각해내야만 했다."라고 회고한다.

크란츠는 그리고 나서 휴스턴의 몇 개의 팀을 방으로 몰아넣고 산소탱크의 문제점이 무엇이었는지 진단을 내린 다음, 선원들을 아폴로호로 되돌려 보낸 뒤 그들을 지구로 귀환시킬 수 있는 방법을 생각해낼 때까지 나오지 말라고 지시했다. 이것은 그 팀들이 처음 만난 자리가 아니었다. 크란츠는 그들을 수개월 전부터 다양한 구성으로 모이도록 했고, 그때마다 주어진 과제들은 그들로 하여금 크고 작은 긴급 상황이 발생했을 때 대응하는 것이 익숙해지도록 만들었다. 그는 각 팀 내부에서의 상호작용뿐 아니라 팀들 간 그리고 나사 밖의 전문가와의 상호작용도 극대화하기 위해 많은 노력을 기울였다. 그는 훈련을 하는 과정에서 모두가 친해질 수 있도록 했으며 심지어 나사 외부의 계약자들이 풀 타임으로 나사의 부지에서 일하는 것을 금지하는 민간인 수칙을 깨뜨리고서라도 사람들 사이의 친밀도를 높였다. 크란츠는 미래에 위기사태를 함께 헤쳐나가야 할지도 모를 사람들 사이에 생경함이 있어서는 안 된다고 생각했다.

사태가 발생한 지 3일째 되는 날 크란츠와 그의 팀들은 일반적으로 필요한 전기의 아주 일부만을 사용하여 아폴로를 지구로 귀환시킬 수 있는 다양한 방법들을 생각해냈다. 뉴욕타임즈가 사설에서 썼듯이 이 사태는 "나사 네트워크 내부의 전문가들로 구성된 팀이 기적적으로 위기상황에 대처해내지 못했더라면" 돌이킬 수 없는 치명적인 사고가 되었을 것이다.

그 사건은 대단한 위업이었으며 기억에 남을만한 이야기이다. 우리는 리센필드에게 그것이 도대체 이스라엘과 어떤 연관을 갖는지 물었다. 그는 비디오를 켜고 2003년 2월 1일, 콜롬비아호가 임무수행에 들어간 지 16일째 되던 날 우주선이 지구의 대기권으로 재진입하면서 폭발하여 산산조각 나던 순간으로 빨리 감기를 해보라고 말했다. 우리는 1.67파운드짜리 단열재 한 조각이 우주선 이륙 순간에 우주선 외부의 연료 탱크에서 떨어져 나갔다는 것을 비디오 재현을 통해 알게 되었다. 그 단열재가 왕복선 왼쪽 날개의 납으로 씌운 끝 부분을 때리면서 구멍을 냈고, 그것이 후에 엄청나게 달궈진 가스들이 날개 내부로 유입되도록 만들었던 것이다.

단열재가 처음 날개를 때렸을 때의 이륙 순간부터 폭발하던 시점까지 2주 이상의 긴 비행시간이 있었다. 이 기간 동안 콜롬비아호를 보수할 수 있지 않았을까?

하버드 대학의 비즈니스 사례 연구를 읽은 후 리센필드는 물론 있었을 것이라고 생각했다. 그는 의견이 묵살당한 나사의 중간급 엔지니어 몇 명을 가리켰다. 발사 후 비디오 모니터를 통해 발사 장면을 리뷰하는 동안 이 엔지니어들은 단열재 조각이 떨어져나가는 것을 보았다. 그들은 나사의 매니저들에게 즉시 이를 알렸다. 그러나 별 일 아니라는 대답이 돌아왔다. 단열재가 떨어져 나가는 것은 이전 발사들에서도 셔틀을 손상시켰으나 한 번도 사고가 난 적이 없었다는 것이다. 그냥 단순한 정비 문제였을 뿐이라고 했다.

엔지니어들은 반박하려고 했다. 이번에 떨어져 나간 단열재 조각은 지금까지의 그것들 중 가장 컸다고 이야기했다. 그들은 궤도를 돌고 있는 미국 인공위성들을 보내 구멍 난 날개에 대한 추가 사진을 찍을 것을 요청했다. 불행히도 엔지니어들은 다시 한번 무시당했다. 경영진은 승무원들로 하여금 우주 유영을 하면서 손상을 가늠해보고 귀환 전에 수리하도록 하라는 엔지니어들의 2차 요구도 듣지 않았다.

나사는 단열재 분리 현상을 이전에도 보아왔다. 과거에 문제를 일으키지 않았으니 그 현상은 일상적인 것으로 취급해도 된다고 경영진은 결정을 내렸다. 더 이상 심도 있는 조사는 필요하지 않았다. 엔지니어들은 각자 원래 하던 일로 돌아가라고 지시받았다.

이 부분이 바로 리센필드가 주목한 부분이었다. 연구의 저자들은 조직들의 구성원리가 두 가지 모델 중 하나라고 설명하고 있었다. 하나는 표준화된 모델로 엄격한 시간 제한과 예산 준수의 원칙을 포함하여 기계적인 일상 업무와 시스템이 모든 것을 지배하는 문화였다. 두 번째는 실험적 모델로 마치 연구개발센터의 문화처럼 매일매일, 그리고 모든 훈련과 모든 새로운 정보가 평가되고 토론되는 문화인 것이다.

콜롬비아 호 시대의 나사의 문화는 일상과 표준화를 고수하는 것이었다. 경영진은 모든 새로운 정보들을 경직된 시스템 안에 억지로 끼워 맞추려고 했다. 이것을 군사정보 분석가인 로버타 월스테터(Roberta Wohlstetter)는 "이미 존재하는 믿음에 대한 완강한 집착"이라고 묘사한다. 이것은 그녀가 정보 분석의 세계에서도 흔히 부딪치는 문제이기도 하다.

나사의 실험적이고 탐험적인 아폴로 문화로부터 경직된 콜롬비아 문화로의 전환은 1970년대에 새로운 우주왕복선 프로그램을 위해 의회에 금전적 지원을 요청하면서 시작되었다. 새 왕복선은 재활용이 가능한 왕복선으로 우주여행의 비용을 엄청나게 줄여줄 것이라고 알려졌다. 당시 닉슨 대통령은 이 프로그램이 "가까운 우주로의 여행을 일상적인 것으로 만들면서 혁명적으로 바꿀 것"이라고 이야기했다. 이 왕복선은 전례 없는 연간 50회의 미션 수행을 할 것이라는 계획이 세워졌다. 전 공군 비서이자 콜럼비아호 사건 수사팀의 일원이었던 쉐일라 위드널(Sheila Widnall)은 후에 나사가 콜롬비아를 "쉽게 착륙시키고 다시 쓸 수 있는 747" 정도로 여겼다고 이야기했다.

그러나 하버드 대학 교수들이 지적한 것처럼 "우주여행은 기술적 혁신과 같이 근본적으로 매우 실험적인 시도이며 따라서 그러한 관점에서 관리되어야 한다. 매번 새로운 비행을 하는 것은 하나의 중요한 시험이자 데이터의 근원이지 과거 연습한 틀에 따라 반복 적용하는 것이 아니다." 이것이 리센 필드가 우리에게 이 연구를 소개한 이유이다. 1972년 이스라엘이 예상치 못 했던 새거 미사일 공격을 전투현장에서 스스로의 방식으로 물리친 예에서 볼 수 있듯이 전투 역시 '실험적인 시도'이다. 그는 이스라엘의 군대와 이스 라엘의 신생 벤처들은 다양한 측면에서 아폴로 문화를 따른다고 말한다.

나바 스베르스키에 따르면 이 아폴로 문화는 '할 수 있다'는 긍정의 태도, 그리고 책임 있는 태도와 연결되는데 이를 이스라엘인들은 '로시 가돌(rosh gadol)'이라고 일컫는다. 글자 그대로 해석하면 '큰 머리'라는 뜻인데, 이와 상반되는 개념이 '로시 카탄(rosh Katan)', 또는 '작은 머리'이다. '로시 카탄' 적인 행동은 피해야 할 태도로 책임과 추가적인 업무를 회피하기 위해 위에 서부터 내려오는 지시사항을 최대한 좁게 해석하는 것이다. '로시 가돌'적인 사고는 지시를 따르지만 자신의 판단을 이용하고 필요한 모든 노력을 투입 하여 최대한 좋은 방법으로 따르는 것을 의미한다. 그것은 즉흥적 판단을 규 율보다 우선시하며 상관에게 도전하는 것을 위계에 대한 존중보다 중시한 다. 실제로 '상관에게 도전하는 것'은 젊은 이스라엘인들에게 권고되는 사 항이다. 그러나 싱가포르 사회는 '로시 가돌'적인 마인드와 정반대의 방식으 로 운영된다.

싱가포르에서는 잠시만 지내보더라도 어디나 말끔히 정돈되어 있음을 알 수 있다. 지나칠 정도로 깨끗하다. 가지런하게 깎아놓은 초록빛 정원과 무성 한 나무들은 새로이 지은 웅장한 마천루의 틀 속에 조화를 이룬다. 국제적인 금융기관의 지점을 어디에서나 흔히 찾아볼 수 있다. 거리에서 쓰레기라고 는 찾아볼 수 없다. 싱가포르 사람들은 어떻게 예의 바르게 행동해야 하는지부터 어떻게 해야 덜 시끄러운지까지 구체적으로 교육을 받으며 공공장소에서는 껌을 씹는 것조차 금지하고 있다.

이러한 질서정연함은 정부에서도 마찬가지이다. 리콴유 전 총리의 '국민 행동 수칙'은 싱가포르가 독립을 쟁취한 이후부터 현재까지 국민의 질서교본으로 지켜지고 있다. 이것이 바로 그가 원하는 바이다. 그는 열정적이고 거센 정치적인 반대는 그의 질서정연하고 효율적인 싱가포르에 대한 이상과 비전을 해칠 것이라고 늘 생각해왔다. 공개적으로 반대를 표명하는 것은 장려되지 않으며 오히려 공공연히 억압된다. 이러한 태도는 싱가포르에서는 너무나 당연한 것으로 여겨지지만 이스라엘에서는 매우 낯설다.

이스라엘 공군 조종사인 유벌 도탄(Yuval Dotan) 역시 하버드 경영대학원 졸업생이다. '아폴로 대 콜롬비아'의 문제에 있어서 그는 나사가 만약 원래의 탐험정신을 고수했다면 단열재 충돌은 즉시 규명되어 매일 이루어지는 '리뷰 브리핑'에서 열띤 토론으로 이어졌을 것이라고 생각한다. 이스라엘 군대의 엘리트 유닛에서는 하루하루가 하나의 실험이다. 그리고 매일매일은 한 유닛의 모든 계급 구성원들이 모두 모여 밖에서 무슨 일이 일어나고 있든 상관없이 그날의 일들을 하나하나 되짚어보는 엄격하고 꼼꼼한 점검 세션을 갖는다. "이 같은 '되짚어보는 토론' 과정은 훈련이나 실제 전투만큼 중요하다." 그가 말했다. "매 비행 훈련, 시뮬레이션, 그리고 실제 작전은 마치 실험실 일처럼 점검되고 또 점검되고 또 다시 점검되어야만 하는 것으로 취급되며, 항상 새로운 정보에 대해 열려 있고 풍부하고 열띤 토론을 하게 된다. 그것이 우리가 훈련 받는 방법이다."

이러한 그룹 토론에서는 솔직함과 자유로움 뿐만 아니라 자기 반성에도 중요한 초점이 맞추어진다. 이러한 자기 반성을 통해 모든 사람들—동료들과 하급 병사들과 상급 지도자들—이 실수로부터 무엇인가를 배울 수 있도록 하는 데 방점이 있는 것이다. "일반적으로 이 세션은 90분 정도 이어진다. 모든 사람과 함께 한다. 그것은 매우 개인적이기도 하다. 매우 힘들고 어려운 경험이다." 군인으로서의 자신의 경험 중에서 가장 식은땀 나게 했던 몇몇 '되짚어보는 토론'을 떠올리며 도탄이 말했다. "시뮬레이션 도중 '죽임을 당한' 사람들에게는 매우 참기 힘든 시간이다. 그러나 살아남은 자라도 그 다음으로 어려운 것이 바로 이 '되짚어보는 토론'이다."

도탄은 F-16 전투기를 조종하는 이스라엘 공군 지휘자였다. "어떤 사건이나 결정에 대하여 자신과 다른 관점을 가진 사람과의 대립을 해소하고 소통하는 것은 우리 군대 문화의 큰 부분을 차지한다. 너무나 중요해서 되짚어보는 토론 자체가 성적이 매겨지는 하나의 기술로 인정될 정도이다. 비행 학교에서, 그리고 비행대대에서의 생활 내내 자기 스스로에 대한 반성을 통해 개선하는 능력, 다른 사람에 대해 개선하게 하는 능력에 대해 많은 질문이 던져진다."

잘못된 결정에 대해 변명하는 것은 용납되지 않는다. "본인이 한 일에 대해 구구절절 설명하고 방어하는 것은 잘 볼 수 없는 광경이다. 만약 무언가를 잘못했다면 그 실수로부터 무엇을 배웠는지를 보여줘야 한다. 자기 자신에 대해 방어적인 사람으로부터는 아무것도 배울 수 없다."

되짚어보기의 목적이 단순히 실수를 인정하는 것에만 있는 것은 아니다. 오히려 이러한 시스템의 효과는 조종사들이 자신들의 실수가 개인 그리고 그룹의 작전 수행능력을 더욱 향상시키는 기회가 된다면 충분히 있을 수 있고 받아들여질 수 있다는 것을 배운다는 것이다. 새로운 엄격한 교본을 만드는 것보다도 유용하고 활용 가능한 교훈을 강조하는 것은 이스라엘군에게는 일반적이다. 이스라엘 군대 전체의 전통은 '전통이 없는 것'이다. 지휘관들과 병사들은 과거에 잘 통했다는 이유로 특정 아이디어나 해법에 얽매여서는 안 된다.

이러한 적극적이고 의욕적인 문화는 국가의 건국세대로 거슬러 올라간다. 1948년에 이스라엘 군대는 자기만의 전통이나 의례, 규율 등이 전혀 없었다. 또한 이스라엘 독립 이전부터 팔레스타인에 주둔하고 있던 영국군으로부터 어떠한 제도와 관습도 받아들이지 않았다. 군사 역사가인 에드워드 루트와크에 따르면 이스라엘은 다른 식민지 국가의 군대와 바로 이 점에서 달랐다. "전쟁의 와중에, 그것도 창고에서 나무로 된 소총을 갖고 훈련을 받은 사람들로 이루어진 지하 의용군 집단에서부터 출발한 이스라엘 군대는 오랜 시간 지속되는 가혹한 전투와 압박으로 인해 매우 빠르게 진화했다. 대부분의 다른 군대들에서 볼 수 있듯이 조용히 규율과 전통을 수용하기보다는 이스라엘 군대는 혁신과 논쟁, 그리고 토론의 소용돌이 속에서 끊임없이 성장해왔다."

더욱이 매번 전쟁이 끝날 때마다 군대는 격렬한 토론을 통해 광범위한 구조조정을 해왔다. 1948년 독립전쟁 이후 군대가 여전히 해산하는 중일 때 벤 구리온은 하임 라스코프(Haim Laskov)라는 영국에서 훈련받은 장교에게 군 내부의 구조를 점검하는 임무를 맡겼다. 라스코프는 IDF를 머리끝부터 발끝까지 개조하도록 백지수표를 위임받았다. "이러한 총체적인 점검은 패배를 한 이후였기 때문에 놀랍지 않았다." 루트와크가 설명했다. "그러나 놀라운 것은 이스라엘인들은 승리를 한 후에도 혁신을 할 수 있었다는 점이다. 1967 년 6일 전쟁에서의 승리는 이스라엘이 이루어낸 가장 결정적인 승리 중 하나이다. 전쟁이 일어나기 전에 아랍권 국가들은 공개적으로 자신들의 승리를 확신했으며 이스라엘에 대한 국제 사회의 지원 부족은 많은 유대인들에게 이스라엘이 망할 것이라는 암울한 생각을 하게끔 만들었다. 이스라엘은 선제공격을 감행했으며 이집트 공군을 지상에서 전부 격파했다. 전쟁은 6일 전쟁이라고 명명되었지만 바로 그 첫날, 수 시간 만에 승리한 것이나 다름없었다. 전쟁이 끝날 무렵에는 아랍권 국가들이 모든 전선에서 뒤로 퇴각한 상태였다.

그런데 승리를 했음에도 불구하고 똑같은 일이 일어났다. 자기반성과 그 뒤를 이은 자신에 대한 철저한 정밀검사였다. 성공적인 전쟁 후에도 고위급 간부들이 해고당하기도 했다.

그렇다면 그보다 더 승리가 확고하지 못했던 전쟁들(예를 들어 대부분의 이스라엘인들이 실패작으로 여기는 1973년 욤 키퍼 전쟁, 1982년 레바논 전쟁, 그리고 2006년 2차 레바논 전쟁)에서 이스라엘의 군대와 민간 지도자들을 평가하는 공개적인 조사위원회가 크게 열렸던 것은 놀라운 일도 아니다.

"미국의 군대는 군대 내부에서 사후보고를 행한다." 군사 역사가이자 전 미국방성 관리인 엘리엇 코헨(Eliot Cohen)이 말했다. "그러나 그것은 기밀로 취급된다. 완전히 내부적이고 비밀스러운 과정이다. 나는 미군의 고위급 간부들에게 이스라엘처럼 전 국민이 참여하고 지켜볼 수 있는 전국적인 조사위원회를 매 전쟁이 끝날 때마다 구성하고 고위급이 해명하도록 한다면 많은 도움을 받을 수 있을 것이라고 말해왔다."

그러나 미해군 중령 폴 잉글링(Paul Yingling)이 안타까워하듯이 적어도 가까운 미래에는 그러한 일이 일어나지 않을 것이다. "우리는 지난 7년 동안 두 개의 국가에 평화와 안정을 도모하기 위해 수천 명의 목숨을 바쳤고 수백억 달러를 써왔다. 앞으로는 이렇게 느리게 적응하고 변화하는 것을 감당할 여유가 없다." 그가 버지니아의 한 해군 기지에서 강연을 하며 이야기했다. 그는 2007년 논란이 된 한 에세이에서 "총을 잃어린 병사 한 명이 겪는 결과가 전쟁에서 지고 돌아온 대장보다 더욱 가혹하다."는 것이 문제라고 지적하고 있다.

반면 이스라엘인들은 이러한 철저한 조사와 되짚어보는 문화에 너무나 충실해서 전쟁이 진행되고 있는 한 가운데서도 이러한 조직이 구성되기도 했다. 1948년 7월, 아직 전쟁이 치열하게 전개되고 있을 때 정부가 여야를 망라한 다양한 정치적 배경의 여러 지도자들로 구성된 조사위원회를 구성했는데, 엘리엇 코헨의 말을 빌리자면 이것은 "이스라엘 독립전쟁 중 가장 놀라운 에피소드"이다. 조사위원회는 화난 장교들이 전쟁 중 정부와 군대의 지휘에 대한 불만을 토로하고 증언하는 것을 듣기 위해 3일을 할애했다. 전쟁 통에 조사위원회를 설치하는 것은 지도부에게 가져올 혼란과 산만함을 감안했을 때 분명 논쟁의 여지가 있는 결정이었다. 그러나 유벌 도탄이 일찍이 말했듯이, 이스라엘의 '중간 되짚어보기'는 싸우는 것 그 자체만큼이나 중요하다.

이러한 격렬하고 적극적인 리뷰와 전국적인 되짚어보기 문화는 가장 최근인 2006년 레바논 전쟁 때에도 완전히 일반에 공개되었다. 2006년 7월 12일 이스라엘의 북부 국경지대에 공격을 가한 헤즈볼라에 대해 군사적 응대를 한다는 정부의 결정에 처음에는 국민들이 거의 만장일치의 지지를 표했다. 이러한 대중의 지지는 북부 이스라엘의 민간인들이 무차별적인 미사일 공격을 받아 7명 중 1명이 집을 떠나야 할 정도로 위험했을 때에도 계속되었다.

공격을 계속하는 것에 대해서는 미사일 공격 속에 사는 사람들이 오히려 더욱 높은 지지를 했다. 이러한 지지는 헤즈볼라를 완전히 파괴하기 위해서라면 고통을 감수할 수 있다는 이스라엘 사람들의 의지에서 나왔을 것이다.

그러나 2006년 이스라엘은 헤즈볼라를 파괴하지 못했고 레바논에서의 헤즈볼라의 입지를 약화시키고 그들이 납치한 병사들을 인계받는 것에 실패했다. 이러한 결과를 두고 정치적, 군사적 리더십에 대한 질책은 매우 매서웠으며 국방장관과 군 수뇌부, 그리고 총리가 사임해야 했다. 약 600명으로 구성된 6개의 부대는 헤즈볼라와의 정면대결에서 30명의 사상자만 내고 거의 400명의 헤즈볼라 전투병을 죽일 수 있었으나 이 전쟁은 이스라엘의 훈련과 전략에 있어서 실패작으로 평가되었다.

실제로 2006년 레바논 전쟁은 이전의 전쟁에서 늘 성공적이었던 이스라엘의 모험적인 전쟁 모델로부터 이탈한 예 중 하나가 되었다. 이전에 작전사령부와 국가안보위원회를 이끈 경험이 있는 퇴역 장군 지오라 에일란드(Giora Eiland)에 의하면 이 전쟁은 4가지의 핵심적인 실패를 드러낸다. '(특히 지상에서) 전투 유닛들의 무능한 작전 수행, 고위 지도부의 약한 힘, 지휘 통제 과정의 서투름, 불확실한 규범과 전통적 가치.' 구체적으로는 "개방된 생각과 미리 예상한 아이디어에 대한 집착을 줄이는 것, 그리고 의문의 여지가 없는 가정에 대해 신뢰하는 것. 이러한 것들이 너무나 부족"했다.

다시 말해 이스라엘은 조직의 부족함과 즉흥성의 부족, 두 가지 모두에 시

달리고 있었다. 에일란드는 또한 병사들이 "전쟁의 운명이 우리들에게 달려 있다."는 결의와 책임감으로 충분히 무장하고 있지 못하다고 말했다. 또한 지휘자들은 "기술에 너무 의존하여 실제로 전투지역에 들어가지 않고도 전략적인 지상전을 벌일 수 있을 것이라는 헛된 믿음을 갖고" 있었다.

마지막으로 에일란드는 본질적으로 '이스라엘적'이고 다른 어떤 군대 기구에서도 상상할 수 없을 만한 비평을 했다. "2차 레바논 전쟁의 문제점 중 하나는 사령관의 결정에 대한 고급 장교들의 지나친 집착이었다. 물론 최종적인 결정의 권한은 사령관에게 있으며 일단 지시가 내려지고 나면 모든 사람들은 명령을 완벽하게 실행하기 위해 최선을 다해야 한다. 그러나 사령관의 결정이 틀렸다는 생각이 들었을 때 그와 의논하고 자신의 주장을 펴는 것이 바로 고급 장교의 임무이고, 이 일은 단호하고 전문가적인 자세를 바탕으로 행해져야 한다."

군대이든 기업이든 거대한 조직은 늘상 아첨과 집단 순응적인 생각을 경계해야 한다. 그렇지 않으면 그 조직 전체가 엄청난 실수를 범할 수도 있다. 그러나 대부분의 군대와 기업들은 규율을 위해 유연성을 버리고, 질서정연함과 창의성을 맞바꾸며 혁신보다는 관성을 택하는 경향이 있다. 이것은 적어도 원칙상으로는 이스라엘식이 아니다.

2006년의 전쟁을 통해 이스라엘군은 매우 비싼 대가를 치르고 경각심을 얻었다. 그들은 오랫동안 실제 전쟁에서 싸우면서 자신들의 기량을 시험해볼 기회가 없었던 군대들에게서 흔히 나타나는 조직 경직화와 내부 부실화의 문제를 심각하게 겪고 있었다. 이스라엘의 경우에는 IDF가 테러리스트 집단을 추격하고 파괴하는 데 적합한 게릴라 공격 방식으로 운영의 초점을 바꾸었는데 이 과정에서 필요한 새로운 기술들과 능력들을 소홀히 하고 말았다.

그러나 이에 대한 이스라엘의 대응은 계급을 더 강화하기보다는 오히려 그것을 더 완화하는 것이었다. 권력과 책임을 낮은 계급에게 더 많이 맡기고 초급 장교들이 자신들의 상관에게 더 적극적으로 이의를 제기할 수 있도록 장려하는 것이 목적이었다. 이러한 급진적인 변화는 이전의 '핵심적인 가치'를 복원하려는 노력의 하나였다.

싱가포르와 같이 이스라엘의 군대 조직을 모방할 뿐 아니라 전쟁수행 중의 창의성까지도 경제에 도입하려는 나라에게 이 모든 것들은 어떤 의미를 가질까? 위에서 말한 바와 같이 싱가포르는 '질서' 그리고 '복종'이라는 측면 모두에서 이스라엘과 매우 큰 차이를 보인다. 싱가포르의 예의바름과 단정히 정리된 정원과 일당 독재의 규칙은 경제로부터 모든 유동성과 유연성을 없애버렸다.

기업혁신의 핵심 요인들에 대해 연구하고 있는 한 경제학파에 따르면 유동성은 사람들이 급진적이고 개혁적인 아이디어를 얻기 위해 경계선을 넘고 사회적 규범을 뒤집고 자유시장경제를 동요시키는 것으로부터 나오는 것이라고 한다. 또는 하버드 대학 심리학자인 하워드 가드너(Howard Gardner)가 말하는 바와 같이 서로 다른 종류들 간의 비동기성—예를 들면 색다른 패턴, 불규칙성, '딱 들어맞지 않음' 등—이 경제적인 창의력을 자극하는 힘을 갖고 있다.

따라서 유동성을 증가시키기 위한 가장 큰 장애물은 바로 질서이다. 약간의 무질서함은 건강할 뿐만 아니라 매우 결정적인 요소이다. 이 분야의 주요 연구자인 경제학자 윌리엄 바우몰(William Baumol), 로버트 리탄(Robert Litan) 그리고 칼 슈람은 복잡한 과학 개념 중 하나인 '혼돈의 가장자리(edge of chaos)' 개념을 통해 이상적인 환경에 대해 가장 잘 설명할 수 있다고 주장한다. 그들은 '가장자리'를 "엄중한 규칙, 질서와 무작위한 카오스가 만나 높은 수준의 적응력, 복합성, 창의력을 생성하는 일종의 중간지대"라고 정의한다.

이것이 바로 이스라엘 기업가들이 번창하는 환경이다. 그들은 발전한 민주주의 사회의 안정적인 제도와 법으로부터 많은 이익을 얻는다. 그러나 또한 이스라엘의 탈계급적인 문화(비즈니스 하는 모든 사람들이 작은 단위의 공동체와 군대 복무, 지리적인 근접성, 비공식성 등으로 인해 형성되는 서로 얽히고설킨 네트워크 상의 한 위치를 차지하는)로부터도 많은 도움을 받는다.

이스라엘의 군대—특히 공군, 보병대, 정보기관, 그리고 정보기술 분야의 엘리트 유닛들—가 수천 개의 이스라엘 하이테크 벤처의 인큐베이터 역할을 해 온 것은 절대 우연이 아니다. 다른 국가들도 적은 수의 혁신기업을 키워낼 수는 있지만, 이스라엘의 경제는 표준화보다는 실험주의를 바탕으로 한 '로시 가돌'적인 사고방식과 비판적인 재평가 과정을 통해 전국적인, 그리고 전 세계적인 충격파를 던질 수 있을 만큼 엄청난 이익을 얻는다.

제3부

새로운 개국

사막에서 물고기 양식이 가능하다는 것을
이해시킨다는 것은 간단한 일이 아니다.

– 사무엘 애플바움

6장
작동하기 시작하는 산업

이스라엘이 현재의 상태(지난 60여 년 동안 50배 성장했다.)에 어떻게 도달했는지는 단순히 이스라엘의 특성이라든지, 전장에서 시험된 기업가 정신, 또는 정치적 지리적 우연만으로는 설명할 수 없을 것이다. 이스라엘의 성장 이야기에는 여러 우여곡절을 피할 수 없었기에 이스라엘의 군대와 시민들처럼 유연할 수밖에 없었던 정부정책의 영향을 빼 놓을 수 없다.

이스라엘 경제의 역사는 경기 침체와 극심한 인플레이션 사이에 두 번의 큰 도약의 시대가 있었다. 이 시기를 살펴보면 정부의 거시 경제적 정책이 이스라엘의 성장과 후퇴 그리고 전혀 예상치 못했던 급성장에 중요한 역할을 했다.

첫 번째 경제 성장은 1948년과 1970년 사이에 있었다. 이 시기 동안 3번의 큰 전쟁 중에도 인구는 3배가 되었고 국민 1인당 GDP는 4배가 되었다. 두 번째 성장 시기는 1990년 후부터 지금까지 계속 이어지고 있으며, 이 시기 중 이스라엘은 졸음에 취한 듯 정체된 세계경제에서 벗어나 전 세계를 대상으로 잠을 깨우고 선도하는 혁신의 중앙에 서게 되었다. 이때는 아주 다른 (어쩌면 정반대의) 방법이 동원되었던 것이다. 첫 번째 성장 시기는 정부의 주도로 작고 낙후된 소규모 업종이 이끌었다. 두 번째 시기는 정부정책에 의해 촉진된 개인기업의 번영에 의한 성장이었다.

첫 번째 경제 성장의 근원은 이스라엘 건국 훨씬 이전의 시기(멀게는 19세기 후반부까지)로 거슬러 올라갈 수 있다. 일례로, 1880년대 후반 일단의 유대인 정착민은 텔아비브 북쪽 몇 마일 떨어진 곳에 새로 마을을 조성하고 페타 티크바(Petach Tikva)라는 축산업 농가를 세우려고 노력한 일이 있었다. 얼마 동안 텐트에서 생활한 후, 이들 개척민들은 그 지역 아랍인들을 고용하여 진흙으로 집을 지었다. 그러나 이 흙집은 비가 오면 텐트보다 더 심하게 물이 셌고, 강이 범람하면 속절없이 떠내려가곤 했다. 어떤 정착민은 말라리아나 이질로 죽어갔고, 몇해 겨울이 지나지 않아 자금이 바닥났다. 힘들여 닦아 놓은 길들은 홍수에 흔적도 없이 사라졌고, 가구 수는 기근으로 점점 줄어만 갔다.

하지만 1883년이 되자 상황이 나아지기 시작했다. 프랑스 태생 유대인으로 은행가이며 자선 사업가인 에드몬드 드 롯쉴드(Edmond de Rothschild)가 자금을 대기 시작한 것이다. 한 농업 전문가는 정착민들로 하여금 강이 범람하여 늪이 생긴 곳에 유칼립투스 나무를 심도록 했다. 이 나무의 뿌리는 늪지대의 물을 빠른 시일 내에 빨아들일 수 있었던 것이다. 말라리아 환자의 발생이 현저히 줄어들었고 더 많은 사람들이 정착민에 합류하여 그 수가 날이

갈수록 늘어났다.

1920년대 초부터 10여 년간 이슈브(Yishuv)라 불리는 팔레스타인 지역의 한 유대인 정착민촌의 인구가 2배로 늘어가는 동안 생산은 4배 정도 증가하는 등 노동 생산성이 80퍼센트 정도 향상되었다. 1931년부터 1935년 사이 전 세계적인 대공황으로 어려울 때에도, 팔레스타인 지역의 유대인과 아랍인들의 평균 경제성장률은 각각 28퍼센트와 14퍼센트를 기록했다.

페타 티크바 같은 작은 정착민촌이 그들만의 힘으로 그러한 급격한 성장을 이룩할 수는 없었을 것이다. 파도처럼 몰려들었던 이주민들이 수적으로 도움이 됐을 뿐 아니라 개척자 정신을 가지고 도움에만 의존하던 자그마한 지역사회를 완전히 바꾸었던 것이다.

이러한 이주민 중 하나가 1906년 폴란드로부터 건너온 21살의 다비드 그루엔(David Gruen)이었다. 그는 이주 후, 로마시대의 유대인 장군의 이름을 따서 벤 구리온으로 바꾸었다. 얼마 지나지 않아 그는 누구도 대체할 수 없는 이슈브의 지도자가 되었다. 이스라엘의 작가 아모스 오즈가 썼듯이 "이스라엘 건국 초기에 많은 사람들은 그를 모세와 조지 워싱턴, 가리발디, 또는 전능한 신으로 생각했을" 정도다.

벤 구리온은 이스라엘 최초의 국가적 사업가였다. 데오도르 헤르츨(Theodore Herzl)이 유대 주권국가의 개념을 정립하고 유대인들만의 나라를 갖겠다는 이상으로 전 세계에 흩어진 유대인들의 희망을 자극했을지 몰라도, 이러한 이념과 비전을 조직화하여 국가적 기능을 수행하는 주권국으로 일구어낸 것은 바로 벤 구리온이었다. 2차 세계대전 후 윈스턴 처칠(Winston Churchill)이 미합중국 육군 장군 조지 마샬(George Marshall)을 연합국 승리의 조직자로 묘사했듯이 벤 구리온을 시오니즘의 조직자로 이름 지을 수 있을 것이다. 비즈니스 용어를 빌린다면 벤 구리온은 나라를 세운 사업 기획가라 할 수 있다.

그러나 벤 구리온이 당면한 기획경영과 업무계획은 말할 수 없이 복잡한 일이었다. 어떻게 이민자들을 동화시킬 것인가? 이 한 가지 이슈만 생각해도 그렇다. 1930년대부터 유대인 대학살이 끝날 무렵까지, 유럽에 살고 있던 유대인 수백만 명이 나치에 의해 이송 집결됐다. 그 와중에 어떤 유대인들은 팔레스타인으로 도망쳤으나, 나중에 가까스로 탈출에 성공한 사람들은 여러 나라로부터 입국 또는 거주가 거절돼 숨어 지내거나 처참한 환경에서 생활하는 신세가 됐다. 팔레스타인을 식민 지배하고 있던 영국은 1939년에 '화이트 페이퍼(White Paper)'라는 엄격한 이민정책을 적용하기에 이른다. 영국은 팔레스타인으로 피난 온 대부분의 사람들을 거부했다.

이에 대응하여 벤 구리온은 정반대의 정책을 펼쳤다. 우선 그는 팔레스타인에 사는 1만 8,000명의 유대인을 독려하고 조직하여 영국군에 합세하여 나치에 대항하는 '유대인의 군대'로서 싸우도록 했다. 동시에 영국의 이민정책에 반대하는 비밀 지하조직을 결성하여, 유대인 난민들이 유럽으로부터 팔레스타인으로 이주하는 것을 도왔다. 벤 구리온은 유럽에서는 영국 편에서 싸우면서, 팔레스타인에서는 영국을 적으로 하고 있었던 것이다.

이 시기의 많은 역사 기록들은 1948년 이스라엘 건국을 이끈 정치적 군사적 어려움에 초점을 맞추었다. 이 무렵 경제적인 관점에서 평가되는 이야기로는 "벤 구리온은 사회주의자였고, 초기의 이스라엘은 온전한 사회주의 국가였다."라는 식으로 쓰여지곤 했다. 이러한 이야기의 근원을 살펴보면 이해가 가는 면이 있기는 하다. 왜냐하면 벤 구리온은 사회주의 환경의 영향 아래 성장했고 마르크스주의와 1917년 러시아 혁명으로부터도 영향을 받았다. 이스라엘이 독립국가가 되기 이전, 구소련연맹과 동유럽에서 팔레스타인으로 이주해온 많은 유대인들이 사회주의자였으며 그들의 영향이 적었다고 할 수 없다.

그러나 벤 구리온은 오직 국가수립에만 전념했다. 그에게는 마르크스 이데올로기를 증명하기 위해 만들어진 정책 등을 시험해볼 만한 시간적 여유 같은 것이 없었다. 그에게 모든 정책은, 그것이 경제적이든 정치적이든 군사적이든 사회적이든 모두 국가 수립의 목표를 이루기 위한 방편일 뿐이었다. 벤 구리온은 전형적인 비추이스트(bitzu'ist)였던 것이다. 히브리어 '비추이스트'는 실용주의자 정도로 해석할 수 있을 것인데, 행동주의자라는 뜻을 더 강하게 내포한 단어이다. 비추이스트는 어떤 일이든 이루고야 마는 사람을 지칭하는 말이다.

비추이즘(Bitzu'ism)은 개척정신의 중심이며, 이스라엘 사업가 정신을 이끄는 것이다. "그 누군가를 비추이스트라 부르는 것은 그 사람을 아주 높이 사는 것"이라고 작가이자 편집자인 레온 위셀티어(Leon Wieseltier)는 말했다. "비추이스트는 건축가이며, 조종사이고, 밀반입자이며, 정착민이기도하다. 쉽게 말하자면, 사회적으로 퉁명스러우나 재력이 넉넉하고, 인내심이 부족한 데다가 냉소적이기까지 하지만, 아주 효율적이고 생각할 필요를 많이 느끼지 못하나 잠도 필요하지 않는 그런 사람을 가리킨다."

위셀티어의 이 말은 개척가 세대를 이야기하는 말이었으나, 창업의 위험을 감수하고자 하는 사람에게도 딱 어울리는 말이다. 비추이즘은 위험을 무룹쓰고 살던 곳을 등진 사람들, 늪지대를 말려버린 정착민들, 그리고 작은 가능성에도 불구하고 꿈을 이루기 위해 도전하는 기업가들에게 흐르는 핏줄 같은 것이다.

그 무엇보다 벤 구리온의 생각의 중심에 있었던 일은 언젠가 만들어질 이 스라엘이라는 나라 전체에 유대인들이 고루 퍼져 살게 하는 것이었다. 그는 아주 잘 계획되고 단기간에 집중적으로 시행될 정착민 프로그램이 주권국가 를 보장해 줄 수 있는 유일한 길이라 믿었다. 완전히 정착한 경우가 아니거 나 정착민의 밀도가 어느 한계에 미치지 못하면, 유대인이 그다지 많이 살지 않는다는 이유로 국제사회의 논쟁에 밀려 다시 반대 집단에게 나라를 빼앗 기고 말 것이라 여긴 것이다. 반면에, 높은 인구 밀도의 도시 지역—예를 들 어 예루살렘·티베리아스·사페드—의 지나친 집중화는 적 공군의 너무 쉬 운 공격 목표가 될 것이라 생각해 인구의 적당한 분산을 중요한 이슈로 간주 했다.

벤 구리온은 만약 정부의 선도 아래 이주에 대한 특혜를 주지 않는다면, 사람들이 도시 중심과 기간시설로부터 멀리 떨어지고 개발이 덜 된 곳으로 이주하지 않으리라는 것도 알고 있었다. 그러나 개인 자본가들이 그러한 정 책을 달가워할 것 같지는 않았다.

그러나 이렇게 정부가 깊숙이 간여한 집중 개발 노력은 또한 경제에 대한 정부의 지나친 간섭이라는 선례를 낳게 되었다. 1960년대와 1970년대의 각 각 다른 시기에 핀체스 사피어(Pinchas Sapir)는 재정부와 통상산업부 장관을 역임했다. 사피어는 일일이 간섭하는 스타일로 다른 공장들마다 각기 상이 한 외환율을 적용하여(100가지 환율을 적용했다), 검은 공책에 하나하나 기입하고 추적했다. 이스라엘중앙은행 초대 은행장 모세 산바르(Moshe Sanbar)에 의하면 사피어는 두 개의 공책을 가지고 있었다고 한다. "하나는 그 자신만의 중앙정부 통계록으로 모든 큰 사업체로 하여금 누구에게 얼마나 물건을 팔았는지, 얼마나 전력을 소모했는지 등등을 보고하도록 했다. 공식적 통계 체계가 있기도 전부터 그는 이렇게 나라 경제가 어떻게 돌아가고 있는지 알고 있었던 것이다."

산바르는 이런 시스템은 작고 이상적인 개발도상국에서나 가능하다는 것을 알고 있었다. 정부에 투명성이라곤 없었지만, "모든 정치인이 가난하게 살다 세상을 떠났으며 시장에 개입해 간섭하고 하고 싶은 대로 다 했지만, 그 와중에 누구도 착복하지는 않았다."

키부츠와 농업 혁명

첫 번째 도약의 중심에는 근본적이며 전형적인 사회적 혁신이 있었다. 하지만 그 혁신의 출발은 오히려 작은 곳, 키부츠에서 시작됐다. 오늘날 키부츠 공동체원의 숫자는 전체 인구의 2퍼센트도 안 되지만, 그들은 전체 국가 수출의 12퍼센트나 차지하는 물품들을 생산한다.

역사학자들은 키부츠를 "세상에서 가장 성공적인 공동체 운동"이라고 평가한다. 이스라엘이 건국되기 4년 전인 1944년 즈음에는 1만 6,000명 정도만이 키부츠에서 살고 있었다. 농업 정착촌으로 시작된 키부츠는 사유재산을 없애고 완전한 평등을 목표로 했다. 그 운동은 그 후 20여 년간 꾸준히 성장하여 8만 여 명이 250개 키부츠 공동체에서 생활하게 되었다. 그러나 이 숫자는 여전히 이스라엘 전체 인구의 4퍼센트에 지나지 않는 숫자이다. 그럼에도 불구하고 키부츠 공동체는 현재까지 약 15퍼센트의 이스라엘 국회의원을 배출했다. 이스라엘의 군대인 IDF의 장교나 조종사 출신보다 더 많은 비율이다. 1967년 6일 전쟁에서 전사한 800여 명의 IDF 군인들 중 25퍼센트가 키부츠 출신이었다. 이것은 일반 국민 대 전사자 비율의 여섯 배나 되는 것이었다.

아마도 사회주의적 공동체라는 것이 보헤미안 같은 생활 양식을 연상시킬지 몰라도, 키부츠 정신은 그와는 거리가 멀었다. 키부츠 사람들은 대담함과 형식적이지 않은 태도를 상징하게 됐고, 근본적인 평등을 추종하는 입장은 금욕적인 생활 양식을 낳았다. 주목할 만한 예로, 건국 초기 키부츠 운동의 선도자였던 아브라함 헤르츠필드(Abraham Herzfield)를 들 수 있다. 그는 수세식 변기는 받아들일 수 없을 만큼 퇴폐적이라 생각했던 사람이다. 가난하고 적들에게 빙 둘러싸여 기본 생활물자가 부족한 1950년대이긴 해도 대부분의 이스라엘 정착촌과 도시에서 수세식 변기는 꼭 필요한 것이라 여기던 때였다. 전해지는 이야기로는, 처음 변기가 키부츠에 설치됐을 때 아브라함 헤르츠필드가 손수 도끼로 다 부수었다고 한다. 하지만 헤르츠필드조차도 그 변화를 바꿀 수는 없었고, 1960년대가 되면 거의 모든 키부츠들이 수세식 변기를 설치하기에 이른다.

키부츠 운동은 상당히 공동체적이면서도 민주적이다. 자치에 관한 모든 사안들, 하다못해 어떤 작물을 경작할지 TV를 소유해도 되는지까지도 논쟁의 대상이 되었다. 시몬 페레스가 회상하기를 "키부츠에는 경찰도 없고, 법정도 없었다. 내가 키부츠의 일원이었을 때는 개인 소유의 돈도 없었다. 내가 오기 전에는 개인적인 우편물도 없어서 누구든지 편지를 읽을 수 있었다."고 한다.

가장 말이 많았던 것은 아이들을 공동으로 키우는 것이었다. 키부츠마다 조금씩 차이가 있을지는 몰라도, 거의 모든 키부츠에는 아이들이 생활하는 집이 있었다. 키부츠에서 아이들은 하루 몇 시간 정도만 부모와 함께했고, 잠은 친구들과 자야 했다.

키부츠 부흥의 이유 중 일부분은 키부츠와 이스라엘 대학들이 일구어 낸 농업과 기술의 커다란 발전에 기인한다. 아주 궁핍하고 국가를 세운 사람들의 타협하지 않는 이데올로기의 시대로부터, 그리고 농경부터 첨단산업까지의 변천을 하체림(Hatzerim) 같은 키부츠에서 볼 수 있다. 이 키부츠는 1946년 하룻밤 만에 하가나(Haganah, 유대인 국가 창립 이전의 의용군)가 위치를 선정하여 만들었다. 해 뜬 후 불모의 언덕과 황무지로 둘러싸인 곳에 도착한 5명의 여자와 25명의 남자가 그들 스스로 공동체를 세우기 시작했다.

40마일이나 떨어진 담수원으로부터 물 공급을 위한 6인치짜리 파이프를 설치하는데 무려 1년이 넘게 걸렸다. 1948년 독립전쟁 시에 키부츠가 공격 받아 물 공급이 중단되는 일이 있었다. 전쟁이 끝난 뒤에도 흙에 염분이 너무 많아 경작이 어려워지자 1959년이 되어서는 키부츠의 일원들이 하체림을 폐쇄하고 더 환경이 좋은 곳으로 옮겨야 한다고 주장했다.

그러나 그들은 더 참고 기다리기로 결정했다. 왜냐하면 토양의 염도 문제는 하체림 뿐만이 아니라 네게브 지역 전체의 공통적인 상황이기 때문이었다. 2년 후 하체림 키부츠의 일원들은 토양을 잘 씻어내 작물 재배를 시작할 수 있을 정도가 되었다. 하지만 이것은 하체림의 눈부신 발전(자기 자신 또는 나라를 위한)의 시작에 불과했다.

1965년 수자원 공학자인 심카 블라스라는 사람이 자신이 발명한 세류관개 방법을 가지고 하체림을 찾아왔다. 그는 자신의 아이디어를 상업화하기 위해 노력하던 중이었다. 결국 이날 블라스의 방문은 훗날 네타핌이라는 글로벌 관개회사가 탄생하는 계기가 되었다.

베네수엘라 정부의 전 국토개발부 장관이었던 리카르도 하우스만(Ricardo Hausmann) 교수는 하버드 대학의 국제개발연구소를 이끌고 있었다. 그는 세계적으로 유명한 국가 경제개발 모델의 전문가로서, 모든 국가가 문제와 제약을 갖고 있다고 말한다. 그런데 이스라엘이 눈에 띄는 이유는, 예를 들면 물 부족 같은 문제를 피하지 않고 정면 돌파하려는 강한 의지 때문이다. 그리고 결국에는 이러한 문제들을 오히려 자산으로 만들어 버린다는 것이다. 물 부족의 경우에서 보듯 그들은 그것을 이용해 불모지에서의 농경작, 세류관개, 그리고 해수의 담수화 분야에서 글로벌 리더가 되었다. 이러한 일들의 맨 앞에 키부츠가 있었던 것이다. 키부츠가 기꺼이 받아들였던 이러한 환경적 제약이, 이스라엘에 대한 안보 위협이 그랬던 것처럼, 궁극적으로 아주 생산적인 요인이 되었던 것이다. 첨단기술을 이용한 군사적 문제 해결을 위해 투입되었던 많은 연구개발—음성 인식, 통신, 광학, 하드웨어, 소프트웨어 등—자금이 민간의 첨단기술 부문의 도약과 유지 그리고 인력 양성에 크게 기여했다.

국토의 많은 부분이 사막이라는 국가적 불리함 또한 자산으로 바꾸었다. 이스라엘을 방문한 관광객들은 국토의 95퍼센트가 연간 강수량에 따라 반건조, 건조, 또는 심한 건조 지역으로 분류된다는 사실을 알고 놀란다. 실제로 이스라엘이 건국할 당시 네게브 사막은 국토의 남쪽에서부터 예루살렘과 텔아비브 북쪽까지 뻗쳐 있었다. 네게브는 여전히 이스라엘에서 가장 큰 지역을 차지하지만, 그 땅의 사막화는 네게브 북쪽 부분이 경작지 또는 숲으로 바뀌면서 오히려 반대로 진행됐다. 이러한 일들의 많은 부분이 하체림 시기로부터 시작된 혁신적인 물 정책에 기인한다 할 수 있다. 요즘 이스라엘은 하수의 정수 분야에서도 선도적인 역할을 하고 있다. 하수의 70퍼센트 정도가 재활용되고 있는 것이다. 이것은 세계에서 두 번째로 하수의 재활용률이 높은 스페인의 세 배 정도 된다.

네게브 사막에 위치한 마샤베 사데(Mashabbe Sade) 키부츠는 한 수 더 위에 있다고 할 수 있다. 그들은 전혀 쓸 수 없을 것 같은 물도 한 번이 아니라 두 번까지도 재활용한다. 그들은 땅 속 깊은 곳에 축구경기장 10배 정도의 우물을 파곤 하는데, 그곳에서는 염분이 많은 뜨듯한 물이 나오곤 한다. 이러한 발견도 네게브에 위치한 벤 구리온 대학교의 사무엘 애플바움(Samuel Applebaum) 교수를 만나기까지는 별로 쓸모없는 것 같아 보였다. 애플바움 교수는 그 물이 온수에서 자라는 물고기를 기르기에 제격이라는 것을 깨달은 것이다.

어류 생물학자인 애플바움 교수는 "사막 한 가운데서 물고기를 기를 수 있다는 것을 사람들에게 이해시킨다는 게 간단하진 않더군요."라고 말했다. "하지만 건조한 땅은 비옥하지 않다든지 쓸모없는 땅이라는 통념을 깨는 것도 중요한 일이지요." 키부츠 사람들은 화씨 98도의 온수를 양수기를 이용해 호수로 끌어대기 시작했다. 그 호수에서 틸라피아·바라문디·농어·줄무늬 농어 등을 상업용으로 길렀다. 양어장에서 사용한 물은 이제 물고기의 배

설물로 가득 차고, 이는 더할 나위 없이 좋은 비료감이 되어 올리브나무와 대추야자나무 단지의 관개수로 쓰이게 된다. 키부츠 사람들은 야채와 과일도 지하수를 직접 이용하여 기르는 방법도 찾아냈다.

한 세기 전 이스라엘은, 마크 트웨인과 다른 여행자들이 표현했듯이, 대부분이 불모지였다. 그러나 지금은 2억 4,000만 그루의 나무가 있으며, 그중 수백만 그루는 일일이 하나씩 심어진 조림에 의한 것이었다.

사람에 의해 조성된 숲이 국토 전역에 걸쳐 있는데, 그중 가장 큰 숲인 야티르 숲은 정말 믿을 수 없을 정도이다. 1932년 요제프 바이츠(Yosef Weitz)는 유대국가기금이 관리하는 산림관리청장이 되었다. 유대국가기금은 이스라엘 국가 건립 전 땅을 사들이거나 산림을 조성하는 일을 전문적으로 관리하던 조직이었다. 바이츠는 30여 년간 유대국가기금과 정부를 설득하여 네게브 사막의 한 자락 끝에 있는 언덕에 나무 심는 일을 할 수 있게 되었다. 물론 대부분의 사람들은 이를 불가능하리라 여겼다. 현재 그 언덕에는 약 4백만 그루의 나무가 심어져 있다. 위성 사진을 보면 사막과 불모지로 둘러싸인 그 숲은 무언가 툭 불거진, 사진 오류처럼 보인다. 나사가 주도하는 지구환경 연구프로젝트인 플렉스넷(FlexNet)은 100곳이 넘는 관측타워로부터 데이터를 모으고 있다. 그중 오직 단 한 곳만이 반 건조 지대에 있는 야티르 숲에 위치해 있다.

야티르 숲은 연간 280밀리미터의 빗물에만 의존하는 숲이다. 이 강수량은 미국 텍사스 주 댈러스 시 연간 강수량의 3분의 1에 해당하는 양이다. 하지만 연구원들은 이 숲의 나무들이 자연적으로 빨리 자란다는 것과 온화한 기후의 풍부한 숲 만큼이나 공기 중의 이산화탄소도 잘 빨아들인다는 것을 알게 되었다.

단 야키르(Dan Yakir)는 야티르에 위치한 플렉스넷 연구 분소를 운영하는 바이츠만연구소의 과학자이다. 그에 따르면 "그 숲은 사람들이 사막이라고 생각하는 곳에서도 나무가 아주 빠른 속도로 자랄 수 있다는 것을 보여줄 뿐 아니라, 만약 지구상에 있는 반 불모지의 12퍼센트에만 숲을 조성해도 연간 대기 중 이산화탄소 1기가 톤(500메가와트 용량의 석탄 발전소 1,000개가 방출하는 이산화 탄소 발생량)을 줄일 수 있다."라고 한다. 이는 과학자들이 주장하는 현재의 이산화탄소 수준을 유지할 수 있는 7가지의 방안 중 하나에 해당한다.

2008년 12월 벤 구리온 대학은 UN이 협찬한 사막화 대책을 위한 국제회의를 주최했다. 40여 개국의 전문가들은 이스라엘이 어떻게 세계 유일의 역사막화의 나라가 되었는지 눈으로 확인하려고 모였다.

이스라엘의 도약

키부츠 이야기는 이스라엘이 걸어온 경제혁신 과정의 일부분에 불과하다. 사회주의건 개발주의건 간에 첫 20여 년간 이스라엘의 경제성장 과정은 정말로 인상적이다. 1950년부터 1955년에 이르기까지 이스라엘 경제는 매년 13퍼센트씩 성장했다. 1960년대까지는 10퍼센트를 약간 밑도는 경제성장을 기록했다. 이스라엘 경제는 단지 성장한 게 아니라, 하우스만이 말했듯이 "도약"했다. 도약이란 개발도상국으로서 선진국과 1인당 소득(또는 부의 가치)의 차이를 줄였다는 것을 말한다.

대부분의 국가에서도 경제성장의 시기는 있게 마련이다. 하지만 도약은 다른 이야기이다. 지난 반세기 동안 세계 경제의 3분의 1 정도는 경제 성장을 이루었지만 10퍼센트 미만의 나라들만이 도약을 경험했다. 이스라엘의 1인당 국민소득은 미국을 기준으로 비교하면 1950년 25퍼센트에서 1970년 60퍼센트에 이른다. 이것은 미국에 대한 이스라엘의 생활수준이 20년간 두 배 이상 개선되었다는 뜻이다.

이 시기 동안 정부는 개인 사업을 부흥시키는 정책을 전혀 펴지 않았을 뿐만 아니라, 개인 소득이라는 개념에 대해 반하는 입장을 견지했다. 일부 정치세력이 심한 경제적 통제와 반 자유시장경제 체제를 고수하는 정부 정책에 반대했지만, 그들은 소수에 지나지 않았다. 만약 정부가 개인을 경제 주체로 제대로 평가하고 길을 열어 주었다면, 경제는 더욱 빠르게 성장했을지도 모른다.

하지만 되돌아보면, 이스라엘 경제 활동은 정부의 방해만이 아니라 긍정적 개입에 의해서도 일어났음을 알 수 있다. 어느 나라든지 경제 초기 개발 단계에 쉽게 눈에 띄는 대규모 투자기회가 있기 마련이다. 도로·수도·공장·항만·전력망·주택공사 등이 그 예이다. 북쪽의 갈릴리해에서 타들어가는 남쪽의 네게브 사막까지 수도관을 연결한 국가 수도사업 같은 대규모 투자는 이스라엘의 초고속 성장을 촉진했다. 키부츠에서의 급속한 주택건설 사업은 건설과 공공시설 사업의 성장을 창출했다. 하지만 이러한 일들이 반드시 성공적인 결과를 가져온다고 여겨서는 안 될 것이다. 왜냐하면 많은 개발도상국가들이 커다란 기간산업에 몰두해도 막대한 정부자금이 비리와 정부의 비능률 때문에 낭비되는 경우가 많기 때문이다. 이스라엘도 이런 면에서 완벽한 것은 아니었다.

정부가 직접 팔을 걷어붙이고 기업가적인 사고로 용의주도하게 신사업을 창출하는 프로젝트를 과감히 채택한 사례가 많이 있다. 이스라엘 독립전쟁 중 미국으로부터 비행기와 무기를 들여온 시몬 페레스와 알 쉼머(Al Schwimmer)는 이스라엘에 항공산업을 창출하겠다는 생각을 하고 있었다. 1950년대 그들이 자신들의 생각을 이스라엘 정부에 말했을 때 의심부터 조롱까지 반응이 다양했다. 당시는 우유나 계란 같은 기초 생활용품도 여전히 부족했고 얼마 전 이주해온 피난민들은 텐트에서 살고 있었으니, 대부분의 각료들은 이스라엘이 그런 것을 할 수 없을 뿐만 아니라 그러한 시도가 성공하리라는 생각을 하기 힘들었을 것이다.

페레스는 이스라엘이 2차 세계대전 시기에 과잉 공급된 비행기들을 고치기 시작할 수 있다고 벤 구리온을 설득했다. 그들은 기업을 설립했고, 이 기업은 한때 이스라엘에서 가장 큰 고용업체였다. 그 당시 설립된 베덱(Bedek)은 결국 이스라엘 항공기 산업체가 되었고 그 분야에서 글로벌 리더로 성장했다.

이러한 이스라엘의 발전 시기 동안 정부의 입장에서 보면 아마 개인 중소기업가들이 그렇게 중요하지는 않았을 것이다. 왜냐하면 우선 거대한 산업이 차지하는 경제적 비중을 무시할 수 없었기 때문이다. 하지만 경제가 한층 복잡해지면서 이러한 시스템은 한계에 다다르게 됐다. 이스라엘 경제학자 야키르 플레스너(Yakir Plessner)에 따르면, 일단 국가가 기간시설 건설로 큰돈을 쓰게 되면, 대기업만이 경제 성장을 주도할 수 있고, 그들만이 '상대적인 우위를 점할 수 있는 틈새시장'을 찾을 수 있는 기회가 주어지기 때문이다.

사실 정부 관리의 통제경제로부터 개인경제로의 변환은 1960년대 중반에 일어났어야 했다. 대부분의 기초시설 투자는 1946년부터 1966년에 이르는 20년 간 이루어졌다. 1966년에 이르러 더 이상 가치 있는 투자 대상을 찾지 못한 이스라엘은 처음으로 0퍼센트에 가까운 성장 수치를 기록했고, 이 일은 이스라엘 정부로 하여금 경제를 민간기업에 개방해야 한다는 확신을 주었다. 그러나 이 같은 정책개혁은 6일 전쟁에 의해 가로막히고 만다. 1967년 6월 6일 전쟁이 터지고 일주일이 채 되지 않아 이스라엘은 웨스트뱅크·가자 지구·시나이 반도·골란 고원 등을 점령한다. 이것을 다 합치면 이스라엘 국토의 세 배가 넘는 크기였다.

갑작스럽게 이스라엘 정부는 또 다른 대규모 기간시설 건설 프로젝트로 바빠졌다. 그리고 IDF가 새로운 국경선을 따라 진지를 구축해야 했으므로, 막대한 자금이 방어진 설치, 국경 경비와 그 외 비싼 인프라 건설에 들어갔다. 그것은 또 다른 거대한 경기 부양 프로그램 같은 것이었다. 결과적으로 1967년과 1968년 사이 건설 장비에 대한 투자는 725퍼센트나 증가했다. 공교롭게도 전쟁이 이스라엘 경제 관료들로 하여금 민간경제 활성화의 시기를 놓치게 만들어 버렸다.

이스라엘의 잃어버린 10년

여전히 이스라엘의 경제는 외부 요인에 의해 끌려가고 있었다. 6년 후 또 하나의 전쟁이었던 1973년의 욤 키퍼 전쟁은 그전과 같은 경제 부흥을 가져오지 못했다. 이스라엘은 많은 사상자(3,000여 명의 전사자와 더 많은 부상자)를 냈고 기간시설에 막대한 손상을 입었다. 많은 수의 예비 병력을 동원하기 위해

IDF는 노동력의 대부분을 6개월씩이나 경제 활동에서 빼내갔다. 그러한 장기간에 걸친 대규모 징집은 기업 또는 전체 산업을 삐걱거리거나 무력화시켰다. 비즈니스 활동이 멈춰버린 것이다.

정상적인 경제 여건에서는 국내 노동자들의 개인 수입이 당연히 따라 줄게 마련이지만, 이스라엘은 그렇지 않았다. 정부는 수입이 떨어지게 놓아두는 대신 인위적으로 국고보조를 할 수 있는 수단을 마련했고, 그것은 결국 공공부채를 늘리는 결과를 초래했다. 늘어만 가는 빚을 청산하기 위해 자본 투자에 대한 세금을 포함해 모든 세금이 올라갔다. 정부 예산부족을 비싼 단기자금을 빌려 매웠으며, 이는 결국 이자의 지급을 늘어나게 만들었다.

이 모든 것이 공교롭게도 이민의 감소와 동시에 일어났다. 새 이민자들은 항상 이스라엘 경제 활력의 중요한 요소였다. 1972년과 1973년 사이 이스라엘 인구는 이민에 의해 거의 10만 명이 증가했다. 그러나 1974년에는 1만 4,000명이 증가하는 데 그치고 1975년에는 0퍼센트에 가까운 숫자를 보였다.

경제회복을 어렵게 만들었던 것은 자본시장의 정부 독점이었다. 그때 이스라엘중앙은행이 표현했듯이 "정부 개입의 정도는 정치적 자유 국가에서 할 수 있는 정도를 넘어섰다." 정부가 모든 개인과 기업 신용을 담보로 한 대출과 채무 보증에 대해 이자율과 기간을 정해 놓았다. 상업은행과 연금기관들은 강제적으로 고객의 예금을 거의 모두 정부 발행 채권을 사거나 정부가 배당한 개인 부문의 대출 사업에 자금을 대는 데 써야 했다.

이러한 것들이 경제학자들이 지칭하는, 1970년대 중반부터 1980년대 중반까지의 '잃어버린 10년'의 경제 상태였다. 혁신적인 엔지니어를 이스라엘 안에서 찾기로 한 인텔의 결정은 오늘날은 당연한 것으로 보인다. 그러나 인텔이 발견한 1974년의 이스라엘은 오늘날과 전혀 다른 모습이었다. 1970년 대 관광객들의 눈에 비친 사막, 늪지대, 말라리아까지는 아니어도 아마 지금의 제3세계의 어느 나라에 도착했다는 느낌을 갖게 했을 것이다.

이스라엘의 대학과 공학적 수준이 그 즈음에는 상당히 앞서 있었지만, 이스라엘의 기간시설들은 낙후되어 있었다. 공항은 작고 별 볼일 없었다. 공항에 도착하여 입국관리소를 빠져나오면 마치 구소련연맹 스타일의 실용주의적인 느낌을 주었다. 고속도로로 통하는 대로 같은 것은 없었다. TV 수신은 잘 되지 않았다. 하지만 그것은 별 상관이 없는 일이었다. 왜냐하면 당시에는 히브리어로 방송하는 국영 방송국이 하나 뿐이었고, 성능 좋은 안테나를 쓰면 요르단이나 레바논에서 방영하는 아랍어 채널을 겨우 두세 개 정도 잡을 수 있었기 때문이다.

일반 가정에는 전화도 없었다. 무선 휴대전화가 있어서가 아니었다. 당시에는 휴대 전화는 있지도 않았으니 말이다. 정부기관에 의해 전화선이 천천히 보급되고 있었기 때문에 오래 기다려야 전화 한 대를 놓을 수 있었다. 동네에서 많이 보이는 식품점과 달리 수퍼마켓은 진기한 곳이지만 외국 상품은 거의 찾아 볼 수 없었다. 주요 국제 소매 체인은 이스라엘에 존재하지 않았기 때문이다. 무엇인가 필요하면 해외에서 직접 가져오든지, 방문객에게 부탁해야 했다. 보호무역주의자들이 국내 상품을 보호하기 위해 만든 높은 관세 장벽은 대부분의 수입품을 말도 못할 정도로 비싸게 만들었다.

길 위의 차들도 별 볼일 없었다. 어떤 차는 이스라엘에서 만들어졌는데 대부분 일제 스바루나 시트로엥의 가장 저렴한 모델들을 적절히 모아 만들어

놓은 것이었다. 스바루나 시트로엥이 그나마 이스라엘에 들어올 수 있었던 이유는, 이 두 회사가 아랍권의 보이콧을 거부할 만큼 용감하기도 하고 판로가 급하기도 해서였다. 이스라엘의 은행 시스템이나 정부의 재정규제는 자동차 산업만큼이나 낙후되어 있었다. 달러를 은행 이외에서 환전하는 것은 불법이었다. 환전은 은행에서 정부가 정해 놓은 환율에 의해서만 할 수 있었다. 외국의 은행 계좌를 갖는 것조차 불법이었다.

전반적인 분위기가 음울했다. 1967년의 승리와 함께 온 행복감은 1973년의 욤 키퍼 전쟁으로 인해 곧바로 사라지고, 대신 불안과 고립 그리고 뼈아픈 정책적 실수로 인한 불길함 등이 스며들었다.

강력하던 이스라엘군은 완전히 일격을 당하고 피범벅이 되었다. 군사적으로는 이겼을지 몰라도 그것이 위안이 되지는 못했다. 이스라엘인들은 그들의 정치적 군사적 리더십이 크게 실패했다고 느끼고 있었다.

공개 청문회가 열리고 IDF의 비서실장, 정보국장, 그리고 고위 보안직원이 해임됐다. 비록 위원회가 골다 메이어(Golda Meir) 총리의 혐의를 풀어 주었지만, 총리는 실수에 대한 책임을 지고 위원회의 보고서가 나온 지 한 달 만에 사임하게 된다. 그러나 메이어 총리의 뒤를 이은 이츠하크 라빈은 아내가 외국 은행에 구좌를 가지고 있다는 이유로 1977년 그의 첫 번째 임기 중 사임했다.

1980년대 초반부에 이스라엘은 심한 인플레이션을 겪었다. 인플레이션에 의한 물가상승률이 1971년 13퍼센트에서 1979년 111퍼센트로 올라갔다. 물론 이것은 그 당시 오르던 기름 값에도 기인한다. 그러나 이스라엘의 인플레이션은 다른 나라들보다 훨씬 더 치솟았다.

사람들은 전화 토큰을 사두었다. 토큰의 가격은 많이 올라갔지만 그 가치는 변하지 않았기 때문이다. 또한 가격 인상에 대비해 기본 생필품을 미리 사두기에 바빴다. 당시 유행하던 농담 중에 이런 이야기가 있다. 텔아비브에서 예루살렘까지 택시를 타는 게 버스를 타는 것보다 낫다. 왜냐하면 택시에서 내릴 때 그 사이 택시 운임으로 지급하는 가치가 떨어지기 때문이다.

공교롭게도 극심한 인플레이션의 이유는 인플레이션에 대처하기 위한 '지표'를 쓰기로 한 정부의 조처 때문이었다. 임금·가격·대여료 등의 대부분의 경제 지수는 인플레이션을 측정하는 잣대인 '소비자 가격 지수'와 연결되어 있다. 지표는 일반 국민이 인플레이션을 느끼는 것을 조금 상쇄시켜주는 것 같은 역할을 하는데, 그 이유는 수입이 지출과 같이 늘어나기 때문이다. 그러나 지표는 궁극적으로 인플레이션의 소용돌이를 심하게 만든다.

회복으로 가는 길?

이러한 상황으로 볼 때, 인텔이 1970년대에 이스라엘에 지사를 세운 것은 놀라운 일이었다. 그러나 더욱 놀라운 일은 변방의 동떨어진 나라인 이스라엘이 30년 후 어떻게 번영하고 기술적으로 월등히 앞서 있는 나라로 탈바꿈했는지 하는 것이다. 오늘날 이스라엘 방문객들은 대개 그들이 출발한 공항보다 더 말끔한 현대식 공항에 도착하게 된다. 수많은 새로운 전화 회선이 신청하기만 하면 몇 시간 만에 설치되어 쓸 수 있고, 블랙베리는 수신이 끊기는 일이 거의 없으며, 무선 인터넷 또한 근방의 커피숍처럼 쉽게 연결되는 곳이 적지 않다. 무선 인터넷 접속을 제공하는 서비스는 어디서든지 풍부해서, 2006년 레바논 전쟁 당시 이스라엘 사람들은 방공호에서도 어떤 인터넷이 제일 잘 되는지 비교하곤 했다. 이스라엘의 국민 1인당 무선 전화 회선 수는 세계 어느 나라보다도 많다. 열 살 이상의 어린이들이 방에 컴퓨터는 물론 휴대전화를 가지고 있다. 길에는 최고급 승용차 허머부터 주차 공간을 반만 쓰기로 유명한 유럽의 초소형 자동차 '스마트 카' 등 최신 모델들로 가득 차 있다.

"능력 있는 프로그래머를 찾으십니까?" CNNMoney.com에 의하면 텔아비브는 '전 세계에서 비즈니스를 하기에 가장 좋은 곳'의 목록 맨 위에 있다. "IBM, 인텔, 텍사스 인스트러먼트와 그 외 거대 테크놀로지 기업들이 기술 혁신 엔지니어를 낚아채기 위해 앞다투어 몰려들고 있다. …… 요즘 이런 인력 거래를 성사시키기에 가장 좋은 곳은 다양한 종류의 메뉴와 잘 담가놓은 뒤 맛있게 요리된 버건디 비프를 맛 볼 수 있는 요쩨르 와인 바이다." 그러나 1990년에는 단 하나의 커피 체인점도 없었고, 이스라엘 전역에 와인 바도, 좋은 스시 식당도, 맥도날드도, 이케아도, 일류 옷 가게 아울렛 하나 없었다. 맥도날드는 1993년에 처음 이스라엘에 문을 열었다. 이것은 맥도날드 체인 중 가장 큰 모스크바 매장이 문을 연 지 3년 뒤였고, 호주 시드니에 맥도날드가 생긴 지 22년만의 일이었다. 지금은 이스라엘에 약 150개의 맥도날드 분점이 있다. 이것은 1인당 분점 개수에서 스페인, 이태리, 한국의 두 배나 되는 숫자이다.

두 번째 단계의 회복은 1990년 이후에 시작된다. 그때까지 이스라엘의 경제는 교육이나 군대에서 키워낸 기업가적 재능을 자산화할 수 있는 역량을 가지지 못했다. 민간기업 부문을 더욱 규제하고 억제했던 것이 극심한 인플레이션의 연장을 가져왔던 것이다. 이는 1985년 재정부 장관 시몬 페레스가 안정화 정책을 펼 때까지 다루어지지 않았던 것이다. 이 안정화 정책은 미 국무부 장관이었던 조지 슐츠(George Shultz)와 국제통화기금의 경제학자 스탠리 피셔(Stanley Fischer)가 개발한 것이다. 이 정책은 극적으로 공공부채를 줄였으며 지출을 제한하고 사유화를 진행시키고 자본시장에서 정부의 역할을 다시 정의했다. 그러나 아직도 이러한 일련의 정책들이 개개인에 의해 주도되는 역동적인 민간경제를 일으키지는 못했다.

경제가 진정으로 성장하기 위해서는 세 가지가 더 필요했다. 그것은 새로운 이민의 물결, 새로운 전쟁, 새로운 벤처 캐피탈 산업이었다.

이민자들은 다시 시작하기를 두려워하지 않는다.
그들은 근본적으로 위험을 무릅쓰는 사람들이다.
이민자의 나라가 바로 기업가들의 나라이다.

- 기디 그린스타인

7장
이민, 도전의 화신들

  1984년 어느날 슐로모 몰라(Shlomo Molla)는 17명의 친구들과 함께 그가 살던 에티오피아 북쪽의 작은 마을에서 이스라엘까지 걸어가기로 마음 먹고 길을 떠났다. 그는 그때 16살이었다. 몰라가 자란 외떨어진 곳에 위치한 마하라는 동네는 사실상 현대 문명과 단절되어 있었다. 수도·전기·전화선은 물론 없고, 나라 전체에 극심한 기근이 퍼져 있었다. 더구나 에티오피아에 사는 유대인들은 반유대주의가 심한 구소련연방의 위성지역 아래서 살아야 했다.

  "우리는 항상 이스라엘로 가는 꿈을 꾸었습니다."라고 시오니스트 가정에서 자란 몰라가 말했다. 그와 그의 친구들은 에티오피아에서 수단으로, 수단에서 이집트 시나이 사막을 통과하고, 시나이로부터 이스라엘 남쪽에 있는 중심지로 이동한 후 예루살렘으로 계속 걸어갈 계획이었다.

  몰라의 아버지는 가지고 있던 소를 팔아 가이드에게 2달러를 주면서 소년들에게 길을 알려주고 여행 첫 구간까지 동행하게 했다. 그들은 밤낮을 쉬지 않고 사막과 북부 에티오피아의 정글을 맨발로 걸었다. 그들은 야생호랑이나 뱀과 마주치기도 했으며, 나중에는 강도들에게 가지고 있던 음식과 돈을 다 빼앗겼다. 그래도 몰라와 그 친구들은 계속 걸었으며 일주일 만에 500여 마일을 걸어 에티오피아의 북쪽 국경 지대에 다다랐다.

그들이 수단 국경을 지날 때 수단 국경 수비대에 쫓기게 되어 몰라의 가장 친한 친구가 총에 맞아 죽는 엄청난 일도 겪었다. 다른 친구들은 잡혀서 고문을 당하고 감방에 갇히는 신세가 됐다. 91일 후 감옥에서 풀려난 그들은 수단에 있는 게다레프 피난민 수용소로 보내졌다. 그러던 어느 날 그곳에서 한 백인이 몰라에게 다가와 비밀스럽게 말을 건넸다. "나는 네가 누구인지, 어디로 가고자 하는지 안다. 내가 도와주마." 이 사람은 몰라가 그때까지 살면서 두 번째로 만난 백인이었다. 다음날 그 백인과 소년들은 트럭을 타고 5시간이나 사막을 가로질러 외딴 곳에 있는 활주로에 다다랐다.

그들은 다른 수백 명의 에티오피아인들과 함께 비행기 안으로 밀려 들어갔다. 이것이 이스라엘 정부의 비밀 활동 중 하나로 '모세 작전'이라 불리는 1984년의 이주자 공수 작전이었다. 이 작전으로 8,000명이 넘는 에티오피아 유대인이 이스라엘로 오게 됐다. 그들의 평균 나이는 겨우 14살이었다. 그들에게는 이스라엘에 도착한 바로 다음날 이스라엘 시민권이 주어졌다. 〈뉴 리퍼블릭〉의 편집장 레온 위셀티어는 모세 작전이 명백해진 시점에서 다음과 같이 썼다. "전통적 의미의 시오니즘이란 유대인들에게 비자가 필요 없는 나라가 존재하는 것이다."

오늘날 몰라는 이스라엘 국회의원이 됐다. 국회의원으로 선출된 에티오피아인은 그가 두 번째이다. "4시간 밖에 걸리지 않는 비행이었지만, 에티오피아와 이스라엘 사이에는 마치 400년이나 되는 시간의 간극이 존재하는 듯했다."고 몰라가 말했다.

아주 오래된 농장을 꾸리며 살아가는 마을에서 이곳 이스라엘로 이주해 온, 거의 모든 에티오피아인들은 그들의 모국어인 암하라어조차도 읽거나 쓰지 못했다. "우리에겐 자동차도, 산업도, 수퍼마켓도, 은행도 없었다."고 몰라는 에티오피아 시절을 회상했다.

7년간의 모세 작전은 '솔로몬 작전'으로 이어졌다. 솔로몬 작전에 의해 1만 4,500여 명의 에티오피아 유대인들이 이스라엘로 공수됐다. 이 일에는 34대의 이스라엘 공군기와 엘 알 항공사 수송기와 에티오피아 비행기 한 대가 동원됐다. 일련의 공수 작전이 36시간 안에 이루어졌다.

〈뉴욕타임스〉의 기사는 "9번기 안에서는 모든 팔걸이를 들어올렸다. 다섯, 여섯, 심지어는 일곱 명의 에티오피아인들이 원래 3명이 앉는 열에 기꺼이 끼어 앉아서 왔다. 아무도 비행기를 타본 적이 없었으니, 비행기 안의 자리 배열이 이상한 것도 눈치채지 못했을지도 모른다."고 전했다.

에티오피아에서 날아온 엘 알 747 비행기는 1,122명의 승객 탑승으로 세계 기록을 세웠다. 원래 760명의 승객이 비행기에 오를 계획이었으나, 승객들이 워낙 야위어서 수백 명은 더 탈 수 있었다. 비행 중 두 명의 아기가 태어났으며 많은 수의 승객이 맨발에 짐도 없었다. 1980년대 말까지 이스라엘은 에티오피아로부터 4만여 명의 이주자를 흡수했다.

많은 수의 에티오피아 이민자들은 결국 이스라엘의 경제적 부담으로 이어졌다. 에티오피아에서 온 25살부터 44살의 성인 중 절반이 직장이 없었다.

대부분의 에티오피아 유대인이 정부 보조로 살아가고 있었다. 치밀하고 재정적으로 문제가 없는 이민자 흡수 정책에도 불구하고, 에티오피아인들을 완전히 동화시키고 자생력을 키워주는 데는 적어도 10년 정도 걸릴 것이라고 몰라는 생각했다.

에티오피아에서 온 이주자들의 생활은 구소련연방에서 온 사람들과 확연히 다르다. 솔로몬 작전 시기에 도착한 구소련연방에서 온 이주자 대부분이 이스라엘 경제에 큰 이익이 되었다고 할 수 있다. 성공 사례는 쉐바크-모펫 고등학교에서 찾을 수 있을 것이다.

학생들은 록 스타에게나 걸 만한 기대를 가지고 벌써 얼마간 기다리고 있었다. 시간이 되자 두 명의 미국인이 뒷문을 통해 기자들과 더불어 광분한 학생들과 악수를 하며 들어 왔다. 쉐바크-모펫 고등학교는 이스라엘 총리 집무실 외에 그들이 방문한 유일한 곳이었다.

구글의 창업자들이 홀 안으로 걸어 들어왔고 모여 있던 사람들이 소리를 지르기 시작했다. 학생들은 자신들의 눈을 믿을 수 없었다. "세르게이 브린(Sergey Brin)과 래리 페이지(Larry Page)가 우리 학교에 오다니……."라고 어느 한 학생이 자랑스러워하며 말했다. 도대체 무엇 때문에 세상에서 가장 유명한 기술자 두 명이 다른 곳은 다 제쳐 두고 이 고등학교에 왔을까?

브린이 말을 하기 시작하자 이 질문에 대한 답을 금방 알 수 있었다. 그가 러시아 말로 "신사숙녀, 소년소녀 여러분!"이라고 하자 박수가 터져 나왔다. "저는 6살에 러시아를 떠났습니다." 브린이 말을 이어갔다. "그리고 미국으로 건너갔습니다. 마치 여러분처럼, 저도 평범한 러시아계 유대인 부모님 밑에서 컸습니다. 제 아버지는 수학을 전공한 교수님이셨습니다. 부모님들은 공부하는 자세에 대해 특별한 견해를 가진 분들이었습니다. 제가 말씀드리는 이러한 일들이 여러분과 관계가 있으리라 생각합니다. 왜냐하면 최근 실시된 이스라엘 전체 수학 경시대회 상위자 10명 중 여러분의 학교에서 7명이 나왔다는 이야기를 들었기 때문입니다."

이번에는 학생들이 그들 스스로 이룬 성과에 대해 박수를 쳤다. 박수 소리를 가르고 브린이 말했다. "그런데 제가 여러분께 말하고 싶은 것은 제 아버지가 하셨을 법한 이야기입니다. 아버지는 아마 제게 '그럼 나머지 세 자리는 어떻게 하고?'라고 반문하셨을 겁니다."

쉐바크-모펫 고등학교 학생들 대부분은 브린과 같이 러시아계 유대인 2세들이다. 이 학교는 텔아비브 남쪽에 위치한 산업지대 안의 가난한 지역에 자리 잡고 있으며 지난 몇 년간 그 도시의 문제학교 중 하나였다.

우리는 구소련연방에서 이주해 온 유대인 중 가장 유명한 사람인 나탄 샤란스키(Natan Sharansky)로부터 이 학교의 역사에 대해 들었다. 그는 소련연방 감옥과 강제노동수용소에서 이민의 권리를 요구하며 14년이나 복역했다. 그는 '리퓨즈니크(refusenik)'로 잘 알려져 있다. 리퓨즈니크란 구소련연방에 살던 유대인 중 이민이 허락 되지 않은 사람을 지칭하는 말이다. 그는 구소련연방으로부터 자유의 몸이 되고 몇 년 지나지 않아 이스라엘의 부총리가 된다. 그가 이스라엘에 도착한 후 얼마 안 있다가 알게 된 러시아에서 온 이주자들 중 정치가들은 다음과 같이 말하곤 했다. "샤란스키의 경험대로 하는 게 좋다. 즉 감옥에 먼저 갔다가 정치에 입문해야 한다. 그 반대의 경우가 아니라."

"학교 이름 중 '쉐바크(Shevach)'는 칭찬을 뜻한다고 한다." 샤란스키는 예루살렘에 있는 그의 자택에서 학교 개혁에 관한 자신들의 경험을 들려주었다. 이 학교는 1946년 신도시 텔아비브에 생긴 두 번째 고등학교였다. 이 학교는 이스라엘에서 태어난 아이들만 가는 그런 고등학교 중 하나였다. 그런데 1960년대 초반 정부 교육기관은 미국의 예처럼 이민자 동화정책을 시행하기 위한 준비과정에 있었고, 그는 "정부는 모든 학교가 이스라엘 태생자들만 수용하는 학교를 개방하여 모든 학교가 모로코, 예멘, 동유럽 등지에서 온 이민자들에게도 열려 있어야 한다."고 주장했다.

아이디어는 좋았을지 몰라도, 실행은 잘 되지 않았다. 1990년대 초반에 구소련연방의 붕괴로 러시아의 유대인들이 물 밀듯이 들어왔다. 그때 이민자의 자녀는 도시 내에서 가장 안 좋은 학교로 배정됐고, 이로 인해 청소년 비행으로 악명을 떨치고 있었다. 이민 온 지 얼마 안 되는 야코프 모츠가노브(Yakov Mozganov)는 구소련연방에서 수학과 교수였는데, 이주해 온 1990년 초반 당시에 쉐바크 고등학교에서 수위로 일하고 있었다. 그때는 이러한 일이 비일비재했다. 박사학위와 공학 분야 학위를 소지한 많은 수의 러시아인들이 한꺼번에 이주해오니, 모든 사람들이 그들의 전공을 살려 해당 분야에서 직장을 구할 수가 없었다. 더구나 그들이 히브리어를 배우는 동안엔 더더욱 그러했다.

모츠가노브는 쉐바크 고등학교의 교실을 이용해 수학과 과학을 배우고 싶어하는 학생들 또는 어른들을 대상으로 밤 시간을 이용해 수업을 열기로 마음먹었다. 그는 러시아에서 이민 온 사람들 중 직장이 없거나 일이 충분하지 않은 고학력자들을 모아 그들과 함께 가르쳤다. 그 야간 학교는 '모펫(Mofet)'

이라고 불렀다. 모펫은 히브리어로 수학·물리·문화 또는 우수함의 머리글 자이다.

러시아 사람들이 주도한 그 야간학교는 굉장한 성공을 거두고 결국에는 쉐바크 고등학교와 합치게 되어 쉐바크-모펫이라는 새로운 이름을 갖게 된다. 우수함을 지향하고 어려운 과학 과목에 도전한다는 학교의 교육 목표는 그 이름에만 있는 것이 아니다. 구소련연방에서 이스라엘로 새로 이주해온 사람들의 정신을 반영했던 것이다.

이스라엘 경제의 기적은 다른 그 무엇보다도 이민에 있다 해도 과언이 아니다. 1948년 이스라엘이 건국할 당시 인구는 80만 6,000명이었다. 60년 만에 그 수는 9배가 되어 현재 인구는 710만 명에 이른다. 처음 3년 동안에만 인구수가 2배가 되어 정부가 감당하지 못할 정도였다. 당시 한 국회의원이 말했듯이, 만약 그때 어떤 계획을 가지고 일을 했다면 그렇게 많은 사람을 받아들이지 못했을 것이다. 이스라엘이 아닌 다른 나라에서 태어난 이스라엘인은 전 국민의 3분의 1에 이른다. 이것은 미국에서 자국민에 대한 외국인 비율의 거의 3배에 이르는 숫자이다. 유대계 이스라엘 국민 열 명 중 아홉 명은 이민자이거나 이민 1세대 또는 2세대이다.

1994년 이스라엘에서 일했던 아일랜드 경제인 데이비드 맥윌리엄스는 좀 학문적이진 않을지라도 그 자신만의 독특한 방법으로 이민 자료를 설명해 준다. "그야말로 세계적입니다. 음식의 냄새와 다양한 메뉴만으로도 얼마나 다양한 국가의 사람들이 이스라엘에 있는지 알 수 있습니다. 이스라엘에서는 예멘부터 러시아 음식까지, 그리고 지중해 음식부터 베이글까지 거의 모든 종류의 음식을 맛볼 수 있습니다. 이주민들은 요리를 잘 하지요. 왜냐하면 바그다드, 베를린, 보스니아에서 쫓겨나 이스라엘로 파도처럼 밀려들어온 후 가난한 그들이 한 것이 바로 요리였으니까요."

이스라엘은 이제 70여 개국에서 70여 개의 문화를 가지고 모여든 사람들의 모국이다. 하지만 세르게이 브린이 학생들에게 이야기하고 있는 그 시기는 이스라엘 역사상 가장 큰 이민의 물결이 출렁이던 시기였다. 1990년과 2000년 사이, 80만 명의 구소련연방 국민이 이스라엘로 이주했다. 처음 3년 동안 50만 명이 이스라엘로 쏟아져 들어왔다. 전부 다 합치면 이스라엘 국민의 5분의 1 정도 되는 숫자가 1990년대 말까지 늘어난 셈이다. 이를 미국의 경우로 환산해 보면 약 6,200만 명의 이주민과 난민이 앞으로 10년 동안 미국으로 들어오는 것이 된다.

"구소련에서는 유대인으로 어머니의 젖을 먹고 가정교육을 받았다는 사실이 전혀 도움이 되질 않았죠. 단지 반유대주의의 희생물이 될 것이라는 것밖에는요. 자신이 하는 일에서 정말로 뛰어나야 했어요. 그것이 체스든 음악이든 수학이든 의학이든 발레든 간에요. …… 그것이 자기 자신을 보호해 주는 유일한 방법이었으니까요."라고 샤란스키가 말했다.

유대인은 구소련 인구의 2퍼센트에 불과하지만 이들은 "의사의 30퍼센트, 엔지니어의 20퍼센트 등을 차지한다."고 샤란스키가 말했다.

이러한 정신은 세르게이 브린이 부모로부터 물려받은 것이었다. 브린이 학생들에게 확인해 주려 했던 경쟁력의 원천은 다름 아닌 바로 그 정신이었다. 1990년 구소련의 문이 열렸을 때 이스라엘의 인적자원 중시 정책을 말해주는 증거이기도 하다.

비록 재능은 있지만 언어와 문화적 괴리가 있었던 이민자들을 정부가 어뗗게 관리할지를 알아낸다는 것이 쉬운 일은 아니었다. 더구나 구소련과 같이 커다란 사회의 엘리트들이 이스라엘 같이 작은 사회에 잘 적응하기는 힘들었다. 이 대규모 이민 이전에도 이스라엘은 이미 국민 1인당 의사 숫자가 가장 많은 나라였다. 이러한 전문의 인력 과잉 공급에 따른 어쩔 수 없는 실직이 아니라도 새로운 의료 시스템, 새로운 언어, 그리고 전혀 다른 문화와 관습에 적응하는 것은 어려운 일이었다. 다른 전문직 영역에서도 상황은 마찬가지였다. 비록 이스라엘 정부가 러시아로부터 온 이민자들에게 집과 일자리를 찾아주는데 어려움을 겪었을지라도, 러시아 이주민이 더 적합한 시기에 이민을 오기는 힘들었을 것이다. 전 세계적인 테크놀로지 붐이 1990년대 중반 속도를 더해 가고 있어 이스라엘의 기술기업들은 엔지니어 찾기에 혈안이 되어 있었기 때문이다.

이스라엘의 기술 창업회사나 큰 회사의 연구개발센터에 들어가 보면 러시아어로 말하는 소리를 자주 들을 수 있다. 쉐바크-모펫은 이제 최우수 고등학교로 자리잡고 자부심과 성공을 향한 야망의 보금자리로 변해가고 있었다.

그러나 교육에 대한 열성만이 이스라엘에 이주해 온 유대인들의 특성을 나타내는 것은 아니다. 교육이 이스라엘의 기업가 정신의 성향을 설명할 수 있는 유일한 요소라면, 수학과 과학 등의 표준학력평가 시험에서 높은 성적을 나타내는 싱가포르 같은 나라도 창업의 인큐베이터가 됐을 것이다.

이스라엘의 벤처 투자가 에렐 마르갈리트는 구소련 이주자들이 가져온 역동성은 다른 나라들에서도 찾을 수 있는 것으로, 교육현장 뿐만 아니라 이스라엘 사회 곳곳에서도 비슷하게 발견되는 것이라고 믿고 있었다.

이스라엘의 테크놀로지 붐에 대해 그는 "자신에게 한 번 물어 보십시오. 이런 일이 왜 여기에서 일어나고 있는지?"라고 말한다. "왜 미국 동부나 서부에서 그런 비슷한 일과 성향이 나타납니까? 아주 많은 부분이 이민자 사회와 연관이 있어 보입니다. 예를 들어 만약 당신이 아주 잘 정착된 집안에서 태어나 탄탄한 제약회사에, 근사하게 꾸며진 커다란 사무실에서 비서관을 두고 일한다면, 모든 것을 걸고 새로운 것을 하기 위해 그 자리를 박차고 나아가겠습니까? 아닐 것입니다. 왜냐하면 당신은 너무 편하기 때문입니다. 그러나 당신이 새로운 곳에 발을 디딘 가난한 이민자라면, 또는 집안이 한때는 부자였는데 가진 재산을 다 빼앗겼다면 비로소 당신에게 동기가 부여될 것입니다. 더 이상 잃을 게 없기에 성공을 바라볼 수 있습니다. 이러한 자세가 이스라엘 국민 모두에게 주어진 것입니다." 기디 그린스타인은 전 이스라엘 총리 에후드 바락(Ehud Barak)의 고문이었고, 2000년 캠프 데이비드에서 빌 클린턴(Bill Clinton)과 야셰르 아라파트(Yasser Arafat)의 정상회담에 참여한 이스라엘 협상단 일원이었다. 그린스타인은 퇴임 후 로이트 인스티튜트(Reut Institute)라는 싱크 탱크를 만들고, 어떻게 하면 이스라엘이 2020년까지 세계 15위 안에 드는 부국이 될 수 있을까를 집중 연구했다. "한두 세대 전에는 우리 가족 중 누군가는 빨리 짐을 싸서 떠나야 했습니다. 이민자들은 새로 시작하는 것을 두려워하지 않습니다. 그들은 근본적으로 위험을 무릅씁니다. 이민자들의 나라는 곧 기업가들의 나라입니다."

베터 플레이스의 창업자인 샤이 아가시는 이라크에서 온 이주자의 아들이다. 그의 아버지 루벤 아가시(Reuven Agassi)는 아홉 살 때 이라크 남부 도시 바스라에서 그의 가족과 함께 강제 이주되었다. 이라크 정부는 모든 유대인을 직장에서 해고하고, 그들의 재산을 몰수하고, 아무나 연행했다. 바그다드에서는 정부가 공개 교수형도 시행했다. "내 아버지는 바스라 항구에서 회계원으로 일하다가 직장을 잃었습니다. 우리는 목숨을 잃을까 두려웠습니다."라고 루벤이 말했다. 갈 데가 아무데도 없는 터라, 아가시 가족은 15만 명의 이라크 피난민 대열에 끼어 1950년 이스라엘에 도착했다.

이스라엘 이민사에서 독특한 점은 그 대단한 숫자와 더불어 이스라엘 정부의 새로운 이주자 동질화 이민정책이다.

이스라엘을 건국한 사람들이 받아들인 이민에 대한 정책과 서구 국가들의 이민의 역사 사이에는 직접적인 연관이 있다. 17~19세기 미합중국으로의 이민은 본질적으로 완전 개방되어 있었다. 그 시기에는 미국으로 건너와 미개발 지역의 정착을 도와달라고 이민자를 모집하기까지 했다. 1920년대까지 비록 건강에 대한 조건과 읽기와 쓰기 능력에 대한 테스트는 했어도, 미국 이민자 수에 대한 제한은 없었다.

그러나 인종론이 미국 이민정책에 영향을 주기 시작하면서 이러한 관대한 정책이 점점 까다로워졌다. 미국 의회 사법위원회는 특정 인종은 근본적으로 열등하다는 논리를 편 해리 H. 로글린(Harry H. Laughlin) 박사를 우생학 자문으로 고용하기에 이른다. 또 다른 우생학 운동의 리더였던 작가 메디슨 그란트(Madison Grant)는 인기를 끈 그의 어느 저서에서 유대인과 이탈리아인, 그리고 몇몇 인종은 우생학적으로 열등하다고 주장했다.

1924년의 이민 법령은 국적에 따른 새로운 이민자 수의 제한을 공표했다. 1929년부터 시행된 이 법령은 특히 이탈리아, 그리스, 폴란드 등 동유럽으로부터 유대인의 이민을 제한하기 위해 국적별로 연간 이민자 한도를 만들어 놓았다. 미국의 눈밖에 벗어난 국가의 경우 일 년에 100명이 넘지 않는 숫자가 할당됐다.

"유럽에 있는 유대인들의 곤경에 대해 프랭클린 루스벨트(Franklin Roosevelt) 대통령의 반응은 점점 더 무뎌졌다는 것을 알 수 있다."고 역사가 데이비드 와이만(David Wyman)이 말했다. "1942년 루스벨트 대통령은 유대인 대학살이 진행 중이라는 것을 알고 나서도 국무부 안건에서 완전히 무시해 버렸다. 루스벨트는 미 국무부의 정책이 결국 구출 회피(실은 방해물의 회피)라는 것을 알았어도, 결국 한 번도 명확하게 그 문제를 다루어 본 적이 없다."

2차 세계대전이 시작되는 시점에서도, 유대인들에 대한 미국 이민의 문은 닫혀 있었다. 그러나 1930년대와 1940년대 초반에 망명지를 찾던 유대인들에게 문제는 그렇게 문호를 닫아버린 미국만이 아니었다. 망명지를 찾는 유대인들에게 더 큰 문제는 유럽 국가들이 그들이 어딘가 영구 정착지로 이동하는 중간에 잠시 지나는 경우에만 시간제한을 두고 머무는 것을 허락했고, 라틴 아메리카 국가들도 극히 제한적으로만 망명을 허용한다는 점이었다.

2차 세계대전 후 홀로코스트가 전 세계에 알려진 후에도 서구의 나라들은 살아남은 유대인들을 받아들이고 싶어 하지 않았다. 다른 나라에도 팽배해 있었던 이 생각은 캐나다 한 정부 관리의 선언에서 잘 드러난다. "0명조차도 너무 많다!" 이 시기는 팔레스타인 사람들에 대한 이민 한도도 자꾸 줄어드는 추세였다. 많은 유대인들에게 정말 갈 곳이라고는 지구상에 아무데도 없었다.

이러한 역사를 깊이 인식한 유대인민족평의회는 영국의 팔레스타인 식민 지배가 끝나는 1948년 5월 14일 '이스라엘 독립국가 선언문'을 발표한다.

"최근에 일어난 유대인들에 대한 대재앙(유럽에서 일어난 유대인 대학살)은 모국이 없는 근본적인 문제에 대한 해결책이 시급함을 보여주는 또 하나의 증거이다. 이스라엘은 유대인 이주에 문호를 개방할 것이다."

이스라엘은 건국 선언서에 역사상 처음으로 관대한 이민정책을 명시한 나라가 된다. 1950년 이스라엘 정부는 '귀환법(Law of Return)'으로 그것을 제대로 시행하게 된다. 귀환법이란 "모든 유대인들은 이스라엘로 돌아올 권리를 가진다."는 것이다. 이민자 수를 한정한다는 것은 아예 존재하지 않는다.

또한 그 법은 유대인을 다음과 같이 정의한다. "유대인 어머니에게서 태어난 사람 또는 유대교를 신앙으로 하는 사람." 유대인의 배우자에게도, 유대인이 아니지만 유대인의 직계 자손 또는 손자와 손녀 그리고 그들의 배우자에게도 이스라엘 시민권이 부여된다.

미국에서는 시민권을 신청하기 전에 반드시 5년(미국 시민권자의 배우자는 3년)을 기다려야 한다. 또한 미국 시민권을 받기 원하는 사람은 모두 영어를 이해할 수 있어야 하고 시험을 통과해야 한다. 이스라엘 시민권은 도착 당일 주어지며, 어떤 언어를 사용하던 상관없고 시험도 없다.

데이비드 맥윌리엄스에 따르면 대부분의 이스라엘 사람은 히브리어와 다른 언어 하나를 할 수 있는데, 그들이 처음 도착했을 당시에는 히브리어가 아닌 다른 말 하나만 할 수 있었다. 라디노라는 마을에서는 매일 스페인어 신문이 발행되고, 1492년 페르디난드와 이사벨라에 의해 안달루시아에서 쫓겨난 유대인이 쓰는 중세 스페인어가 쓰이기도 한다. 텔아비브의 북적거리는 디젠고프 거리의 오래된 카페에서는 독일어로 이야기하는 소리가 들린다. 독일에서 오래 전에 이주해온 사람들은 아직도 괴테·쉴러·비스마르크

등이 썼던 고지 독일어(독일 남부와 중부에서 사용하는 방언)로 대화를 한다. 길을 더 내려가면 작은 오데사에 온 것 같기도 하다. 러시아 간판, 러시아 음식, 러시아 신문, 러시아 TV조차도 이제는 너무나 평범하다.

샤이 아가시와 루벤 아가시처럼 수백만 명의 이스라엘인이 아랍 이슬람교 세계에 뿌리를 두고 있다. 이스라엘 건국 당시 50여만 명의 유대인들이 아랍 이슬람 국가에 살고 있었다. 그들 중 조상의 뿌리가 수백 년을 거슬러 올라가는 유대인들도 있었다. 그러나 2차 세계대전 후 아랍 민족주의가 이들 국가를 휩쓸고 지나갔고, 유대인에 대한 학살로 그들은 그 곳을 떠날 수밖에 없었다. 결국 그들 중 대부분이 이스라엘로 갔다.

결정적으로 당시 이스라엘만이 이민을 장려하는 나라였고, 에티오피아 이주 작전에서 보듯 이민을 출생지나 경제적 상태만으로 한정하지 않았다. 내각의 한 부서가 이민자를 환영하고 이민을 장려하는 책임을 맡고 있다. 미국 이민국의 가장 중요한 의무는 사실상 계속되는 이민을 막는 것이지만 이스라엘 이민부의 목표는 단 한 가지, 그들을 데려오는 것이다.

만약 연말에 라디오에서 이민자 수가 줄어들었다는 뉴스가 나오면 마치 그해 강수량이 모자란다는 뉴스처럼 나쁜 소식으로 받아들여진다. 선거 기간 동안 각 정당 소속 총리 후보자들은 자신의 재임 기간 동안 "100만 명의 이민자를 더 늘리겠다."는 공약을 발표하곤 한다.

에티오피아의 이민자 공수 작전에서 그랬던 것처럼 이런 공약들은 때로는 아주 극적이고 반복적으로 시행된다. 그러한 예로 1949년과 1950년 사이의 '마법의 양탄자 작전'을 들 수 있다. 이 작전으로 이스라엘 정부는 예멘에 사는 4만 9,000여 명의 유대인을 영국과 미국의 쓰지 않는 화물기를 이용하여 비밀리에 공수했다. 그들은 가난에 찌든 유대인들로 그들 스스로의 힘으로는 도저히 이스라엘로 올 방법이 없는 사람들이었다. 수천 명이 넘는 사람들이 아덴에 있는 영국 소유 활주로까지의 3주 여정을 이기지 못하고 죽었다.

그러나 정말로 알려지지 않은 유대인 이주에 대한 노력은 2차 세계대전 이후 루마니아의 경우이다. 1940년대 후반 루마니아에는 약 35만 명의 유대인이 살고 있었다. 공산주의 정부 아래에서 어떤 유대인들은 팔레스타인으로 탈출하는 데 성공했지만, 나머지는 루마니아를 떠나는 것이 허락되지 않아 포로로 잡혀 있는 것이나 다름없었다. 우선 이스라엘은 드릴과 파이프를 루마니아의 석유 산업에 제공함으로써 10만 개의 출국 비자를 받아 이들 유대인들을 위해 쓸 수 있었다. 그러나 1960년대 들어서면서 루마니아의 독재자 니콜라예 차우셰스쿠(Nicolae Ceaușescu)는 유대인들이 루마니아를 떠나는 조건으로 현금을 요구하기 시작했다. 1968년부터 1989년까지 이스라엘 정부는 차우셰스쿠에게 유대인 4만여 명이 자유를 찾는 대가로 약 11억 2,500만 달러를 지불했다. 이것을 1인당 비용으로 환산하면 2,700달러가 넘는다.

이런 상황에도 불구하고 이스라엘 이민부는 가장 중요한 임무를 이민자의 사회 적응 및 동화로 삼았다. 언어 교육이야말로 가장 시급하며 포괄적으로 우선순위에 드는 일이었다. 오늘날까지도 이민부는 새 이민자에 대한 히브리어 무료 집중교육을 계획하고 운영한다. 그 교육은 매일 5시간씩, 적어도 6개월 동안 계속된다. 정부는 이 언어 교육기간 동안 생활비의 일부로 일정 금액을 지불한다. 그래서 새로 온 이민자들이 한동안 새 언어를 배우는 것에 집중할 수 있도록 한다.

외국에서 공부한 것도 인정해주도록 교육부는 외국 학위를 평가하는 부서를 유지한다. 또한 정부는 이민자들이 전문 자격시험에 대비할 수 있도록 강좌를 개설하여 운영한다. 과학 분야의 이민자 정착센터에서는 이주하는 과학자들과 고용주를 연결시켜 주기도 한다. 이민부에서는 창업 자금의 조달을 도와주는 기업가 센터도 운영한다.

처음에는 개인이 시작했지만 정부가 지원하는 정착 프로그램도 있다. 애셔 엘리아스(Asher Elias)는 에티오피아인들이 이스라엘이 자랑스러워하는 하이테크 산업에서 무엇인가를 할 수 있다고 믿고 있었다. 엘리아스의 부모는 대규모 이주가 있기 20여 년 전인 1960년대에 에티오피아로부터 이스라엘로 이주했다. 애셔의 누나 리나(Rina)는 이스라엘 땅에서 에티오피아인과 이스라엘인 사이에 태어난 최초의 아이였다.

애셔 엘리아스는 예루살렘에 있는 경영대학에서 학위를 마치고 하이테크 회사에서 마케팅 일을 시작했다. 그 후 소프트웨어 공학을 공부하기 위해 셀라 대학교를 다녔으며, 그는 항상 컴퓨터에 푹 빠져 지냈다. 그러나 엘리아스는 이스라엘의 하이테크 분야에서 일하는 에티오피아인이 겨우 4명밖에 없다는 것을 알고 상당히 놀랐다.

"에티오피아 사람들에게 기회라고는 없었습니다. 하이테크 분야로 진출할 수 있는 방법은 오직 대학에서 컴퓨터공학을 전공하는 것이었습니다. 하지만 에티오피아인들은 대학 입학시험 성적이 낮아 우수한 대학들의 입학 사정에서 제외되고, 사립학교들은 너무 비싸서 엄두도 못 내게 됩니다."라고 엘리아스가 말했다.

그러던 중 엘리아스는 다른 방법을 찾게 되는데, 미국인 소프트웨어 엔지니어와 함께 2003년 테크 캐리어(Tech Career)라 불리는 비영리단체를 설립하게 된다. 그것은 일종의 '부트 캠프(boot camp)'로 하이테크 직종을 위해 에티오피아인들을 준비시키는 일을 하는 단체이다.

　이스라엘 건국 전후 벤 구리온은 이민 정책을 나라의 가장 우선순위로 만들었다. 그는 안전한 곳이라곤 이 세상 어디에도 없는 이주자들이 이제 막 태어난 이스라엘로 올 수 있도록 도움을 줘야 한다고 믿었다. 영토의 확보, 전쟁 수행, 초기 경제에 활력을 불어 넣기 위해 유대인들의 이주는 꼭 필요했다. 이러한 점은 오늘날에도 여전히 유효하다.

마치 그리스인들이 제이슨과 함께 금으로 된 양털을 찾아 항해했듯이
새로운 모험자는 외국에서 태어나고 기술적으로 뛰어나며
실리콘 밸리와 그들의 고향을 오가는 기업가들이다.

– 애너리 색스니언

8장
디아스포라, 훔친 비행기를 타고

"오늘 우리는 20년 전에 라우터(일종의 인터넷 데이터 교환기)가 처음으로 세상에 나온 이래, 가장 혁신적인 제품을 내놓고자 합니다." 존 챔버스(John Chambers)는 무대를 가로 질러 옆으로 성큼성큼 걸으면서 그가 말하고자 하는 바를 설명하고 있었다. 그는 2004년 시스코 컨퍼런스에서 무선 마이크에 대고 말하고 있었다. 비즈니스 정장 차림을 한 54살의 시스코(테크놀로지 붐이 한창일 때는 GE보다도 시가 총액이 높았다.) CEO는 금방 춤이라도 출 것 같은 모습이었다.

한참 분위기가 무르익자 챔버스는 큰 옷장처럼 생긴 것을 향해 걸어가서 문을 열고 세 개의 복잡한 상자같이 생긴 것을 드러내보였다. 각각은 크기도 모양도 마치 냉장고 같았다. 모두의 시선을 사로잡은 것은 다름 아닌 'CRS-1'이라는 라우터였다.

라우터가 무엇인지 모른다면, 챔버스가 왜 그렇게 흥분했는지 잘 이해가

안 될지도 모른다. 라우터란 인터넷상에서 고속도로 인터체인지 같은 역할을 한다. 컴퓨터들이 모두 연결되어 있는 큰 정보의 강물을 인터넷이라고 가정한다면 라우터는 모든 지류의 합류점에 위치하게 된다. 사실상 이 라우터들이 (어떤 경우에는 인터넷에서 병목 현상이 일어나는 지점이 되어) 전체 인터넷의 용량을 결정짓는다고 할 수 있다.

세상에서 몇 안 되는 회사만이 고성능 라우터를 만들 능력이 있다. 컴퓨터 구동프로그램에서 마이크로소프트가, 칩 분야에서는 인텔이, 인터넷 검색에서는 구글이 선도하고 있는 것처럼 라우터 시장은 시스코가 장악하고 있다. 4년간 5억 달러를 투자한 CRS-1이 발표되면서 세상에서 가장 빠른 라우터로 기네스북에 이름이 올라갔다. 기네스북의 과학기술부문 편집자인 데이비드 호크셋(David Hawksett)은 "이 항목은 정말로 마음에 듭니다. 숫자가 정말로 크기 때문이죠. 실은 최근에 집에 무선 네트워크를 설치했는데 초당 54메가비트(Mbps)라는 속도에 상당히 만족했었죠. 그런데 92테라비트(terabit)라니 정말로 대단합니다."라고 말했다.

'테라비트'에 쓰이는 '테라(tera)'는 '1조'를 뜻한다. 1테라비트는 100만 메가비트이다. 시스코에 따르면 CRS-1은 미국 국회도서관의 모든 인쇄물을 4.6초 만에 다운로드할 수 있는 정도의 용량을 제공한다고 한다. 만약 이전의 전화선을 이용해 다운로드를 한다면 아마도 82년 정도 걸릴 정도의 정보량인 것이다.

CRS-1의 주도적 제안자는 마이클 라오르(Michael Laor)라는 이스라엘 사람이었다. 비어쉐바에 위치한 벤 구리온 대학에서 공학을 전공한 라오르는 캘리포니아에 있는 시스코에서 11년간 일했다. 그러던 중에 라오르는 엔지니어링과 아키텍처의 책임자가 됐다. 1997년 그는 이스라엘로 돌아가기로 결심했다. 시스코는 이 뛰어난 엔지니어를 잃지 않으려고 그로 하여금 미국이 아닌 곳으로는 최초로 이스라엘에 연구개발센터를 설립하게 해주었다.

이즈음 라오르는 대용량 라우터의 필요성을 주장하기 시작했다. 그 당시 인터넷은 여전히 초기 단계였고, 이런 대용량 라우터 시장이 탄생할 것이라는 주장은 상당히 무리가 따르는 생각이었다. 시스코에서 일하던 토니 베이츠(Tony Bates)는 "4년전 이 제품을 개발할 때 사람들은 우리를 보고 미쳤다고 했습니다."라고 말했다. "그들은 우리가 씹지도 못할 것을 베어 물었다고 했지요. 그리고 도대체 누가 그런 대용량을 필요로 하겠냐고 물었습니다."

라오르는 마치 영화 〈꿈의 구장〉에 나오는 것처럼 "시스코가 만든다면 인터넷이 따라올 것"이라고 주장했다. 당시 이메일과 초기 웹사이트로 겨우 시작된 인터넷이 불과 몇 년 안에 사진·비디오·게임에 관계된 데이터의 전송 요구를 채울 수 없을 만큼 빠르게 기하급수적으로 늘어나리라는 것을 예상하기란 쉽지 않았다.

CRS-1은 회사 전체의 역량이 필요한 시스코사의 가장 큰 프로젝트였지만, 이스라엘에 있는 라오르의 팀이 칩의 디자인과 테크놀로지를 새로운 단계로 끌어올릴 수 있는 아키텍처 설계에 주축 역할을 했다. 마침내 2004년 CRS-1이 공개되었을 때 챔버스가 흥분할 만도 했던 것이다. 완전히 기능을 갖춘 CRS-1은 한 대당 200만 달러에 팔렸다. 비싼 가격에도 불구하고 시스코는 2004년 말까지 6대를 팔았다. 그리고 2008년 4월 시스코는 CRS-1의 판매가 최근 9개월 사이 두 배가 늘었다고 발표했다.

라오르가 10여 년 전 문을 연 시스코의 이스라엘 연구개발센터는 2008년

이 되어서는 700명의 연구원이 일하는 곳이 되었다. 시스코가 다른 9개의 기술 창업회사를 합병하면서 이렇게 빠르게 성장한 것이다. 시스코는 다른 어느 나라에서보다도 많은 숫자를 합병했다. 시스코의 투자 부서는 1억 5,000만 달러를 이스라엘 기술 창업사들에 직접 투자했으며, 4,500만 달러를 이스라엘에 집중적으로 투자하는 벤처 캐피탈 펀드에 넣었다. 모두 합치면 12억 달러를 이스라엘 회사를 사거나 투자하는 데 쓴 셈이다.

시스코의 이스라엘, 구소련연방, 중부 유럽의 전략적 합병 부서에서 일하며 IDF의 엘리트 유닛인 8200부대를 졸업한 요아브 사멧(Yoav Samet)에 따르면, 이스라엘은 중국, 인도와 더불어 시스코의 가장 큰 해외센터 중 하나라고 한다. 요아브 사멧은 "중국이나 인도에서도 많은 엔지니어링에 관한 일이 이루어지고 있지만, 진정한 혁신과 기업합병에 관해서는 이스라엘이 여전히 최전방에 있습니다."라고 덧붙였다.

만약 마이클 라오르가 이스라엘로 돌아가기로 마음먹지 않았다면, 시스코가 이스라엘에 많은 투자를 하거나 이스라엘에 있는 팀이 순식간에 시스코의 비즈니스 중심에 자리 잡기는 쉽지 않았을 것이다. 인텔의 도브 프로먼이나 다른 여러 경우에서처럼 라오르의 결정, 즉 미국 또는 다른 어느 곳에서라도 지식과 경험을 습득한 것이 궁극적으로는 다국적 기업과 이스라엘 경제에 크게 이바지한 셈이다.

이스라엘을 비롯한 다른 많은 나라들이 우수한 학자나 기업가들이 외국으로 나가는 것을 안타까워하는 반면, 마이클 라오르 같은 이는 '두뇌 유출'이 꼭 일방통행만은 아니라는 것을 보여주고 있다. 사실 국외로 이주한 연구원들은 점점 더 '두뇌 순환'이란 현상을 목격하고 있다. 다시 말해, 재능있는 사람들이 모국을 떠나 외국에 정착한 후 다시 모국으로 돌아오는 경우 어느 한 쪽도 그 사람을 온전히 '잃어버린' 것은 아니다. 리처드 드벤(Richard Devane)이 세계은행에서 발행한 연구 결과는 "중국·인도·이스라엘은 지난 10년간 투자와 테크놀로지 붐에 힘입었다. 이러한 붐은 세 나라 모두, 국외에 거주한 경험을 가진 리더십과 연결되어 있다."고 말하고 있다.

애너리 색스니언(AnnaLee Saxenian)은 U.C. 버클리 대학에 근무하는 경제지리학자이며 《신 모험가(The New Argonats)》의 저자이기도 하다. 색스니언은 "마치 그리스인들이 제이슨과 함께 금으로 된 양털을 찾아 항해했듯이 새로운 모험자는 외국에서 태어나고 기술적으로 뛰어나며 실리콘 밸리와 그들의 고향을 오가는 기업가들이다."라고 했다. 색스니언은 중국·인도·대만·이스라엘(특히 마지막 두 나라)의 성장하는 기술 부문을 주목하면서, 이들 나라는 "중요한 글로벌 혁신의 중심이 되었으며 그 지적 역량이 더 크고 부유한 나라인 독일이나 프랑스를 능가했다."라고 했다. 이러한 현저한 변화의 개척자들은 실리콘 밸리의 분위기에 푹 젖어보고 그것을 배운 경험이 있는 사람들이라고 그녀는 주장한다. 이러한 변화들은 이스라엘이나 대만 사람들에게는 1980년대 후반 이후 시작되었고, 인도나 중국 사람들에게는 1990년대 말, 심지어는 2000년대 초반까지도 일어나지 않았다.

시스코의 마이클 라오르나 인텔의 도브 프로먼은 전통적인 새 모험가이다. 그들은 자신들이 속해 있던 다국적 기업에서 꾸준히 지식과 경험을 습득하는 동안에도, 항상 이스라엘로 돌아가고자 하는 마음을 가지고 있었다. 이스라엘로 돌아온 후, 그들은 이스라엘 기술 향상과 개발에 촉매제가 되었을 뿐 아니라 이스라엘 지사를 설립하고 회사 경영혁신에 중요한 돌파구까지 제공했다.

이스라엘 사람들이 해외로 나갔다가 다시 돌아오는 '신 모험자' 또는 '두 뇌 순환'의 모델은 이스라엘과 디아스포라(Diaspora, 팔레스타인 밖에 살면서 유대적 종교규범과 생활습관을 유지하는 유대인 공동체)를 연결해 주는 혁신의 주요 부분 중 하나이다. 또 다른 디아스포라 네트워크는 이스라엘 국적을 갖고 있지 않은 비 이스라엘 유대인들의 디아스포라이다.

이스라엘 성공의 많은 부분은 아일랜드부터 인도와 중국 등 다른 나라들이 오래전에 개발해 놓은 뿌리 깊은 깊은 디아스포라 네트워크에 힘입은 바가 크다. 그럼에도 불구하고 이스라엘 국민이 아닌 유대인 디아스포라의 유대는 자발적인 것이 아니었을 뿐 아니라 이스라엘 테크놀로지 부문의 개발에 촉매제로 작용했다. 사실 중국의 디아스포라는 중국에 대한 국외로부터의 직접투자(FDI) 중 70퍼센트를 차지한다. 인도의 디아스포라는 인도의 경제 구조나 법 구조가 충분히 발전되지 못했을 때, 인도 안에 고급 기술 인프라 구축에 중요한 도움이 되었다. 그러나 이스라엘의 경우는 그것과 달라, 전통적으로 대다수의 미국에 사는 유대인 투자가들은 이스라엘 경제에 투자를 하지 않았다. 최근 들어 이스라엘이 더욱 더 성공가도를 달리면서, 유대인 디아스포라들은 박애적인 입장에서 이스라엘을 더 이상 측은히 여기지 않고 비즈니스를 할 수 있는 곳으로 보게 되었다.

따라서 이스라엘은 그들의 디아스포라 공동체를 어떻게 이용하여 경제발전의 촉매로 쓸 수 있는지에 대해 더 많은 아이디어가 요구된다고 할 수 있다. 전통적으로 이스라엘인들이 수적으로 얼마 되지 않으나 열성적인 해외 유대계에 도움을 청하여 기간시설 건설에 도움을 받은 사례는 이스라엘 공군의 설립에서 볼 수 있다.

이스라엘의 비행 산업에 대한 꿈은 1951년 북극 지점을 통과하는 덜컹거리는 비행에서 그 윤곽이 잡혔다. 그 비행기가 결국 새로 생기는 이스라엘 국립 항공사의 첫 번째 비행기가 되었다. 대화는 정반대 성향의 두 사람 사이에 오고 갔다. 시몬 페레스는 아주 박식한, 장차 이스라엘의 대통령이 될 (1951년 당시에는 새로 생긴 유대인 국가에 무기를 조달하던) 사람이었다. 알 쉬머는 모험심에 가득 찬, 미국 LA에서 온 항공 엔지니어였다. 쉬머의 이름은 아돌프였는데, 2차 세계대전의 악령인 아돌프 히틀러의 이름 첫 자가 거슬려 '알'이라는 이름으로 바꾸었다.

이 비행은 페레스와 쉬머가 이제 겨우 만들어진 이스라엘 공군에 공급할 중고 비행기를 구입하기 위해 극지방의 툰드라를 통과하던 몇 차례 비행 중 하나였다. 북극을 통과하는 비행은 위험한 일이었다. 그러나 짧은 비행 거리 때문에 그런 위험을 무릅썼다.

알 쉬머는 이야기꾼으로, 비행이 여전히 이국적이고 진기하던 초창기에 항공산업에 완전히 매혹된 사람이었다. 그는 미국이 2차 세계대전에 참전할 당시 TWA항공사를 위해 일하고 있었는데 항공산업 전체가 전쟁에 말려들어가고 있었다. 미 공군으로부터—공식적인 것은 아니었지만—쉬머와 동료 비행사에게 군 계급장과 제복이 주어졌으며 군인, 장비, 그리고 때때로 스타 영화배우 등을 세계 곳곳으로 실어 나르며 전쟁을 보냈다.

전쟁 기간 동안 유대인이라는 사실은 쉬머에게는 별 의미가 없었고 그가 생각하고 생활하는데 아무런 영향도 못미쳤다. 그러나 유대 난민 수용소, 셀

수 없을 만큼 학살된 시체, 유럽에서 팔레스타인으로 가려다가 못 간 유대 난민들에 대한 뉴스와 영상 등을 보고 난 후 그는 생각을 바꾸었다. 그야말로 하룻밤 사이에 쉬머는 헌신적인 시오니스트가 되었다.

그는 팔레스타인에 주둔 중인 영국군이 유럽에서 온 유대인 난민이 가득 타고 있던 배를 돌려보냈다는 소식을 들은 후, 좋은 방법이 있다고 확신하기에 이른다. 그의 생각은 정찰을 하고 있는 영국 해군 함정 위로 날아가서 어디 숨겨진 활주로에 착륙하여 유대인들을 밀입국시키는 것이었다. 그는 뉴욕에서 벤 구리온의 비밀 특사를 찾아내 그의 아이디어에 대해 이야기했다. 팔레스타인의 유대인 비밀 군대 하가나의 대표는 몇 달 동안 아무런 답이 없었다. 그러나 영국군이 머지않아 철수할 것이고, 그렇게 되면 아랍과 유대인 간에 전면전이 불가피해질 것이라는 판단이 서자 하가나는 쉬머에게 연락을 취했다.

이때가 되자 피난민을 밀입국시키는 것보다 더 다급한 일이 생겼다. 바로 공군의 창설이었다. 하가나는 비행기가 단 한 대도 없었으니, 이집트 공군에 대해 완전히 무방비 상태가 될 것이 자명했다. 쉬머가 전투기를 사서 고친 후 난민들을 이스라엘로 데려 올 수 있을까?

쉬머는 벤 구리온의 대리인에게 당장 시작하겠노라고 했다. 쉬머는 그 행위가 1935년 중립 법령을 위반한다는 것을 알고 있었다. 1935년 중립 법령이란 미국 시민이 무기를 수출하려면 반드시 미국 정부의 승인이 필요하다는 것을 명시한 법령이다. 이런 행위는 단순히 '후쯔파'에 그치는 것이 아니라 범죄행위인 것이다.

며칠 만에 쉬머는 미국과 영국에 있는 대여섯 명의 유대인 조종사와 정비

사를 찾아냈다. 쉼머는 그들에게 최초의 유대인 항공사에 관한 일이라고 말했다. 그는 비밀이 새나갈까 봐 전투기를 만들 것이라는 이야기는 할 수 없었다. 비행기의 도착지가 이스라엘이라는 것도 소수의 사람만이 알고 있었다. 다른 사람들이 물어보면, 파나마 항공사의 국적기를 만들어 유럽으로 운송할 것이라는 거짓말로 둘러댔다.

그 과정에서 FBI에게 제일 큰 비행기들('콘스텔레이션'이라는 비행기 3대)이 압수됐지만 그의 조직은 다른 비행기를 밀반출하는 데 성공했다. 어떤 때는 정말로 비행기를 당장 착륙시키라고 펄펄 뛰는 FBI 요원 머리 위로 비행기를 몰고 도망가기도 했다. 마지막 순간에 하가나는 체코슬로바키아로부터 독일제 전투기 메서슈미트를 구입해, 쉼머가 이스라엘로 가져올 수 있었다.

1948년 독립전쟁이 시작됐을 때, 쉼머의 전투 비행단은 텔아비브를 폭격하는 이집트 전투기와 공중전을 벌였다. 어떤 전투에서는 거의 훈련되지 않은 풋내기 이스라엘 조종사들이 네게브 사막을 이스라엘 영토로 확보하는 중요한 역할을 하기도 했다. 네게브 사막은 꽤 큰 삼각형 모양의 땅으로 이집트의 시나이 반도와 요르단 사이에 위치하며 예루살렘과 텔아비브 남쪽 몇 마일 지점에서부터 시작하는 사막이다.

이스라엘이 독립전쟁에서 승리한 후, 쉼머는 지명 수배되었음에도 불구하고 미국으로 돌아갔다. FBI는 쉼머의 밀수 방법에 대해 조사를 마치고, 미국 법무부는 그를 형사 입건할 준비를 하고 있었다. 쉼머와 그가 모집한 조종사에 대한 재판은 사람들 사이에 큰 반향을 불러일으켰다. 피고인들은 법률 자체가 부당하다는 근거를 대고 무죄를 주장했다. 결국 쉼머는 벌금을 내고 풀려나게 되었는데, 사실 면죄된 거나 다름없었다.

그러나 풀려난 지 얼마되지 않아 그는 다시 밀수 게임을 시작했다. 1950년에 쉬머는 벤 구리온의 문하생이자 새로 설립된 이스라엘 국방부에서 일하기 시작한 젊은 시몬 페레스와 힘을 합치기 시작했다. 페레스는 2차 세계대전 후 여분으로 남아 있는 30여 대의 무스탕 전투기를 이스라엘 공군을 위해 구입하려 했으나 미국 정부는 전투기를 판매하지 않기로 하고 폐기 판정을 내렸다. 미국은 전투기의 날개를 떼어냈고, 동체는 두 동강을 냈다.

쉬머의 팀은 결국 텍사스 주에 있는 고물상에서 동강난 비행기들을 사들여 재조립하고, 모든 부품이 다 갖추어져 있는지 동작은 제대로 하는지 확인했다. 그런 후 비행기를 다시 분해하여, '관개 장비'라고 표시된 나무상자에 넣어 포장한 후 이스라엘로 배송했다.

그러나 빠른 시일 내에 비행기를 이스라엘로 옮겨야 하는 긴급한 상황이어서 그중 분해되지 않은 몇 대의 비행기를 쉬머와 페레스가 직접 텔아비브까지 몰고 갔다. 이렇게 해서 1951년에 그들은 미래의 이스라엘 항공산업에 대해 그 고물 비행기 안에서 이야기를 나누게 된 것이다.

페레스는 이스라엘에서 항공기 산업을 시작하여, 단기적 군사전략 목적을 넘어 새로운 산업을 일구자는 쉬머의 아이디어에 매혹됐다. 이것은 이스라엘 안에서 항공산업을 창출하고자 하는 페레스의 열정 중 한 부분이었다.

쉬머는 전쟁 후 남아도는 비행기를 싼 값에 사들여 수리하고 개선하여 다른 나라의 군대와 비행사에 팔지 못할 이유가 없다고 강력히 주장했다. 또한 습득한 기술을 바탕으로 이스라엘의 자체 항공기 산업도 키울 수 있을 것이라 생각했다. 미국으로 돌아오고 얼마 되지 않아 페레스는 쉬머에게 이스라엘 총리 자격으로 처음 미국을 방문한 벤 구리온을 만나게 해 주었다.

"지금은 히브리어를 배우고 있나요?" 쉼머가 손을 내밀어 악수를 청하려 할 때 벤 구리온이 처음 건넨 말이었다. 그들은 독립전쟁 중 여러 번 만났었다. 쉼머는 웃으면서 "캘리포니아에는 미인들이 참 많습니다. 그렇지 않나요, 각하?" 하고 슬쩍 주제를 바꾸었다.

벤 구리온은 쉼머가 어떤 일을 하고 있는지 알고 싶었다. 쉼머는 그가 하고 있는 비행기 수리에 대해 이야기했다.

"뭐라고요? 얼마 안 되는 기계 몇 점으로 비행기를 수리할 수 있다고요?"

쉼머가 고개를 끄덕였다.

"우리 이스라엘에는 무언가 이런 것들이 필요합니다. 실은 그보다 더, 우리가 독립적으로 제작, 운영할 수 있는 진정한 항공산업이 필요합니다."라고 벤 구리온이 말했다. 이것은 바로 툰드라 위를 날아가면서 쉼머가 페레스와 논의했던 그 생각 그대로였던 것이다. 벤 구리온이 말했다. "어떻게들 생각하십니까?"

쉼머가 모르는 사이, 벤 구리온은 테크니온 대학에 항공공학과를 신설하라고 말했다. 그렇게 지시하면서 벤 구리온은 말했다. "높은 생활수준, 풍부한 문화, 정신적, 정치적, 그리고 경제적 독립은 영공의 통제 없이는 불가능합니다."

"물론 맞는 말씀이라고 생각합니다." 총리의 함정에 빠지는 줄도 모르고 쉼머가 대답했다. "그렇게 생각하신다니 다행입니다. 그러면 이스라엘에 돌아오셔서 우리에게 하나 만들어 주시기를 기대하겠습니다."라고 벤 구리온이 감사의 말을 전했다. 쉼머는 기가 막혀 하며 페레스를 바라보았다.

"알, 그냥 한 번 해보시게." 하고 페레스가 말했다. 쉼머는 모든 것이 다

마음에 들지는 않았다. 그는 곧 이스라엘 공군의 주요 관계자와 강력한 이스라엘의 방공체제에 대해 논의하게 될 것 등을 떠올렸다. 그런데 그는 히브리어를 할 줄 모른다. 게다가 정치와 관료주의를 경멸했다. 그리고 사회주의적 경제계획과 족벌주의 정치의 이스라엘식 결합은, 항공산업을 계획하는 사람에게는 말할 것도 없고 그 누구에게든 숨 막히는 일이었다.

쉬머는 만약 정실주의에서 자유로울 수만 있다면 회사를 세우겠다고 벤구리온에게 말했다. 그는 국영이 아닌 민간기업 형태로 회사를 만들어야 한다고 다시 한 번 강조했다.

"당신은 이스라엘에 꼭 필요한 사람입니다. 오십시오."라고 벤 구리온이 응답했다. 쉬머는 이스라엘로 가게 됐다. 5년 만에 그가 두 명의 다른 이스라엘 사람들과 창업한 베덱이라는 항공기 정비 보수 회사는 향후 이스라엘에서 가장 큰 기업으로 발돋움했다. 1960년 즈음에 베덱은 프랑스 전투기 푸가(Fouga)의 개량된 기종을 생산하게 된다. 공식적 발표와 '추키트(Tzukit, 이스라엘 공군의 시험비행팀. 히브리어로 '제비'라는 의미이다.)'라 불릴 시험 비행에서 벤 구리온은 쉬머에게 "이곳은 이제 더 이상 베덱이 아니군요. 당초 우리가 꿈꿨던 소박한 정비 회사보다 훨씬 더 많은 것을 해냈습니다. 당신들은 제트비행기를 만들었습니다. 새로운 이름은 '이스라엘 항공산업'이라 불리는 것이 적당할 듯합니다."라고 말했다. 국방부 차관이 된 페레스는 새 회사이름을 해석해 주었다.

페레스와 벤 구리온은 그 누구에게도 투자를 받지 않고, 미국 국적의 유대인 쉬머를 성공적으로 끌어들여 이스라엘 경제에 장기적인 큰 충격파를 던진 셈이었다.

우리는 전쟁 중이었지만 우리 고객에게 있어서만큼은 전쟁은 없었다.

– 아이탄 워드미르

9장
워런 버핏의 테스트

구글의 연구개발센터를 책임지고 있는 요옐 마르크(Yoelle Maarek)는 그녀 특유의 장난기 어린 미소를 지으며 "우리가 여기에 온 것은 마이크로소프트 사의 첨예 인력을 빼앗아가려는 목적이 아닙니다. 대신 그들이 우리와 함께 일하는 것이 더 행복하다고 생각한다면 우리로서는 환영입니다."라고 말했다. 그녀는 이스라엘 최대 무역항인 하이파 시에 헤즈볼라의 미사일이 투하된 지 불과 10주 전까지 이곳 구글의 연구 책임자로 있다가 지금은 구글의 제2연구소를 개소하기 위해 텔아비브에 와 있었다.

그녀는 프랑스에서 태어나 자랐고 거기서 공과대학을 졸업한 후 미국 컬럼비아 대학에서 컴퓨터 공학 박사학위를 취득하고, 현재는 하이파의 연구소에서 일하고 있었다. 그녀는 구글 이스라엘의 연구 책임자로 일하기 이전에 IBM에서 17년간 연구원으로 일한 적이 있는데, 당시 그녀의 주된 업무는 '검색 엔진' 분야였다. 당시는 구글 같은 회사는 태어날 수도 없는 인터넷의 발아기였다.

그녀는 이스라엘의 뿌리 깊은 역사에서 검색 엔진의 기원을 찾을 수 있었다고 한다. 그녀는 성경의 색인을 통해서 원하는 성경 구절을 쉽고 빨리 찾아주게 했던 16세기 성경 색인 학자들을 생각해냈다. 그들은 모세가 어디서 어떤 말을 했는지 쉽게 찾아낼 수 있도록 편리한 색인을 준비하여 나름 요즘의 인터넷 검색 엔진과 같은 프로그램을 운영했다는 사실을 알아냈다.

"그 프로그램은 지금의 모든 인터넷 검색 엔진에서 사용하는 색인과 같은 것인데 벌써 500년 전에 우리 조상들은 수작업으로 그런 일을 해오고 있었습니다. 이스라엘인이자 유대인으로서 우리는 성경의 사람들입니다. 우리는 텍스트를 찾아보고 참고하는 것을 좋아합니다."

2008년 구글 이스라엘사는 전년의 2배가 넘고 이스라엘 광고시장의 10퍼센트를 초과하는 1억 달러의 매출을 달성했다. 전 세계 구글 중에서 가장 높은 시장 점유율을 차지한 것이다.

구글이 불과 10년 사이에 인터넷 검색부터 시작하여 G메일·유튜브·무선전화기 소프트웨어에 이르기까지 새로운 기술과 서비스의 제국으로 성장하고 있는 동안, 이 회사의 홈페이지는 그 자체가 바로 전 세계의 홈페이지를 상징할 만큼 널리 퍼져가고 있었다.

지구상에서 가장 트래픽이 빈번한 홈페이지로서 성전을 이룬 구글은 '검색 상자'를 최고의 무기로 앞세우고 있다. 그런 성소에 해당하는 검색 상자에 대해 구글 이스라엘 지사는 회사 수뇌부에 도전적인 프로젝트를 제안하게 된다. 그들은 이미 2년 동안이나 누구도 거들떠보지 않았던 '구글 서제스트(Google Suggest)'라는 실험적인 아이디어를 개발하여 하루에 수백만 명의 이용자들이 편리하게 이용할 수 있는 인터넷 도구를 개발해 놓은 상태였다. 구글 서제스트는 이용자가 구글 엔진에서 무언가 찾기 위해 글자를 입력하면 알파벳이 한 자 한 자 입력될 때마다 가장 근접한 단어를 알아서 제시해주는 편리한 도구였다. 가령 '뉴욕(NY)'을 입력하면 '뉴욕타임즈(NYTIMES), 뉴욕시(NYCITY), 뉴욕주(NYSTATE), 뉴욕양키즈(NYYANKEES)' 등을 미리 제시해 주고 이용자는 그중에서 원하는 단어를 고르면 되는 것이다.

구글은 거의 순간적으로 검색 결과를 찾아내는 것으로 유명하다. 그러나 구글 서제스트는 각 검색어를 한 자 한 자 집어넣을 때마다 앞서서 원하는 것을 찾아 제안해 줌으로써 더 빠르게 찾을 수 있는 수단을 제공한 것이다. 그리하여 구글 서버에 있는 정보의 창고에서는 단어 하나하나가 입력될 때마다 유사한 정보를 미리 준비해 두고 이용자에게 미리 제시하는 정도의 서비스가 가능한 것이다.

이 프로젝트가 진행된 지 2개월이 되자 첫 번째 문제가 대두되었다. 이 첫 번째 문제는 구글 차이나의 카이후 리(Kai-Fu Lee, 李開復) 사장에 의해 제기됐는데 한자어 입력 체계상 대기시간이 너무 길다는 것이었다. 중국의 한자어는 타이핑하기가 어려워서 발음을 따라서 알파벳을 입력하면 가장 빈번히 쓰이는 한자부터 순서대로 나열하여 미리 제안하는 방법이 훨씬 수월하다는 것이었다. 구글 서제스트를 이용한 이 새로운 미리 제시에 의한 입력 방식은 순식간에 홍콩·대만·러시아의 구글 사이트를 필두로 유럽 등 전 세계로 퍼져 나갔다.

마이크로소프트사도 곧 바로 이스라엘에 투자를 하기 시작했다. 당시 이스라엘은 2006년 레바논과의 전쟁 중 2,000기의 미사일 공격을 받았고 아직도 전쟁에서 벗어나지 못하고 있음에도 불구하고 빌 게이츠(Bill Gates)는 직접 그의 생애 첫 이스라엘 방문을 감행했다. 그는 분명한 메시지를 가지고 이스라엘에 도착했다. 그는 "우리는 구글을 두려워하지 않습니다."라고 이스라엘 언론에 공개했다. 그러는 와중에도 그는 이미 인터넷 검색 엔진 분야가 인터넷 생태계에서 중요한 요소로 자리 잡아가고 있고 마이크로소프트사는 이미 구글에 비해 힘겨운 상태에 있다는 것을 부인할 수 없었으며, 또한 양자 간의 격렬한 경쟁을 예견하고 있었다. 그런 대격전의 최전선이 다름 아닌 이스라엘이었던 것이다.

이보다 앞서 언젠가 빌게이츠는 "이스라엘에서 진행되고 있는 혁신은 기술을 본위로 하는 미래 지식산업에서 매우 중요한 역할을 할 것이다."라고 말한 적이 있다. 세계 최고의 갑부인 빌 게이츠가 이스라엘을 떠나자마자 세계 2위의 갑부인 워런 버핏이 이스라엘에 나타났다. 미국에서 가장 존경받는 투자가가 미국이 아닌 타국 회사에 최초로 투자하기 위해 이스라엘에 도착한 것이다. 버핏은 45억 달러에 인수한 이스카라는 기계공작회사와 그가 그토록 많이 들어왔던 이스라엘을 처음 방문하는데 52시간을 보냈다. 그는 예루살렘에 도착하여 다음과 같이 말했다. "2000년 전에 저 계단을 오르내렸던 그들의 조상을 생각해 보십시오. 그리고 한국·미국·유럽 등 61개 국가에 제품을 공급하는 저 산꼭대기에 위치한 이스카 회사를 보십시오. 여러분은 세계 어느 곳에서도 이렇게 절묘하게 과거와 미래가 근접해 있는 곳을 보신 적이 있습니까?" 그가 미국 이외의 나라에는 투자하지 않겠다는, 거의 30년이나 지켜온 신념을 바꾸게 된 이유는 이 같은 역사적 확신 때문만은 아닐 것이다. 더구나 위험을 감수하지 않는 신중한 투자자로서 주변 적들의 공격

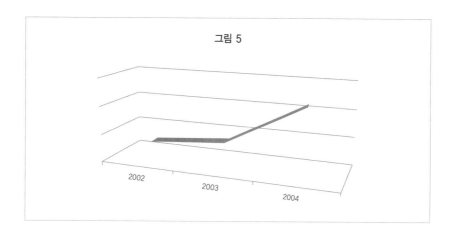

그림 5

2002
2003
2004

에 취약한 이스라엘을 차별화하는 것은 더욱 아니다.

워런 버핏은 물론 어떤 회사도, 본사에서 멀리 떨어져 있고 심지어 전쟁이 벌어지고 있는 어딘가에서 사업하는 것을 내켜하지는 않을 것이다. 그러나 버핏에 있어서 이 같은 질문은 단순한 판단에 그치지 않고 그 위험을 어떻게 해석하느냐로 귀결됐다.

우리는 예루살렘과 텔아비브 중간 쯤에 위치한 베이트 쉐메쉬의 브링고라는 투자사의 본사 욘 메드베드 사장 사무실에서 대 이스라엘 투자의 위험성에 대해 논하고 있었다. 그러나 그는 우리의 수많은 질문에 답하기도 전에 그가 손수 만든 '이스라엘 인사이드'라는 제목의 파워포인트 슬라이드를 띄워 놓고 설명하기 시작했다. 그는 기업인이면서도 종종 비공식 경제 대사의 역할을 하기 위해 이런 자료를 준비해놓고 있었다. "이 그래프(그림 5)를 보세요."

"여러분은 이 그래프에서 무엇을 유추할 수 있겠습니까?" 메드베드는 설명을 이어 나갔다. 수평의 X축은 2002년부터 3년간의 시간 축이고 Y축은 아

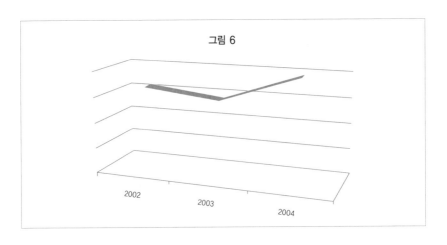

그림 6

2002
2003
2004

무 단위나 기호가 표시되어 있지 않은 그저 꺾은선 그래프일 뿐이었다. 그래 프는 비교적 오른 쪽 위로 완만히 솟은 비스듬한 선형 그래프였다. 그러나 Y 축에 단위가 들어 있지 않아 불완전한 그래프처럼 보였다. 메드베드는 트릭 에 가까운 질문을 해왔다.

"2002년부터 2004년 사이에 뭔가가 급격하게 변했습니다. 그게 뭘까요? 그러나 Y축은 아직 무엇인지 모릅니다. 그게 뭔지 알아맞혀 보세요. 뭔지 몰 라도 확실한 것은 숫자입니다." 그는 계속 이어갔다.

"첫 번째 그것은 폭동입니다. 팔레스타인 사람들의 반 이스라엘 투쟁인 인티파다로 인해 두 번째 레바논 전쟁에 휩쓸린 기간 동안 발생한 폭동입니 다. 이 그래프는 그 폭동 기간 동안 이스라엘을 강타했던 로켓포의 숫자입니 다." 그러나 메드베드는 또한 이 그래프가 그 폭동 기간 동안의 이스라엘 경 제 성장률이기도 하다고 설명했다. 그 와중에서 경제 성장률 역시 2000년대 첫 5년 동안 함께 급격히 성장하고 있었다.

그리고 그는 첫 번째 그래프와 거의 유사한 또 하나의 슬라이드를 꺼냈다

(그림 6). 이 그래프의 수직 Y축은 이스라엘 하이테크 기술에 관한 외국인의 투자금액이란 단위가 붙어 있었다. 놀랍게도 같은 기간 동안 이스라엘에 로켓포가 날아든 숫자에 비례하여 외국인의 투자 규모도 함께 증가하고 있었던 것이다. 다른 경제 조사 전문기관의 자료를 비교분석해 보아도 거의 다 이 그래프와 일치하고 있음을 알 수 있었다. 예를 들어, 어떤 형태든 해외 국가에 직접 투자하는 통계를 나타내는 FDI(Foreign Direct Investgation) 지표를 보더라도 2000년부터 2005년 사이 이스라엘의 FDI 지표는 3배로 늘었고 세계 벤처자금이 이스라엘로 유입된 비율은 2배로 늘었다.

메드베드의 결론은 이스라엘의 폭동과 투자가들이 이스라엘에 대해 갖는 호감 사이에는 상관관계가 있다는 것이다. 더 나아가서 그는 이스라엘은 경제성장 기회로부터 안보의 위협을 예리하게 분리해내는 위기관리 능력이 있다고 강조했다. 다시 말하면 이스라엘 사람들은 아무리 전쟁이나 사회적 소용돌이가 몰아쳐도 그들의 벤처 정신을 굴복시키지는 못한다고 굳게 믿고 있는 것이다. 그리고 이스라엘의 기업가들은 투자자들에게 이 점을 분명히 각인시킬 역량이 있는 것이다.

《스노우 볼(The Snowball)》이란 책의 저자 앨리스 슈뢰더(Alice Schroeder)는 워런 버핏의 자서전을 쓰는 사람이다. 우리는 그녀에게 이스라엘에 투자를 결정할 때 정말 위험한 요소로 판단되는 것이 무엇인지 물어보았다. "워런은 오랫동안 보험 사업을 해 와서 모든 투자 결정을 보험이라는 렌즈를 통해 들여다봅니다. 그것은 보험에서의 리스크 산정과 유사합니다. 여러분이 진정으로 염려하는 것은 지진이나 허리케인과 같은 사건의 발생 가능성입니다. 이 대목에서 워런의 생각은 '무슨 대재앙과 같은 리스크가 있단 말인가? 만약 그런 재앙이 나타나면 내가 살아남을 수 있을까?' 하는 것이지요."

버핏이 거금을 주고 산 이스카는 주력 공장과 연구개발센터를 레바논에 가까운 북 이스라엘에 두고 있는데 이 지역은 미사일 공격의 위험이 두 배가 넘는 지역이기도 하다. 1991년 사담 후세인의 걸프전쟁 때도 그랬고 2006년 레바논 전쟁 중에도 헤즈볼라가 쏘아댄 수천 발의 미사일이 이 북부 지역을 강타한 바 있다. "이것이야말로 대재앙에 버금가는 확실한 위험이 아닌가요?" 우리가 그녀에게 물었다. 그녀가 말하는 버핏의 견해는 만약 이스카 공장이 파괴되면 다른 곳에 공장을 하나 더 지으면 된다는 것이었다. 그 공장이 회사 전체의 가치를 대변하는 것은 아니며 훨씬 더 중요한 것은 관리자와 연구원들의 역량과 전 세계에 흩어져 있는 고객의 신뢰 그리고 회사의 브랜드라는 것이다. 그러므로 버핏의 눈에는 공장 전체가 파괴되는 한이 있더라도 미사일은 결코 치명적인 위험은 될 수 없다는 것이다. 버핏이 이스카를 인수한 두 달 후 2006년 레바논 전쟁이 발발했는데 북 이스라엘에 4,228기의 미사일이 떨어졌고 국경에서 불과 6마일 떨어진 지점에 위치한 이스카는 로켓포의 주된 목표 중 하나였다.

이스카의 회장이며 버핏에게 회사를 판 아이탄 워드미르(Eitan Wertheimer)는 그때를 회상하며 전쟁 첫날 그의 상사에게 다음과 같이 말했다고 한다. "이 와중에도 우리의 최대 관심사는 우리 직원의 안전입니다. 파괴된 기계나 깨진 유리창은 언제든지 바꿀 수 있습니다." 그는 그 당시 가졌던 워렌과의 대화를 소개했다. "당신이 우리의 정신 무장을 이해할 수 있을지 모르겠지만 우리는 인력의 절반으로라도 고객의 주문을 기일 안에, 아니 오히려 더 먼저 달성할 겁니다."

워드미르에 의해 조성된 테판 지역 산업단지에 어느 날 갑자기 로켓포가 꽝하고 터졌으며 곧이어 수많은 포탄이 그 일대에 작렬한 적이 있었다. 버핏이 투자했던 이스카도 그 산업단지의 중앙에 위치해 있었다. 따라서 전쟁 중 많은 근로자들이 가족들과 함께 남쪽으로 임시 거처를 옮기는 소동을 벌였음에도 이스카의 고객들은 그 사실을 전혀 눈치채지 못할 정도로 고객 서비스가 완벽했다. "근로자의 재배치가 있었음에도 적응하는데 소요되는 시간은 잠깐이었고 전 세계 61개국의 고객들은 전혀 눈치채지 못할 정도로 단 한 건의 제품과 서비스 차질도 빚지 않았던 것이다. 즉 적어도 우리 고객에게만큼은 전쟁은 없었다."라고 그는 회고했다.

이런 식으로 위협에 대처함으로써 이스라엘 기업들은 외국 투자가들에겐 이스라엘이 위험하다는 인상보다는 오히려 이스라엘의 확고부동한 신뢰의 자산을 증명해 보이고 있으며 이런 면들이 버핏·구글·마이크로소프트와 같은 세계 최고의 기업들에게 설득력 있게 잘 전달되고 있는 것이기도 하다.

2차 세계대전 발발 몇 개월 전에 암스테르담에서 태어난 도브 프로먼 만큼이나 이스라일 사람들의 용기와 근성을 잘 보여주는 사례도 드물 것이다. 독일의 나치 군인들이 네덜란드를 강하게 압박하고 있을 때 그의 유대인 부모는 아이를 독실한 기독교도 농부인 반 틸보흐(Van Tilborgh) 가족에게 맡겨 숨겨두기로 했다. 도브는 당시 세 살에 불과했으나 그를 임시로 입양한 가족들은 머리 색깔이 갈색이었으므로 자신의 검은 머리를 감추기 위해 항상 모자를 쓰고 다녀야 했던 사실을 아직도 기억하고 있다. 독일군이 주기적으로 가택수색을 했으므로 그는 입양 형제들과 함께 침대 밑, 천장 또는 숲 속에 숨어 지내야 했다. 몇 년이 지난 뒤 그의 아버지가 아우슈비츠에서 사망했다는 사실을 알았으나 그의 어머니는 언제 어디서 사망했는지 알 수 없었다. 전쟁이 끝난 뒤 1930년대에 팔레스타인으로 피신해온 숙모는 프로먼의 네덜란드 가족들에게 조카가 훗날 팔레스타인으로 이주할 수 있도록 유대인 고아원에 입양시켜 달라고 부탁했다. 1949년 10살이 된 소년 도브는 막 태어난 이스라엘 땅에 도착했다.

1963년 이스라엘 최고의 공과대학인 테크니온 대학을 졸업한 그는 미국의 선진 기술을 배워 이스라엘로 되돌아가기 위해 미국에서 대학원을 다니기로 결정했다. 그는 버클리에 있는 캘리포니아대학에서 장학금을 제의했음에도 불구하고 MIT로 가게 되는데 그것이 그에게 큰 행운이 되었다. 그는 아직 대학원을 졸업하기도 전에 앤디 그로브의 눈에 띄어 반도체 회사인 페어차일드(Fairchild)에서 일하게 됐고 몇 년 후 그를 채용했던 그로브는 고든 무어와 로버트 노이스(Robert Noyce)와 더불어 인텔이라는 회사를 창업했다. 도브는 이제 막 출발한 인텔의 최초 고용직원이 되었다. 그는 곧바로 인텔사의 가장 전설적이고 가장 이익을 많이 창출한 재프로그램이 가능한 기억장치를 고안해 냈다. 그리고는 임원 승진을 앞두고 돌연 사표를 낸 뒤 아프리카 가나에서 전기공학을 가르치는 교수가 되기 위해 떠나버렸다. 그는 새로운 모험과 인간적 자유 그리고 자기계발을 위해 떠난다고 했으며 신천지를 찾아 떠나는 '개척이란 이름의 사람(Person of the Book)'을 꿈꾸었던 것이다.

그의 동료들은 회사가 조만간에 임직원들에게 천문학적인 금액의 주식 매수권을 부여하려는 시점에 회사를 떠난 것은 미친 짓이라고 회고했다. 그러나 그는 자신이 무엇을 원하는지를 정확히 꿰뚫고 있었다. 즉 기업 안에서 한 가지 일에만 매진하는 것이 아니라 기업을 직접 일궈보고 싶었다. 또한 회사의 경영층에 안주하다 보면 조국 경제에 이바지할 혁신적인 아이디어를 이스라엘로 가져갈 수 없다는 것이 더 큰 이유이기도 했다. 그의 마음 깊은 곳에는 이스라엘이 칩 디자인 산업의 선두주자가 되기를 바라는 간절함이 녹아 있었다.

1973년 마침내 그의 아이디어가 실현되고 있었다. 인텔에서 갑자기 엔지니어 부족 사태가 발생하고 있었다. 그는 다시 인텔에 복귀하여 그로브에게 이스라엘에 설계센터를 만들도록 건의하여 새로운 칩을 개발하는 미션을 수행하게 했다. 그러나 그 무렵 욤 키퍼 전쟁이 발발하여 1974년 4월이 되어서야 인텔 팀이 이스라엘에 도착했고 하이파라는 도시에 5명의 엔지니어를 고용하여 꾸려나가기 시작했다. 아직 미국 이외 지역에 연구개발센터를 둔 적이 없는 인텔로서는 최초의 모험적 시도였다. "아직까지 우리의 핵심사업을 해외에 둠으로써 회사의 장래를 담보하는 모험을 할 수는 없었으나 우리는 이스라엘에서 모험을 강행했으며 많은 사람들이 우리더러 머리가 돌았다고 했습니다."라고 캘리포니아 직원들은 회고했다. 이스라엘 팀 5명은 최초자금 300만 달러로 사업을 시작했으나 건국 30주년을 기하여 5,400명의 직원을 거느린 최고의 민간 고용회사가 되었다. 한때 도박과도 같은 모습으로 비쳤던 인텔의 이스라엘 투자는 훗날 인텔 성공의 핵심이 되어 보상을 받은 셈이었다.

인텔 이스라엘은 IBM PC에 들어가는 최초의 칩을 개발했고 이어서 최초의 펜티엄칩을 설계해냈으며 1990년대 경제 악화의 와중에 새로운 아키텍처를 개발해내 인텔을 구하는 등 혁혁한 공을 세우게 되었다.

인텔은 이스라엘 남부 도시 키리얏트갓트에 35억 달러 규모의 공장을 새로이 짓고 핀 하나에 3,000만 개의 트랜지스터 회로에 해당하는 회로를 담은 칩을 설계했다. 놀랍게도 이 공장이 인텔의 이스라엘 생산 기지로서 가장 핵심적인 역할을 하면서도 전쟁 중에 단 한 번도 가동을 멈추지 않았다는 점은 많은 것을 생각하게 했다.

"도브 씨, 우리는 당신의 판단을 믿습니다. 이제부터는 당신이 해야 된다고 생각하는 모든 것을 당신이 알아서 해주세요." 이 말은 걸프전이 발발한 1991년 1월 인텔의 경영자 연찬회에서 내린 결론이었다. 이때는 이미 5개월 전부터 이라크의 쿠웨이트 공격이 진행 중인 시기였다. 공격이 더욱 가세되고 있다는 뉴스를 접하는 순간부터 그는 회사에서는 물론 이동 중에도 심지어 침실에서조차 공장을 일시 폐쇄하고 모든 직원들을 집으로 귀가시켜야 할지를 고심하고 있었다. 그는 마침내 공장을 폐쇄하는 것은 일시적이라 하더라도 인텔 이스라엘에 치명적이라는 결론을 내리고는 곧바로 고민을 지워 버렸다. 한편 미국은 대규모 전쟁 준비를 위해 수십만 명의 병력을 사우디아라비아에 주둔시키고 있었으나 프로먼은 인텔이 처하게 될 위험을 마음속에서 깨끗이 지워 버린 것이다.

1980년에 IBM은 자사 PC에 인텔의 8088칩을 채택했는데 이것은 오히려 인텔에게 커다란 상처를 남기는 사건이 되었다. 컴퓨터의 거인 IBM은 인텔 칩을 채택하는 대신 관련 기술을 12개나 되는 군소 제조업체에게 이전하도록 강요했던 것이다. IBM의 속셈은 비록 인텔이 8088칩을 개발했지만 칩 제조를 인텔에게만 의존하는 것은 위험하다고 판단했던 것이다. 그래서 인텔은 기술을 내 주고 전체 시장의 30퍼센트밖에 차지할 수 없었으며 이를 계기로 IBM의 가격 주도권이 인텔의 이익에 심각하게 영향을 미친다는 사실을 깨달았다.

그래서 1983년 인텔은 다음 세대 컴퓨터용 286칩을 IBM에 제안하면서 제조업체 수를 4개로 제한하도록 협상하여 이익을 점차 늘여 나갔다. 1985년 4년의 연구기간 동안 2억 달러를 쏟아 부어 훨씬 빠른 386칩을 출시하기에 이르렀고, 이에 앞서 인텔은 하나의 도박을 준비하고 있었다. 이번에는 세계의 거의 모든 PC가 채택하지 않을 수 없는 강력한 무기이므로 인텔 혼자서 공급하게 해달라는 것이었는데 결국 IBM이 손을 들 수밖에 없었다. 이로써 인텔은 매출과 이익을 극대화할 수 있었으나 여기에도 위험이 도사리고 있었다. 이제 명실상부한 독점공급자로서 공급을 제때 맞추지 못할 경우 신뢰에 문제가 생기는 것이었다.

더 큰 문제는 산타클라라 본사에서 경영진이 제기한 것인데 독점생산의 대부분이 전쟁이 치러지고 있는 이스라엘 땅에서 이루어지고 있다는 사실이었다. 예루살렘에 있는 인텔 이스라엘 공장은 하루 12시간씩 2교대로 휴일까지 가동하며 전 세계 물량의 75퍼센트를 공급하고 있었다. 그러나 이제 독점 환경에서 생산량은 턱없이 모자랄 지경이 되어 가고 있었다.

이즈음 사담 후세인(Saddam Hussein)은 만약 미국이 이라크 전쟁에 참여하게 되면 이스라엘을 침공하겠다고 선언한 상태였다. 이스라엘 정부는 사담이 말한 그대로를 행동에 옮길 것으로 여기고 준비 중에 있었다. 이라크에서 텔아비브까지는 스커드 미사일로 10분이면 날아오는 거리 밖에 되지 않으며 더구나 미사일에는 화학 탄두가 실려 있을 가능성도 배제할 수 없었다. 1990년 10월 이스라엘 정부는 이에 대비해 아마도 2차 세계대전 후 가장 많은 방독 마스크를 국민들에게 나누어 주었다.

이스라엘 정부로서는 어쩔 수 없는 현실이었다. 유치원에서는 다섯 살 된 아이에게 방독 마스크 착용법을 가르쳤고 모든 사람이 사이렌이 울리면 준비된 밀실로 들어가는 훈련을 해야 했다. 방독면 공급 체계도 정교하게 마련하여 어디에서 방독면을 받아야 하는지를 알리는 안내장을 우편함을 통해 모든 가정에 전달했다. 군은 상점에 가정보호 장교 사무실을 설치하여 마치 구두나 커피를 사는 것만큼이나 편리하게 전 가족용 방독면을 쉽게 보급할 수 있도록 배려했다.

프로먼은 전쟁 중 또는 전쟁 징후가 있을 때 인텔 이스라엘 관리자들이 통상 해야 되는 수칙대로 행동에 옮겼다. 그는 전시 행동 요령을 표준 전쟁 시나리오 상태로 운영했는데 이것은 모든 직원들이 정상적으로 작업하는 것을 의미했다.

모든 이스라엘 국민들은 일 년에 적어도 한 달간은 의무 예비군 복무를 하게 되어 있는데 전시에는 국가가 필요시 정규군으로 소환할 수 있다. 이렇게 되면 평화시에 비해 이스라엘 경제에 커다란 짐이 되기도 한다. 근로자들이 경우에 따라 몇 주 또는 몇 달씩 작업을 못 하게 되어 생산성이 떨어지기 때문이다. 따라서 전쟁의 와중에 기업이 쓰러지기도 한다.

1991년 초 미국과 유럽의 민간 항공기가 연기되거나 결항되기 시작했다. 1월 11일, 결국 유엔이 정한 이라크의 쿠웨이트 철수 시한을 4일 남겨둔 시점에서 미국 정부는 자국민으로 하여금 모두 이스라엘에서 철수하도록 명령했다. 그리고 1월 16일 이스라엘 정부는 모든 학교와 기업(전기, 가스 등 일부 공공기관 제외)은 일주일, 필요시에는 그 이상 문을 닫도록 명령했다. 모든 시민은 집에 머물고 밖에 나오지 말고 만약 사이렌이 울리면 즉시 밀실로 들어가도록 했다.

그러나 프로먼에게 있어 정부의 명령을 지킨다는 것은 전 세계 고객들에게 386칩 공급을 연기해야 한다는, 회사로서는 치명적인 상황을 초래하는 것이었다. 프로먼은 공장 문을 닫는 것에 대해 경영자 측의 전폭적인 지지를 얻을 것임을 알고 있었다. 그러나 또한 경영자가 직원들에게 '병가'를 준다 해도 그들의 관계가 자연스럽게 진행되지 못한다는 것도 알고 있었다. 특히 '그 병'이 앞으로도 재발될 병일 때는 말이다.

"우리는 이미 회사 내의 전략적인 기술과 핵심 생산기지를 이스라엘에 남겨 두는 것이 맞는 것인지를 수차례 토의했습니다." 그는 계속 이어갔다. "만약 생산이 어떤 요인에 의해 단 한순간이라도 멈추게 된다면 두고두고 심각한 후유증이 남을 것을 염려하고 있었습니다." 그런 이유로 인텔의 이스라엘 핵심 기지를 해외로 넘기게 된다면 당초 인텔을 사표내고 나온 취지에 견주어 볼 때 자신의 뜻과 맞지 않다고 생각하고 자신의 정치적 역량을 총동원하여 인텔 경영진을 설득하기 시작했다. 그러나 공교롭게도 인텔 이스라엘 기지는 적의 스커드 미사일이 떨어지는 바로 그 지점에 위치해 있었다.

그럼에도 불구하고 프로먼은 대단히 놀랄 만한 생각을 하게 된다. "나는 아직도 작은 규모의 하이테크 경제에 바탕을 두고 있는 이스라엘 경제의 생존성에 대해 골몰히 생각하고 있습니다." 이스라엘에 대한 향후 투자 유인책의 가장 큰 장애물은 그 지역의 지리적 불안정성의 상승에 기인하고 있다. 만약 전쟁 중 인텔이 위급 상황을 핑계 삼아 가동을 멈추게 된다면 다국적 기업, 투자가들, 그리고 세계 시장에서 인텔뿐만 아니라 이스라엘 자체의 안전에 대한 우려가 급속히 퍼져 나갈 것이다.

프로먼은 무엇이 이스라엘에 대한 투자를 망설이게 하는 요인인지를 알아보기 위해 해외에서 충분한 시간을 보내기로 했다. 거의 매일 전 세계의 이스라엘을 난도질하는 악성 기사를 체크해 보았더니 온통 테러리스트의 공격, 국경 분쟁, 유혈 참사, 반 이스라엘 투쟁과 같은 단어가 난무했다. 그런데 이것들은 그저 말로만 떠드는 자들이 아는 것일 뿐이었다.

그는 이스라엘과 이스라엘 경제에 당장 필요한 것은 역 홍보 전략이라고 생각했다. 드디어 1월 15일 전쟁 데드라인이 다가오자 그는 미국에서 이스라엘에 투자하기를 희망하는 투자사 임원들과, 투자에 전혀 관심이 없는 이사회를 대상으로 한 가상 임원 토론회를 준비했다. 이 경우 투자를 희망하는 임원들은 투자를 거부하는 이사회를 대상으로 어떤 복안을 준비해야 할까? 그에 대한 답은 다음과 같은 것으로 집약됐다. "나는 이사회의 우려에 대해 잘 알고 있습니다. 나도 그 뉴스를 들었습니다. 그러나 인텔 이스라엘은 인텔의 가장 중요한 칩 중 하나인 386칩 생산공장을 걸프전 중에도 한 치의 오차도 없이 성공적으로 가동해 왔다는 사실을 잊지 마시기 바랍니다. 그들은 일정대로 납품을 완료했고 미사일이 떨어지는 상황에서도 단 한 번도 납기를 지체하지 않았습니다."

1월 17일 그는 정부의 명령에도 불구하고 회사의 문을 열겠으니 지원자에 한해 출근해도 좋다고 일방적으로 발표해 버렸다. 그러나 출근하지 않는다고 해도 불이익을 주지는 않겠다고 덧붙였다. 1월 18일 새벽 두 시, 프로먼은 다른 모든 이스라엘 사람들과 같이 화생방 사이렌이 울리는 소리에 잠에서 깼다. 그와 가족들은 황급히 방독 마스크를 쓰고 집안의 밀실로 대피했다. 경보가 해제되고 나서야 그들은 인텔 연구센터가 있는 텔아비브와 하이파 지역에 8발의 미사일이 떨어졌다는 것을 알았다. 그러나 다행스럽게도 화학 탄두는 들어 있지 않았다. 그날 중으로 미사일 공격이 더 있을 것으로 예보됐는데 거기에는 후세인의 화학 탄두가 탑재돼 있을지 아무도 알 수 없었다. 새벽 3시 30분, 그는 방독면을 쓴 채 공장으로 출근하여 반도체 공장의 가장 핵심부인 클린 룸으로 직행했다. 거기에는 아직도 우주복처럼 생긴 방진복을 입은 기술자들이 일하고 있었다. 들어보니 그들은 사이렌이 울리는 순간 방공호로 잠시 대피했다가 가족들에게 안부 전화를 걸고 나와 다시 작업실로 들어갔다는 것이다.

첫 공격 후 아침 교대 시간에 그는 직원의 50퍼센트 정도가 출근했으려니 하며 작업실에 들렀는데 75퍼센트가 출근해 있었다. 그 다음 날 이어진 미사일 공격 후에는 하이파 공장에 80퍼센트가 출근했고 공격이 심해질수록 출근율은 더 높아갔다. 사실상 이스라엘의 새로운 근무 방식이 탄생한 셈이었다.

산타클라라의 본사 임원진은 이 사실에 숙연해질 수밖에 없었다. 이틀 후 산타클라라 본사와의 전화 회의가 진행되는 동안에도 화생방 사이렌은 계속 울려대고 있었다. 이스라엘 측 회의 참가자들은 본사에 잠시 기다려 달라고 양해를 구하고는 방독면을 쓰고 방공호로 들어와서 다시 전화기를 들고 회의를 재개했다. 이스라엘 직원의 일부는 학교가 폐쇄되어 어린 아이들을 집에 두고 회사에 나올 수 없으니 구내에 유치원을 개설하여 아이들을 회사로 데려와 일하기도 했다. 그들은 정규 업무 외에도 교대 시간을 이용하여 회사 유치원에서 자원 봉사를 했다.

이 같은 프로먼의 전설적인 경영은 지금도 새로운 다국적 기업이 이스라엘에 중요한 시설과 공장을 유치할지 여부를 놓고 망설일 때 좋은 참고 사례가 되고 있다. 그리고 실제 구글과 같은 회사는 2006년 레바논 전쟁이 진행되는 동안 연구소와 공장을 짓기도 했다.

이 같은 사례는 단지 기술적인 탁월함이 다가 아님을 말해 준다. 이는 개인이건 국가건 성공하기 위해서는 눈에 보이는 것 못지않게 눈에 보이지 않는 그 무엇의 중요성을 일깨워 준다. 이스라엘 사람들은 이것을 히브리 원어로 '다브카(davca)'라고 부른다. 이는 영어의 'despite(그럼에도 불구하고)'와 유사한 뜻으로, '공격할 테면 해봐라. 우리는 오기로라도 더 성공하겠다.'와 같은 결연한 의지를 담고 있다.

2006년 레바논 전쟁 당시 아이탄 워드미르는 워런 버핏에게 "이 전쟁에서 누가 이길 것인지는 이스라엘에 미사일이 떨어지는 동안 이스라엘의 기업 생산성이 얼마만큼 올라가는지를 보면 알 수 있습니다."라고 말했다.

이스라엘 사람들에게 경제와 기업의 평가는 국가의 자존심과 건강을 의미하며 이 점이 외국 투자가들에게 이스라엘의 명예, 우월성 등을 입증하는 요인이 되고 있다. 도브 프로먼, 아이탄 워드미르와 같은 사람들의 열정에 힘입어 세계의 투자가들이 거대한 재앙의 나라 이스라엘에 망설임 없이 투자하게 되었으며 이는 이스라엘의 큰 자산이기도 하다.

로큰롤의 초창기에 존 레논이 말하기를
"엘비스 이전에는 아무도 없었다."고 했다.
이스라엘에서 창업정신, 하이테크, 벤처 캐피탈에 대해 말한다면
"요즈마 프로젝트 이전에는 아무것도 없었다."

– 오르나 베리

10장
혁신은 요즈마 펀드를 타고

오르나 베리의 아들인 아밋(Amit)은 장차 3,200만 달러의 값어치를 지니게 될 한 통의 전화 메시지를 어머니에게 전달했다. 독일의 텔레커뮤니케이션 복합기업인 지멘스사의 부사장이 중요한 전화를 했는데, 그녀는 자신이 만든 벤처 기업들을 홍보하기 위해 해외 출장을 가는 바람에 정작 중요한 그 전화를 놓쳤던 것이다. 지멘스로부터의 그 메시지는 이스라엘의 벤처회사를 유럽 기업이 처음 사들이는 역사적인 일의 시작을 알리는 것이었다. 그 거래는 1995년 최종 성사되었다.

오늘날에는 꽤 빈번히 일어나는 일이지만 1995년 당시 이스라엘의 벤처기업이 유럽에 팔리는 것은 들도 보도 못한 일이었다. 오르마 베리의 성공신화는 '요즈마(Yozma)'라는 이름을 가진, 당시 이스라엘 정부에 의해 추진된 새로운 프로그램이 있어 가능했다. 그녀는 또한 정부의 이러한 혁신적인 정책 덕분에 수백 개의 다른 이스라엘 벤처기업들이 비슷한 경험을 할 수 있었다고 믿고 있다.

베리는 이스라엘의 비즈니스 리더 중 한 명으로서 1997년에 이스라엘 경제 혁신의 황제라고 할 수 있는 산업무역노동부 산하 국가과학위원회(OCS)의 최고 과학자 멤버로 임명됐다. 그리고 2007년에는 이스라엘 벤처협회의 의장이 되었다. 그녀는 미국 남가주대학에서 컴퓨터공학 박사학위를 받았으며 미국의 기술컨설팅 기업인 유니시스(Unisys)에서 일했고 그 후 IBM, 인텔 등에서 일하기 위해 이스라엘로 돌아왔다.

그러나 1992년에 그녀는 풋내기 벤처가였다. 그녀는 오르넷 데이터 커뮤니케이션(Ornet Data Communications)이라는 기업을 다섯 명의 동료들과 함께 설립했다. 오르넷 데이터는 정보 전송의 속도를 두 배로 높이기 위해 소프트웨어와 근거리 데이터 통신망(LAN, 회사나 건물 내부에 한정된 근거리 데이터 통신망) 장비를 개발했다.

대부분의 사용자들이 전화선을 이용하여 인터넷으로 다이얼 접속하고 있을 때 훨씬 빠르고 안전한 이더넷(Ethernet networking)이라는 접속 기술이 랜을 연결할 수 있는 방법으로 개발되고 있었다. 랜은 많은 정보를 컴퓨터 네트워크 사이에서 더 빠르게 전송할 수 있었으나 전송 대역폭이 여전히 제한적이었다. 오르넷 데이터의 솔루션은 전송 속도가 기존의 50배에 달하는 획기적인 기술이었다.

오르넷 데이터는 북부 이스라엘의 작은 도시 카르미엘에 겨우 몇 명의 직원들과 베리가 출장 갈 때 이용할 수 있도록 보스톤에 작은 오피스를 하나 마련해 둔 것이 전부였다. 기업 설립 초창기에 그녀는 자금을 마련하기 위해 미국으로 여러 번 건너갔으나 곧 그곳에는 얻을 수 있는 돈이 없다는 것을 깨달았다.

벤처 캐피탈은 일반적으로 고성장이 보장되는 기술기업들에게 적용되는 투자자금이다. 그러나 대부분의 투자자들에게는 이스라엘 기업에 돈을 투자하는 것은 말도 안 되는 일이었다. 그들에게 이스라엘이란 유서 깊은 종교와 고고학적인 발굴, 그리고 엄청난 갈등이라는 말과 동격이었다. 이스라엘의 연구개발 능력에 대해 감탄했던 투자자들조차도 1980년대 팔레스타인 소요 혹은 이스라엘 배척운동으로 일어난 혼란으로 겁을 먹고 있었다. 이는 인텔 이스라엘의 지사장이었던 도브 프로먼이 1991년 걸프전 당시 인텔의 문을 닫지 않고 계속 영업하도록 결정하기 이전의 일이었다.

투자회사인 이스라엘 시드 파트너스의 창립자 욘 메드베드에 의하면 "너무 숨이 차 얼굴이 파래질 때까지 '이스라엘로 와서 투자하라'고 미국 펀드에게 역설하더라도 그들은 코웃음만 치는 상황"이었다.

1980년대 이스라엘의 벤처자본 부족 현상은 다른 문제들도 일으켰다. 서양에서는 벤처 자본가의 역할이 단순히 현금을 제공하는 것에서 끝나는 것이 아니다. 멘토링, 그리고 또 다른 투자자들이나 잠재적인 고객 및 파트너들의 네트워크를 소개해주는 것이 벤처의 새싹을 틔우는 더 중요한 요소였다. 따라서 좋은 벤처자본은 벤처가들이 자신들의 기업을 만들어나가는 데 큰 도움을 준다.

"당시에는 이스라엘에 무엇인가가 빠져 있다는 것이 자명했다." 1980년대에 정부에서 일하고 있던 또 한 명의 최고 과학자 이갈 에르릭(Yigal Erlich)이 말했다. "이스라엘이 기술을 개발하는 것에는 매우 뛰어났지만, 이스라엘인들은 어떻게 기업을 경영하고 상품을 홍보하는지를 잘 몰랐다."

이스라엘 벤처가들은 이스라엘로부터 수천 마일이나 떨어져 있고, 시간대가 차이 나는 세계 여러 시장에 내놓을 상품을 만들어야 했기에 처음부터 매우 글로벌하게 생각해야 했다. 그러나 심각한 문제들이 드러났다. 어떻게 시장이 요구하는 물건을 만들 것인가? 지중해로부터 멀리 떨어져 있는 곳에 있는 고객들에게 제품을 어떻게 홍보하고 분배할 것인가?

이스라엘에 벤처 캐피탈이라는 것이 도입되기 전에는 두 곳의 자금 조달처가 있었다. 첫째는 이스라엘 벤처 창업가들이 국가과학위원회로부터 보조금을 받는 방법이었다. 그러나 이러한 보조금은 기업들이 실제로 필요로 하는 액수의 발끝에도 미치지 못했으며 결과적으로 대부분 실패하고 말았다. 1980년대 후반에 출판된 한 정부 보고서에 의하면 국가과학위원회의 보조금을 받을 만하다고 평가된 기술기업들 중 60퍼센트 정도가 제품을 홍보하기 위해 필요한 자금조차도 마련하지 못했다고 한다. 그들은 뛰어난 제품을 생산했을지는 모르나 그것을 팔 수가 없었다.

두 번째 방법으로 이스라엘 기업들은 '버드(BIRD) 보조금'에 지원할 수 있었다. 미국과 이스라엘 정부가 낸 1억 1,000만 달러로 만들어진 이 보조금은 미국과 이스라엘의 합작 벤처기업들을 후원하기 위해 기금을 제공한다. 버드 프로그램은 2~3년에 걸쳐 약 50~100만 달러의 크지 않은 규모의 금액을 제공하며 성공적인 프로젝트로부터 걷는 약간의 사용료를 펀드로 다시 충당하는 방식으로 운영된다.

에드 믈라프스키(Ed Mlavsky)는 1987년에 버드 프로그램의 실무 책임자가 되었다. 버드는 2년 전에 설립되었지만, 아직까지 단 하나의 프로젝트도 후원하지 않은 상태였다. 위원회는 재단을 운영할 후임자를 정하기 위해 회의를 열었는데 경험과 역량이 부족한 지원자들을 보고 실망했다. 영국에서 태어났으나 이미 미국 시민이 된 플라프스키는 "여러분, 이 상황은 매우 심각합니다. 심지어 내가 여기에 지원한 사람들보다도 더 잘 할 수 있을 겁니다."라고 이야기했다. 위원회는 이것이 매우 좋은 아이디어라고 생각하고 플라프스키로 하여금 타이코 인터내셔널(Tyco International)의 부사장을 그만두고 이스라엘로 가족과 함께 오도록 설득하기 시작했다. 플라프스키의 아내는 유대인이 아니었으며 그도 이스라엘에 대해 큰 호감이 없었으나, 미국 과학기술부 차관보였던 조단 바룩(Jordan Baruch)의 권고에 못 이겨 플라프스키는 이스라엘로 갔다. 그의 표현에 따르면 "내가 원하지도 않는 직업을 위해, 전혀 살고 싶지 않은 나라로 인터뷰를 하러 간 격"이었다. 그의 아내는 그에게 많은 지지를 보냈다. 그녀는 1979년에 이스라엘을 방문한 적이 있었는데, 당시 아직 어린 이스라엘이란 나라의 투철한 개척정신에 반했었다. 그래서 플라프스키는 타이코 인터내셔널로부터 안식년을 얻은 뒤 짐을 창고에 맡겨 두고 이스라엘로 향했다. 그는 이후 이스라엘의 정부 자금에 의해 운영되는 최초의 벤처자본 기업 중 하나인 제미니(Gemini)를 공동 설립할 때까지 그 일에 13년을 종사하게 된다. 플라프스키에게 매력적으로 다가온 것 중 하나는 이스라엘에 도착하여 이스라엘에서의 삶에 완전히 몰입하기 전까지는 느낄 수 없었던, 어떤 아이디어에 대해서도 실험해 볼 수 있는 이스라엘의 개방적인 분위기였다.

플라프스키는 버드 프로그램을 일종의 '데이팅 서비스'라고 불렀다. 그 이유는 그와 그의 팀이 이스라엘 기업 하나를 미국 기업과 연결해주는 중매 역할을 했기 때문이다. 그 뿐만 아니라 이 중매쟁이는 이러한 데이트에 드는 비용의 일부를 보조해주기도 했다.

버드 프로그램은 이스라엘 기업과 연결된 대부분의 미국 기술기업들에게 한정된 연구개발 비용을 제공하였다. 이들은 주로 거대한 공기업들이었기 때문에 비싼 연구비용을 대기 위해 매 분기 수익의 일부를 사용하는 것에 대해 두려움이 있었다.

플라프스키는 다음과 같이 기억한다. "우리는 미국 기업들에게 가서 이렇게 말했다. '여러분이 들어봤을 수도 있고 들어보지 못했을 수도 있는 이스라엘이라는 나라가 있습니다. 우리는 여러분의 기업을 영리하고 창의적이며 잘 훈련된 이스라엘 엔지니어들과 연결해 줄 것입니다. 그러나 여러분은 그들을 고용하거나 미국으로 데려오기 위해 돈을 낼 필요가 없습니다. 그리고 프로젝트가 끝난 후 그들을 어떻게 해야 하는지에 대해서도 걱정할 필요가 없습니다. 우리가 그들을 소개해줄 뿐만 아니라 당신들이 필요로 하는 자금의 절반과 이스라엘인들 측에서 필요로 하는 자금의 절반을 대 줄 것입니다.'"

현재까지 버드 프로그램은 2억 5,000만 달러 이상의 돈을 780개의 프로젝트에 투자했으며 결과적으로 80억 달러의 직간접적인 매출을 올렸다.

버드 프로그램은 단순한 수익의 측면을 넘어서 훨씬 큰 영향을 미쳤다. 그것은 급성장하고 있는 이스라엘의 기술기업들에게 미국에서 어떻게 사업을 해야 하는지 가르쳤다. 기업들은 자신들의 미국 파트너와 매우 긴밀하게 일을 했다. 많은 기업들이 미국에 사무실을 대여한 뒤 직원들을 파견해 시장과 고객에 대해 배울 수 있도록 했다.

담보대출이 없는 상황에서 버드 프로그램은 이스라엘 벤처들에게 미국 시장 진출의 지름길을 열어 준 것과 다름없다. 설령 벤처가 실패했을 경우에도 단순히 기술을 개발하는 것과 달리 제품을 어떻게 시장에 알맞게 디자인하는지 등에 대해 엄청나게 많은 것을 배울 수 있었다.

1992년 무렵에는 뉴욕증권거래소에 상장된 이스라엘 기업의 60퍼센트, 그리고 나스닥에 상장된 기업의 75퍼센트가 버드로부터 지원받은 기업들이었다. 미국 벤처 자본가들과 투자자들은 이를 알아차리고 그들에게 주목하기 시작했다. 그러나 여전히 이스라엘의 하이테크 수출의 74퍼센트가 겨우 4퍼센트의 기업들로부터 만들어지고 있었다. 이익이 고루 분배되고 있지 않았다. 만약 새로운 기술기업들이 버드의 지원을 받지 못하거나 정부의 보조금을 받지 못하면 개인적인 자원과 인맥, 그리고 동원할 수 있는 모든 수단을 통해 자금을 마련해야 했다.

욘 메드베드는 1982년에 아버지 회사의 광통신 장비를 팔기 위해 집집마다 돌아다니면서 이러한 경험을 해본 적이 있다. 당시에 그 기업은 겨우 10명의 직원들이 자동차 차고에서 광전송 장비들을 만들고 있는 상황이었다. 메드베드는 이 사업을 하는 데 필요한 수학이나 과학 등의 수업을 들은 바가 없으며, 그의 아버지가 시작한 사업의 개괄적인 내용에 대해서도 아는 것이 전혀 없었다. 게다가 그는 히브리어도 몰랐다.

"나는 광섬유에 대해 아무것도 모르는 이스라엘 엔지니어들 앞에서 광섬유에 대해 일장 연설을 했다. 그들이 어려운 기술적 질문을 하면 나는 히브리어를 방패막이로 뒤로 숨곤 했다. '미안합니다. 나는 당신들 말을 알아들을 수 없군요!'" 메드베드는 기업을 위해 사업 계획을 작성하기도 했고, 여행 가방만한 컴퓨터로 스프레드시트 프로그램을 이용해 예상 수익을 추산하기도 했다. 그러나 오르나 베리와 마찬가지로 그 역시 자금 동원이 불가능함을 깨달았다.

최고 과학자인 에르릭은 벤처기업가들이 맞닥뜨리게 되는 자금에 관한 큰 장벽을 넘을 방법에 대해 매달리기 시작했다. 그러나 많은 반대가 따랐다. "당신의 시간과 돈을 작은 신생 기업들에 낭비하지 마라. 그들은 가망이 없다." 회의적인 사람들이 이야기했다. 대신에 정부 경제학자들은 이스라엘과 당시 수천 명의 이스라엘인을 고용하고 있던 거대한 다국적 기업들 사이의 파트너십과 자금을 늘릴 것을 촉구했다.

당시 이스라엘에게는 또 다른 문제가 있었다. 밀려들어오는 백만여 명의 구소련 유대인 이민자들을 어떻게 수용하느냐는 문제였다. 정부는 이민자들을 흡수하기 위해 이스라엘 경제가 적어도 50만 개의 새로운 일자리를 창출해야 한다고 믿었다. 구소련 이민자들의 3분의 1이 과학자, 엔지니어, 혹은 기술자인 것을 감안할 때 하이테크 분야가 가장 적당한 해결책이었다. 그러나 이미 존재하고 있던 연구개발센터들만으로는 그렇게 많은 새 직원을 감당할 수 없을 것이 분명했다.

1991년 정부는 24개의 기술 인큐베이터를 만들었다. 이 인큐베이터들은 대부분의 구소련 과학자들에게 혁신을 위한 연구개발의 초기 단계에서 그들이 필요로 하는 대부분의 자원과 자금을 제공했다. 목표는 단지 기술을 개발하는 것뿐만 아니라 그 제품이 상업화되어 팔릴 수 있도록 하는 것이었다. 정부는 수백 개의 기업에 각각 30만 달러까지 지원을 해주었다. 이것은 새로운 구소련 이민자들이 일을 할 수 있도록 해주었지만, 돈을 나누어주는 사람들은 창업 벤처들에 대한 경험이 거의 전무했다. 정부 금융업자는 이러한 벤처기업들에게 그들의 연구개발 성과를 상업적으로 성공 가능한 제품으로 전환시키는 데 필요한 사후 서비스를 제공할 수가 없었다.

"매년 이러한 작은 기업들의 성공 사례를 평가하려고 할 때마다 매우 실망이 컸다." 에르릭이 말했다. "그들이 연구개발에서 성공했을지라도, 우리는 그들이 활발한 마케팅 활동을 통해 더 큰 기업으로 성장해 나가는 것을 볼 수가 없었다." 그는 이 문제의 유일한 처방이 정부가 아닌 사적인 벤처자본 산업뿐이라고 확신하게 되었다. 그러나 그것이 성공하기 위해서는 이스라엘의 벤처자본 산업과 외국 금융시장의 강한 연결이 필요하다는 것 또한 알고 있었다. 국제적인 연결은 자금을 모으는 것에만 한정된 것이 아니었다. 장차 성장할 이스라엘 벤처자본들은 사업 기술에 있어서 멘토링이 필요했다. 미국에는 실리콘 밸리의 성공적인 벤처들과 모든 면에서 관련되어 있는 벤처자본 기업들이 수천 개가 있었다. 그들은 기업을 세워본 경험이 있었고, 기술과 자금동원 과정을 이해했으며 풋내기 자본가들을 이끌어 줄 수 있었다. 에르릭은 바로 이것을 이스라엘로 가져오고 싶었다.

그리고 바로 이때 이스라엘 재무부의 몇몇 젊은 관료들이 영어로는 '혁신적인' 이라는 뜻을 가진 '요즈마' 라는 프로그램의 아이디어를 생각해냈다.

오르나 베리가 말했듯이 "존 레논은 로큰롤의 초창기에 '엘비스 이전에는 아무도 없었다.' 라고 말했다. 이스라엘의 벤처자본과 하이테크 벤처의 성공에 대해 레논의 비유를 빌리자면, 요즈마 이전에는 아무것도 없었다."

요즈마의 기본적인 아이디어는 정부가 10개의 새로운 벤처자본 펀드를 만들기 위해 1억 달러의 자금을 투자하는 것이었다. 각 펀드는 세 가지 단체에 의해 운영되도록 했다. 이스라엘의 벤처 자본가들, 해외의 벤처자본 기업, 그리고 이스라엘의 투자 기업이나 은행이 그 세 가지이다. 또한 기술기업에 직접 투자하게 될 2,000만 달러짜리 '요즈마 펀드' 하나가 있었다.

요즈마 프로그램은 초기에 1.5 대 1의 매칭방식을 채택했다. 만일 이스라엘 파트너들이 새로운 이스라엘 기술에 투자하기 위해 1,200만 달러를 동원할 수 있으면, 정부는 800만 달러를 지원해주는 식이었다. 그러자 정부의 지원을 받기 위해 엄청난 숫자의 사람들이 몰려들었다. 그래서 정부는 기준을 더 강화했다. 벤처자본 기업들이 1,600만 달러를 동원할 수 있어야 정부의 800만 달러를 얻을 수 있었다.

그러나 해외의 벤처자본들에게 실질적인 매력은 이 프로그램에 내재되어 있는 보이지 않는 이점이었다. 정부는 새로운 펀드의 40퍼센트의 지분을 보유하지만 파트너들에게 향후 성공하면 그 지분까지도 싸게 살 수 있는 옵션을 주었다. 거기에 또한 펀드가 성공적일 경우 5년 후부터 매년 이자도 지급해주기로 되어 있었다. 이것은 정부가 리스크를 함께 나누어 분담하면서도 투자자들에게는 이익의 전부를 주겠다는 것과 같은 의미였다. 투자자의 입장에서 이는 흔치 않은 좋은 거래였다.

욘 메드베드가 말했다. "이것이 바로 성공의 비결이었다." 또한 정부 프로그램이 초기의 목표를 달성한 후에 완전히 사라져버리는 것도 흔치 않은 특징이었다.

당시에는 사업에 요령 있는 대부분의 디아스포라 유대인들이 이스라엘에 투자를 하지 않고 있었다. 그들은 자선활동과 사업을 별개의 활동으로 보았다. 그들은 이스라엘에 도움을 주는 비영리 조직에 거대한 금액의 기부를 하면서도 이스라엘의 하이테크 분야에 투자하는 것에 대해서는 주저하고 있었다. 물론 예외는 있었다.

캘리포니아의 자본가 스탠리 체이스(Stanley Chais)는 캘리포니아의 부유한 유대인들과 자리를 마련하여 요즈마 펀드의 첫 번째 라운드를 위해 돈을 모으는 데 도움을 주었다. 그는 수백만 달러를 모았다. 예루살렘개발국에서 온 에렐 마르갈리트에 의하면 첫 번째 펀드를 위해 모금된 펀딩은 대부분 "이스라엘이나 예루살렘에 심정적으로 정이 있는 사람들"이 낸 것이다. 마르갈리트의 첫 번째 해외 투자가는 프랑스의 거대한 보험회사인 강(GAN)이었는데, 이 회사의 회장은 마르갈리트가 파리로 가는 비행기 안에서 우연히 만난 프랑스계 유대인이었다.

"정부는 촉매제 역할을 했다." 에르릭이 말했다. 첫 번째 요즈마 펀드는 보스턴의 프리미어 벤처자본 기업인 어드벤트 벤처 파트너스(Advent Venture Partners)와 투자은행인 디스카운트 이스라엘 코퍼레이션(Discount Israel Corporation) 사이의 파트너십으로 만들어졌다. 그것은 버드 프로그램의 오랜 디렉터였던 에드 믈라프스키와 요씨 셀라(Yossi Sela)가 함께 성사시켰다.

어드벤트의 파트너인 클린트 해리스(Clinton Harris)는 이스라엘을 처음으로 방문했을 때 그곳이 무언가 특별하다는 것을 느꼈다고 말한다. 공항에서 텔아비브에 있는 호텔까지 택시를 타고 가는 동안 운전기사가 그에게 왜 이스라엘을 방문했냐고 물었다. 해리스는 벤처자본 산업에 대해 감을 잡기 위해 왔다고 이야기했다. 그러자 기사는 해리스에게 이스라엘의 벤처자본의 현황에 대해 브리핑을 해주었다.

어드벤트가 후원한 펀드는 '제미니 이스라엘 펀드(Gemini Israel Funds)'로 불리게 되었다. 그것의 첫 번째 투자 중 하나는 1993년 11월에 오르넷 데이터

커뮤니케이션에 백만 달러를 투자하는 것이었다. 경영진의 사업 경험 부족을 알아차린 믈라프스키와 셀라는 메이어 부르스틴(Meir Burstin)을 이사회 의장으로 초빙하는 데 도움을 주었다. 부르스틴은 하이테크 벤처 세계의 거장이었으며 이스라엘의 첫 소프트웨어 기업 중 하나인 테켐(Tekem)을 설립한 경험이 있었고, 이후에는 타디란(Tadiran)이라는 이스라엘의 가장 큰 국방기술 업체의 사장을 맡은 인물이었다. 부르스틴은 한번에 오르넷에 신용과 경험을 가져다주었다.

오르넷이 첫 번째 라운드의 펀딩을 낭비해버리고 난 후 문을 닫을 위기에 처해 있을 때 제미니의 요씨 셀라가 임시 CEO를 맡아 차를 타고 편도 두 시간이나 걸리는 라맛 하샤론과 카르미엘 사이의 거리를 일주일에 4번씩 통근했다. "회사를 팔고 경영진의 해체를 막기 위해 6개월간 오르넷과 제미니 양쪽을 오가며 기억하기 싫을 정도로 엄청나게 오랜 시간 운전해야 했다. 그러나 우리는 결국 해냈다."고 셀라는 회상했다.

회사의 성공에 결정적이었던 또 하나의 요소는 왈든 벤처 캐피탈(Walden Venture Capital)을 투자자로 끌어들인 제미니의 능력이었다. 실리콘 밸리에 있는 이 투자사는 오르넷이 개발한 기술에 대해 경험이 있었다. 투자금으로 투입된 돈의 세 배 이상을 2년 만에 벌어들인 것이 오르넷, 제미니의 첫 번째 성공 스토리였다.

1992년부터 1997년 사이에 만들어진 10개의 요즈마 펀드는 정부의 도움으로 2억 달러가 약간 웃도는 금액을 모을 수 있었다. 그 펀드들은 5년 이내에 회수되었으며 오늘날에는 약 30억 달러의 자본을 운영하고 수백 개의 신생 이스라엘 기업을 지원한다. 결과는 매우 뚜렷했다. 에렐 마르갈리트가 말했듯이 "벤처자본이 바로 벤처창업의 불을 지핀 성냥"이었다.

여러 개의 요즈마 펀드는 여러 기업에 투자를 하면서 세간의 이목을 끄는 성공을 이루어 냈다. 레이저와 같은 광학의료기술을 디자인하고 생산하는 ESC 메디컬, 고급 반도체 업체인 갈릴레오(Galileo), 이메일 및 메시지 프로바이더인 벤처기업 커먼터치(Commontouch), 인터넷 거래를 위해 온라인 장터를 만들어주는 자카다(Jacada) 등이 그 예이다.

이러한 성공을 거두는 와중에 다른 사람들이 벤처자본 세계로 뛰어들었다. 이제 정부의 요즈마 지원이 없이도 잘 굴러간다는 말이었다. 욘 메드베드는 간발의 차이로 요즈마 벤처의 지원을 놓쳤다. 그와 그의 아버지가 만든 회사를 팔고 난 수년 뒤 그는 신생 기업을 대상으로 500만 달러짜리 요즈마 펀드 배당이 있다는 것을 알게 됐다. 시드 머니(Seed Money)로 알려진 이 투자는 위험이 크기 때문에 요즈마는 1 대 1 매치를 제공했다. 투자자들은 정부의 250만 달러를 받기 위해 스스로 250만 달러를 만들어와야 했다.

메드베드는 앉은 자리에서 수표를 써줄 준비가 되어 있는 투자자들과 함께 이갈 에르릭을 찾아가 보조금을 달라고 요청했다. 불행히도 이미 늦은 시점이었다. 그러나 상관없었다. 요즈마 프로그램은 미국의 벤처 커뮤니티에 소문이 나기 시작해서 투자자들이 이스라엘에서 사업을 하는 것에 대한 염려를 극복할 수 있었다. "이스라엘은 충분히 많은 투자자들에게 자극을 주었기 때문에 우리는 250만 달러를 만들어 정부의 보조금 없이도 이스라엘 시드 파트너스를 1994년에 시작할 수 있었다." 이 펀드는 빠른 속도로 600만 달러로 늘어났으며 이스라엘 시드는 1999년에 4,000만 달러를, 그리고 2000년에는 2억 달러를 모으게 된다.

이스라엘 벤처협회에 의하면 현재 45개의 이스라엘 벤처자본 펀드가 있으며, 1992년에서 2009년 초까지 이스라엘에 투자한 국내외의 벤처기업들은 240여 개라고 한다.

얼마 지나지 않아 세계 여러 나라의 정부들이 요즈마의 성공을 눈여겨보기 시작했다. 국가과학위원회에는 연일 일본·한국·캐나다·아일랜드·호주·뉴질랜드·싱가포르·러시아 등 외국 정부로부터 이스라엘을 방문해 요즈마의 설립자들을 만나보고 싶다는 전화가 쇄도했다.

2008년 12월 아일랜드는 해외 벤처자본가들을 공동 금융조달자로 유치하기 위해 5억 유로짜리 '혁신 펀드'를 만들었다. "아일랜드 정부는 이스라엘 건국 후 40년 동안 아무런 외교 관계를 맺지 않은 이스라엘의 제도를 모방했다."고 아일랜드의 경제학자 데이비드 맥윌리엄스가 말했다.

요즈마와 같이 아일랜드의 혁신 펀드는 사적 영역의 펀드와 정부지원 아래 파트너십을 맺은 여러 개의 벤처자본 펀드를 통해 해외 벤처자본을 아일랜드로 끌어온다.

맥윌리엄스가 말했다. "이 제도의 취지는 비단 미국의 자본 및 상업적 노하우를 모방하자는 것만이 아니라 유럽 전역으로부터 벤처가들을 끌어들이자는 것이다. 현재 유럽은 매우 거대한 과학적 역량의 보고를 갖고 있지만 벤처를 만드는 데는 매우 저조한 성적을 보이고 있다. 많은 투자자들이 묻는 질문은 다음과 같다. '유럽판 구글은 도대체 어디에 있는가?' 그럴듯한 질문이다. 만약 앞으로 10년 안에 유럽판 구글이 바로 이곳에서 아일랜드와 유럽의 두뇌와 미국의 자본을 통해 설립된다면? 그것이 바로 보상이다."

요즈마는 이스라엘의 기술 분야가 1990년대의 기술 붐에 합류할 수 있도록 결정적인 결점을 보완해주었다. 그러나 2000년에 이스라엘 기술산업 분야는 여러 번의 강력한 타격을 입고 만다. 글로벌 기술거품의 붕괴, 오슬로 평화협정의 실패와 테러리즘의 확산, 그리고 경기침체가 그것이다.

그러나 이스라엘의 벤처들은 빠르게 적응하고 회복했다. 이 시기에 이스라엘이 글로벌 벤처자본 파이에서 차지한 비중을 유럽과 비교하면, 이스라엘은 기존 15퍼센트에서 두 배가 늘어난 31퍼센트를 점유하게 됐다. 이러한 성장은 세금과 규제 환경에서 일어나 기술벤처의 창업과 해외 투자자들에게는 유리했으나 기타 영역의 획기적인 개선에는 미흡했다.

예를 들어 기술혁신기업은 금융지원을 끌어들일 수 있었지만, 좀 더 전통적인 사업을 벌이려고 하는 사람은 단순하고 작은 사업 대출을 받는 것조차 매우 힘들었다. 이스라엘의 자본 시장은 고도로 집중되어 있었고 속박되어 있었다. 그리고 이스라엘에서는 아직 금융 서비스 산업이 싹트는 것이 막혀 있었다.

2001년에 탈 케이넌은 하버드 경영대학원을 졸업했다. "내 친구들 중에서 월가에서 일하게 된 많은 사람들이 유대인이었는데, 정작 이스라엘에는 그러한 산업 자체가 없다는 것을 깨달았다. 투자를 관리하는 것에 한해서는 이스라엘은 지도에도 나와 있지 않은 나라였다." 케이넌이 말했다.

그 이유는 정부규제였다. 벤처자본에서는 "규제와 세금제도의 방식이 이스라엘에 있지 않아도 경영할 수 있도록 되어 있었다. 이것은 분명 장점이었고 매우 훌륭한 산업을 만들어냈다. 정부는 기본적으로 벤처자본에 대해 손을 대지 않았다. 그러나 벤처자본의 밖에서는 그 무엇도 의미 있는 일을 할 수 없었다. 자신이 벌어들인 돈에 대해 보수를 받을 수 없도록 되어 있었기 때문에 그 산업 전체를 체념해야 했다. 애초에 성공할 가능성이 없는 것이었다."

자산 관리 사업은 단순한 모델을 갖고 있다. 기업들은 자신들이 관리하는 돈의 1~2퍼센트를 고정된 관리비로 받는다. 그러나 일반적으로 진짜 돈이 되는 것은 투자로 인한 수익의 5~20퍼센트 정도로 정해지는 성공보상금에 있다.

2005년 1월까지만 해도 이스라엘의 자금관리 기업들이 성공보수를 청구하는 것은 불법이었다. 그렇기 때문에 그러한 산업 자체가 있을 수 없다는 것은 놀랄 일도 아니다.

변화는 당시의 재무장관이었던 네타냐후로부터 시작되었다. 2003년 샤론 총리의 지원으로 현 총리 네타냐후는 세금과 이전지출, 공무원 임금을 삭감하고 4,000개의 정부 공무원직을 없앴다. 그는 또한 경제에 대한 정부의 영향력을 의미하는 주요 상징적인 공기업들—국영 항공사 엘 알이나 국영 통신사 베제크(Bezeq) 등—을 민영화했고 금융도 획기적으로 개혁했다.

"우리 경제에서 억압적이고 구속력 강한 정부의 역할에 정면으로 태클을 걸었다는 점에서 그는 개혁가가 아니라 혁명가라고 할 수 있다. 개혁은 정부의 방침과 제도를 바꿀 때 쓰는 말이다. 혁명은 한 국가의 사고방식 자체를 바꾸는 것이다. 내가 보기에 그는 바로 그 사고방식을 바꿀 수 있었다." 네타냐후를 포함한 네 명의 재무장관 고문으로 근무한 론 더머(Ron Dermer)가 말했다.

네타냐후는 "나는 사람들에게 사적 경제는 마치 마른 사람이 매우 뚱뚱한 사람(정부)을 등에 업고 있는 것과 같다고 설명했다. 나의 개혁 조치들로 인해 노동조합들이 엄청난 파업을 일으켰지만 나의 경제에 대한 정의는 사람들에게 중요한 것을 상기시켰다. 이스라엘에서 (기술 분야가 아닌) 사업을 벌이려고 했던 사람들은 그 누구든 관련될 수 있었다."라고 말했다. 네타냐후의 개혁 조치들은 경제가 조금씩 수렁에서 빠져나오기 시작하면서 점차 대중의 지지를 얻었다.

그와 동시에 네타냐후에 의해 강행된 일련의 은행권 개혁이 효과를 나타내기 시작했다. 이 개혁들을 통해 매년 약 6퍼센트의 이자를 보장해주던 정부 채권이 단계적으로 철수하기 시작했다. 그때까지 이스라엘의 연금 및 생명보험 펀드의 자산관리사들은 단순히 이스라엘의 보장된 채권에만 투자를 했다. 케이넌이 말했다. 연금과 생명보험 펀드들은 "그 수혜자들에 대한 비용을 정부 채권을 사는 것으로 겨우 충당할 수 있었다. 그래서 그들은 다른 어떤 것에도 투자하지 않았다. 이 정부 채권 때문에 이스라엘의 자본가들에게는 사적인 투자 펀드에 투자할 인센티브가 주어지지 않았다."

그러나 정부 채권들이 만기되기 시작하고 갱신할 수 없게 되자, 그들은 다른 어딘가에 투자해야 하는 매달 3억 달러 정도의 돈을 풀기 시작했다. "그래서 갑작스럽게 국내에 투자 산업을 촉발시킬만한 커다란 자본의 풀이 형성되었다." 텔아비브의 30층 오피스에서 지중해를 바라보며 이야기하던 케이넌이 말했다. "결과적으로 이스라엘과 조금이라도 관련되지 않은 국제적인 금융회사는 이스라엘에서 활동하는 것이 어렵게 되었다."

네타냐후의 금융계 개혁으로 인해 투자 관리사들이 성공보수를 청구하는 것도 합법이 되었다. 케이넌은 한시도 지체하지 않았다. 그는 이스라엘의 첫 번째 금융자산관리 회사인 KCPS를 텔아비브와 뉴욕에 설립했다. "네타냐후의 개혁 초안을 읽자마자 머릿속에서 계획을 세우기 시작했다. 이 개혁이 우리의 재래식 경제를 자유화할 것이라는 사실이 너무나 자명했다."

케이넌에 의하면 수많은 국내의 인재들이 아직 활용되지 않고 남아 있다. "젊은 이스라엘인들이 몇몇 엘리트 정보부대에서 배우는 것들을 생각해보면―예를 들어 고도로 세련된 양자역학 분석 알고리즘 등―그들이 첨단과학기술 분야로 진출하고 싶어할 때 군 생활을 마치자마자 그들을 데려가고자 하는 벤처들이 분명 차고 넘칠 것이다. 그러나 만약 그들이 금융 분야로 가고자 한다면 그들은 고국을 떠나 해외로 나가야 한다. 이제 그것이 바뀌었다. 그간 많은 이스라엘인들은 이스라엘에 그들을 위한 자리가 없어서 런던의 금융가에서 일하고 있었다. 그러나 2003년부터는 그들이 찾는 자리가 바로 이스라엘에 있었다."

제4부

끊임없이 주어지는 모티브의 나라

이스라엘의 첨단기술을 이끈 두 원동력은
아랍의 이스라엘 보이콧과 샤를 드골의 배신이다.
그들은 이스라엘이 첨단기술 산업으로 나아가 발전시키도록
자극을 주었기 때문이다.

– 요씨 바르디

11장
배신이 가져다준 기회

    우리는 이 책을 통해 이스라엘인들이 IDF의 순발력 있고 위계질서에 얽매이지 않는 문화를 기반으로 다양한 분야에서 새로운 창업을 하고 이스라엘의 경제를 형성한 많은 예를 보았다. 이러한 문화는 이스라엘 사람들이 정예의 군대와 국가의 방위산업으로부터 확보한 마법과 같은 과학 기술과 더해져 아주 적절히 균형을 이룬 결과다. 하지만 이스라엘 방위산업이 쉽게 태동된 것은 아니었다. 이처럼 작은 나라가 고유한 군산업 복합체를 갖는 것은 거의 전례가 없는 일이었다. 이스라엘이 고도로 발전된 군산업 복합체를 갖게 된 것은 한 동맹국으로부터 하룻밤 사이에 당한 배신 때문이었다.

    이스라엘에게 있어 경제발전의 분수령이 되었던 순간은 과거 미국인들에게도 큰 자극이 되었던 하나의 역사적인 충격을 통해 잘 이해할 수 있다. 2차 세계대전 후 호황을 누리며 한껏 높아졌던 미국의 국제적 지위는 구소련이 쏘아올린 최초의 우주 위성 스푸트니크 1호의 발사로 인해 갑자기 상처를 입었다. 구소련이 우주 경쟁에서 미국보다 한발 앞서나갈 수 있다는 사실에 대부분의 미국인들은 망연자실했다. 그러나 이 충격이 오히려 훗날 미국 경제 발전에 큰 도약의 계기가 되었다.

혁신경제학자 존 카오는 이것을 다음과 같이 설명했다. "스푸트니크는 미국을 깨우는 모닝콜이었습니다. 우리는 학교 교과과정을 개정하여 과학과 수학 교육을 더욱 강조했습니다. 우리는 9백만 달러(현재의 가치로 약 60억 달러)의 국방 교육법을 입법 통과시켰고, 이를 통해 장학금과 학생대출을 지급하고, 학교에 과학 장비 교재를 확충하도록 했습니다." 강력하고 새로운 국방부는 민간연구개발 부분의 활성화에 집중했고, 나사와 아폴로 프로그램이 만들어졌다.

10년 남짓 후 닐 암스트롱은 처음으로 달에 인간의 발자국을 남겼다. 아폴로 프로그램과 국방부의 국방 관련 투자는 결국 상업화된 새로운 개척의 시대를 촉진하여 미국 경제에 지대한 공헌을 했다. 이러한 일련의 연구개발 활성화는 항공과 통신산업 및 인터넷 부문에서 완전히 새로운 사업 분야를 낳게 했고, 이는 스푸트니크에 대한 미국의 훌륭한 응답이 되었다.

미국의 스푸트니크 쇼크 10년 후 이스라엘 또한 충격적인 순간을 맞았다. 1967년 6일 전쟁의 전야에 프랑스 드골(De Gaulle) 대통령은 "자립하지 못하는 나라가 치러야만 하는 혹독한 대가"에 대한 귀중한 교훈을 이스라엘에게 안겨주었다.

프랑스 제5공화국 창시자인 드골은 2차 세계대전 이후 군대와 정부의 요직을 맡았고, 1959년에서 1969년까지 프랑스의 대통령을 역임했다. 이스라엘 독립 후 드골은 이스라엘과의 동맹을 추진했고 이스라엘 지도자들과 깊은 우정을 쌓아갔다. 프랑스-이스라엘 동맹은 프랑스의 중요 군사 장비와 전투기의 공급 및 심지어는 핵무기 개발의 협력에 대한 비밀 계약까지도 포함되어 있었다.

많은 작은 나라들과 마찬가지로, 이스라엘은 엄청난 자원을 동원해 스스로 거대한 군사 무기 시스템을 생산해 내는 것보다는 다른 나라로부터 구입하는 것을 선호했다. 그러나 1950년 5월 미국·영국·프랑스는 공동으로 중동지역에 무기판매를 제한하는 '3자 선언'을 발표했다.

해외로부터 공급은 끊겨졌지만, 이스라엘은 이미 외부로 드러나지 않게 총과 총탄 공장을 기반으로 하는 무기 산업을 시작했다. 어느 공장은 말 그대로 키부츠 세탁소 지하에 설치된 숨겨진 공장이었다. 이곳에서는 지하의 소음을 위장하기 위해 지상의 세탁 기계들을 계속 돌려댔다. 이 공장은 전쟁에서 남겨진 장비들을 미국에서 몰래 밀반출하여 세워졌는데, 1948년까지 매일 수백 정의 기관총을 생산했다. 전 세계에 걸쳐 마구잡이로 밀반입된 총기들은 임시공장들의 부족한 생산량을 보충해주고 있었다. 벤 구리온은 1930년대부터 무기를 구하기 위해 사람들을 해외로 내보냈다. 예를 들어 1936년 예후다 아락시(Yehuda Arazi)는 소총을 증기 보일러에 숨겨 폴란드에서 하이파 항구로 운송했으며, 1948년에는 니카라과로부터 5대의 프랑스산 중고 자동화기의 구매 협상을 위한 대표 역할을 수행했다.

소련이 3자 선언을 무시하고 체코슬로바키아를 통해 이집트에 2억 5,000만 달러 어치의 대규모 무기 판매를 한 사건이 있었던 1955년경까지 이스라엘은 외국에서 산발적으로 무기 구매를 해왔다. 소련의 도발에 대한 대응으로, 드골은 1956년 4월 대규모의 현대식 무기를 이스라엘에 판매하기 시작했다. 드디어 작은 나라 이스라엘이 군사대국으로부터 안정적으로 무기를 공급받게 된 것이다.

1956년 이집트가 수에즈 운하를 국유화한 후에 프랑스와 이스라엘의 관계는 더욱 밀접해졌다. 프랑스는 수에즈 운하를 통해 이 지역에서 유럽으로 해상 운송을 했다. IDF는 프랑스가 수에즈 운하를 통과하는 것을 도왔고, 프랑스는 그에 대한 보답으로 더 많은 무기를 제공했다. 프랑스와 이스라엘의 은밀한 협력 관계가 깊어질수록 프랑스로부터 무기공급도 계속 늘어갔다. 드골의 첩보기관은 프랑스 식민 거점의 하나인 알제리에서 반 프랑스 저항 운동을 파헤치는데 이스라엘의 도움을 받았다. 1960년 프랑스는 이스라엘에 향후 10년간 200대의 AMX-13 탱크와 72대의 미스테르 전투기를 공급할 것을 약속했다.

그러나 1967년 6월 2일, 이스라엘이 이집트와 시리아에 대해 선제공격을 감행하기 3일 전 드골은 두말없이 이스라엘을 내쳤다. 그는 내각에 "프랑스는 먼저 전쟁을 일으키는 나라를 지지하지는 않을 것이다."라고 말했다.

드골의 결정은 단지 중동 전쟁을 막기 위한 노력만은 아니었다. 새로운 정세에 따라 프랑스의 동맹 관계를 새롭게 할 필요가 생긴 것이다. 1967년까지 프랑스는 알제리에서 철수했다. 드골의 최우선 관심은 오래고도 힘겨웠던 북아프리카 전쟁에서 중동의 아랍 국가들과의 친선관계 유지로 옮겨갔다. 이제 더 이상 이스라엘은 프랑스의 관심의 대상이 되지 못했다. 그 무렵 프랑스의 유력 주간지 〈르 누벨 옵세르바퇴르〉는 "드골의 프랑스는 친구보다는 이해관계를 우선시한다."라고 논평했다.

드골의 후계자인 조르주 퐁피두(Georges Pompidou)는 1969년 선거 승리 후에도 이 새로운 정책을 고수했다. 원래 프랑스가 이스라엘에 공급하기로 했던 200대의 AMX 탱크를 리비아로 전달했고, 이스라엘이 이미 대금을 지불했던 50대의 미라지 전투기는 이스라엘의 가장 강력한 적국인 시리아에 공급했다.

이스라엘은 신속하게 프랑스의 공백을 메울 임시방편의 조치를 마련했다. 이스라엘 공군 창설자인 알 쉼머는 이스라엘의 처지를 공감하는 스위스의 엔지니어를 영입하여 미라지 전투기의 엔진 설계도를 얻어내고 프랑스 미라지 전투기를 복제해 낼 수 있었다. 또한 이스라엘은 중고 무기의 밀수를 다시 시작했다. 1969년에 있었던 작전에서 이스라엘인들이 만든 함포선 5대가 프랑스에서 무려 3,000마일의 바닷길을 20피트의 파도와 싸우며 이스라엘로 옮겨졌다. 이 수백만 달러짜리 해군 함선들은 이스라엘에 대한 프랑스의 군수물자 봉쇄 정책이 실행되기 전에 이스라엘에 제공하기로 했던 것들이었다. 1970년 〈타임〉지는 이것에 대해 다음과 같이 전했다. "비스마르크 이후 그와 같은 바다 수색은 없었다. 프랑스 정찰기, 몰타로부터 날아오는 영국 공군기 캔버라, 소련의 유조선, 미국 제6함대의 레이더망, 텔레비전 카메라맨, 심지어는 이탈리아의 어선까지 이스라엘 선박을 추적했다."

그러나 이스라엘이 가장 필요로 하는 무기 및 항공기를 제공해 줄 국가를 잃어버린 결정적인 순간에 중동 지역의 무기 경쟁이 격화되었다는 사실은 믿고 싶지 않지만 엄연한 사실이다. 1967년 프랑스의 금수 조치는 이스라엘을 매우 취약한 위치로 밀어 넣은 것이었다.

1967년 6일 전쟁에 앞서, 미국은 이미 1962년 케네디 정부가 호크 대공 미사일을 시작으로 이스라엘에 무기 시스템을 팔기 시작했다. 이후로 미국은 프랑스를 대신하여 이스라엘의 주요 군수공급 국가가 되었다. 그러나 프랑스의 배신은 이스라엘로 하여금 더 이상 외국의 무기 공급업체에 의존할 수 없다는 자각과 공감대를 형성케 했다. 비록 이스라엘과 같이 작은 나라가 자체 군수산업을 성공적으로 발전시킨 예는 없지만, 이스라엘은 신속하게 탱크 및 전투기와 같은 주요 무기 시스템을 자국의 힘으로 만들기로 결정했다.

이 같은 결정의 일환으로 1978년 처음 소개되고 현재 제4세대 모델로 발전한 메르카바 탱크가 제작되었다. 이 기술은 훗날 미라지 전투기의 이스라엘 모델인 네셔로 진화했고, 그 후 1973년 처녀비행에 성공한 크피르 모델로 발전했다. 그러나 뭐니뭐니해도 가장 야심 찬 계획은 미국의 엔진을 이용해 이스라엘과 미국이 공동으로 라비 전투기를 생산하는 프로그램이었다. 라비는 크피르를 대체하기 위해 개발된 것일 뿐 아니라 세계 일류 전투기로 설계되었다. 라비는 1982년 본격적인 개발에 들어갔고, 1986년의 마지막 날 첫 번째 전투기의 시험 비행이 있었다. 그러나 1987년 8월, 5대의 전투기를 만들기 위해 수십억 달러의 연구개발비가 들어간 라비 프로그램은 미국 의회의 반대와 이스라엘 내각의 12 대 11의 표 대결로 전격 취소됐다. 여러 해가 지난 후에도 이 프로젝트의 취소는 여전히 논란이 되고 있다. 시작부터 불가능한 계획이었다고 비난하는 사람들이 있는가 하면, 한편에서는 아주 좋은 기회를 놓쳐버렸다고 아쉬워하는 사람들도 있다. 1991년 사막의 폭풍 작전 기간 중 국제항공 매거진의 한 기사에서, 편집장은 1989년 라비의 비행에 대한 그의 경험을 썼다. "연합군이 걸프만에서 전쟁을 벌일 때 그들은 정말로 필요로 하는 전투기를 갖고 있지 못했다. 세계 최고로 알려진 전투기를 생산해 내지 못하는 것은 정말 부끄러운 일이다."

비록 이 프로그램은 취소되었지만, 라비의 개발은 아주 의미 있는 군사적 반향을 불러일으켰다. 먼저 이스라엘은 자신과 동맹국, 그리고 적국에게 이스라엘이 국가 생존을 위한 가장 기본적인 요소인 첨단 전투 항공기를 독자적으로 개발, 생산할 수 있다는 것을 보여준 중요한 정신적 돌파구를 마련했다. 둘째로, 1988년 이스라엘은 인공위성을 우주에 쏘아올린 세계 12개 나라 중 하나가 되었다. 이 성과는 라비의 개발에서 축적된 기술적 노하우가 없었다면 불가능한 것이었다. 그리고 세 번째로 비록 라비는 취소되었지만 이 프로그램에 들어간 수십억 달러는 이스라엘 항공기술을 새로운 단계로 도약시켰고, 어떤 면에서는 첨단기술 붐을 촉발시켰다고 할 수 있다. 이 프로그램이 종료되었을 때 이 프로그램에 속했던 1,500명의 기술자들은 졸지에 직장을 잃게 되었다. 그중 몇몇은 직업을 찾아 다른 나라로 떠났지만, 대부분의 기술자들은 이스라엘에 남아 군수산업 부문에서 민간산업 부문으로 기술이전을 하게 됐다. 전투기에 집중되었던 거대한 과학기술 역량이 갑자기 민간경제로 옮겨가게 된 것이다.

이스라엘 출신 요씨 그로스(Yossi Gross)도 라비 기술자 중 한명이었다. 그의 어머니는 아우슈비츠에서 살아남아 홀로코스트 이후 유럽에서 이스라엘로 이민을 왔다. 그로스는 테크니온 대학에서 우주항공학을 공부했고, 이스라엘 항공우주산업(IAI)에서 7년 동안 일했다. IAI에서 모의 비행 엔지니어였던 그로스는 곧 항공기 설계 부문에서 일을 시작했다. 그가 비행기 착륙 장치와 관련된 새로운 아이디어를 제안했을 때, 그의 직장 상사들은 새로운 개념으로 일을 지체하느니 미제 F-16을 똑같이 모방하라고 훈계했다. 그는 "나는 2만 3,000명의 직원을 가진 거대 기업에서 일을 했고, 이곳에서는 창조적일 수가 없었습니다."라고 회상했다. 라비의 취소 직후, 그로스는 IAI 뿐만 아니라 항공 분야 자체를 떠나기로 마음먹었다. "이 분야에서는 결코 기업가가 될 수 없었습니다."라고 그는 설명했다. "정부가 항공산업을 소유하고 있고 관련 프로젝트는 모두 어마어마한 규모였습니다. 그러나 나는 이곳에서 아주 많은 기술을 익혔고 이것들이 후에 나에게 큰 도움이 되었습니다." 전직 항공 기술자였던 그로스는 17개의 신생 기술기업을 창업했고 모두 300개가 넘는 특허를 개발했다. 그러므로 어떤 면에서 요씨 그로스는 프랑스에 감사해야 할 것이다.

드골의 결정이 이스라엘의 신생 기술기업의 촉발을 의도했다고 할 수는 없지만, 이스라엘 사람들에게 더 이상 외국에 의존해서는 자주권을 확보할 수 없다는 사실을 각인시켜줌으로써 이스라엘 경제에 중요한 공헌을 한 셈이 되었다. 이스라엘에 대한 프랑스의 군수봉쇄를 해결하기 위한 국방 연구 개발의 혁혁한 성과는 적어도 지난 30년간 이스라엘 기술자들에게 놀랄만한 경험을 하게 했다. 그러나 이것은 다른 요인들—예를 들어 과감한 산업간의 제휴라든지 사회적으로 용인되지 않더라도 뭔가를 기꺼이 해보려는 마음가짐 같은 것—과 결합되어 이스라엘 신생기술의 발전으로 되돌아왔다.

대부분의 공군이 F1 경주용 자동차처럼 설계되었다면,
이스라엘 공군은 많은 공구를 싣고 다니는 낡은 지프라고 할 수 있다.
우리는 처음부터 거친 비포장도로를 달리고 있다.
늘씬한 경주용 자동차는 우리 처지에 잘 맞지 않는다.

– 유벌 도탄

12장
미사일 탄두에서
온천수에 이르기까지

　더그 우드(Doug Wood)는 생각지도 않게 이스라엘에서 새로운 직업을 가지게 됐다. 그의 조용하고 사려 깊은 처신은 성격이 급한 다른 이스라엘 동료들에 비해 그를 두드러져 보이게 한다. 미국 할리우드에서 일하던 우드는 예루살렘에서는 한 번도 시도된 적이 없는 일을 하기 위해 고용됐다. 우드는 이스라엘의 창업 투자자인 에렐 마르갈리트가 자금을 대고 있는 신생 회사인 애니메이션 랩(Animation Lab)에서 제작하는 첫 번째 장편 만화영화의 감독이다.

　우드는 세계적인 영화사인 터너와 워너브러더스, 그리고 유니버셜 스튜디오에서 극장용 만화영화의 개발과 제작담당 부사장으로 일했다. 마르갈리트가 그에게 만화영화를 만들기 위해 예루살렘에서 일할 의향이 있는지 물었을 때, 그는 과연 예루살렘이 창조적인 사회인지 여부를 먼저 봐야할 것 같다고 대답했다. 예루살렘 최고의 예술디자인 학교인 브살엘 대학에서 얼마간 지내본 후, 그는 확신할 수 있었다. "나는 예루살렘에서 교수들을 만났어요. 텔레비전 극작가들과 작가인 메이르 샬렙도 만났고, 다른 몇몇 유명한 극작가들도 만났죠. 그들은 세계 유수의 예술대학에서 만나볼 수 있는 사람들과 다름 없는 훌륭한 사람들이었어요."

그는 또한 이스라엘의 사뭇 다른 점을 확인했다. "이곳 이스라엘에서는 한꺼번에 여러 일을 하는 것이 보편적인 것 같아요. 우리는 이스라엘의 많은 기술 분야 사람들과 상담을 했는데, 그들은 우리의 일 처리 단계를 개선하고 보다 직접적으로 일을 처리할 수 있는 혁신적인 방법을 제시했습니다. 그리고 나서 브살엘 대학의 예술 대학원생과 함께 아주 새로운 프로젝트를 했던 적이 있습니다. 그는 긴 머리에 귀걸이를 하고 반바지 차림에 슬리퍼를 신은, 예술을 전공하는 학생의 전형적인 모습이었지요. 어느 날 갑작스럽게 기술적인 문제가 발생했고, 이를 해결하기 위해 기술자에게 전화를 하려고 했습니다. 그러자 그 대학원생은 그래픽 작업을 멈추고 마치 숙련공처럼 그 기술적인 문제를 해결하기 시작했습니다. 어디서 그런 기술을 배웠는지 묻자, 그는 자신이 이스라엘 공군의 전투기 조종사였다고 말했습니다. '이 예술 대학원생이? 전투기 조종사였다고?' 나는 깜짝 놀랐습니다. 어떻게 보느냐에 따라 세상의 모든 일들이 뭉쳐 있거나 서로 얽혀 상호작용하고 있는 것만 같았습니다."

이스라엘 기술자들의 다른 많은 장점과 마찬가지로, 여러 일을 할 수 있는 그들의 능력이 IDF에서 길러졌다는 것은 놀랄만한 일도 아니다. 전투기 조종사 유벌 도탄은 이스라엘 군대에서는 전문화 그 이상의 무엇이 있다고 알려 주었다. "만약 공군이 F1 경주용 차와 같이 설계되었다면, 이스라엘 공군은 많은 도구를 가지고 다니는 낡은 지프와 같습니다. 경주용 트랙에서는 경주용 자동차가 압도적이겠지요. 그러나 이스라엘 공군은 처음부터 비포장도로를 달려가지요. 경주용 차는 그런 우리의 환경과는 맞지 않아요."라고 도탄이 설명했다.

F1 경주용 차와 지프 사이의 전략적 차이는 단지 숫자에 국한된 것은 아니다. 각기 다른 전략은 상이한 전술과 사고방식을 만들어 낸다. 이것은 각 공군에서 임무를 수행하기 위해 만들어 놓은 서로 다른 '공격 특수 편대'에서 찾아볼 수 있다. 대부분의 서방 공군에서 운용하는 공격편대는 목표물에 폭격을 가하는 최종 공격을 수행하기 위해 몇 겹의 파상적인 항공기 공격 특수 편대로 구성된다. 예를 들면 미국은 대개 중요한 임무를 수행하기 위해 4개의 특수 항공 편대를 운용한다. 더 자세히 들여다보면, 적국 항공기의 주요 비행경로를 살피는 전투 항공 순찰기와, 미사일을 발사하는 적의 대공화기 시스템을 무력화시키는 두 번째 편대, 전자전 항공기, 재급유를 위한 급유기들, 그리고 전쟁터를 한눈에 보여주는 레이더 항공기로 구성된 세 번째 편대, 마지막으로 폭탄을 실은 폭격기들로 구성된다. 이 편대들은 가까운 공중 지원 전투기의 보호를 받는다.

"이것들은 압도적이고 잘 조율되어 있습니다. 하지만 이것은 병참에 있어 큰 어려움이 따릅니다. 공중 급유기가 제때 그곳에 있도록 해야 하니까요. 전자전 전용기와 제때에 랑데부를 해야 하고요. 만약 몇 초라도 서로 어긋나게 되면 모든 것이 수포로 돌아가 버리지요. 이스라엘 공군은 비록 재원이 충분하다고 해도 미국과 같은 시스템을 만들 수는 없을 겁니다. 이러한 미국식의 전문화된 시스템은 아주 엉망진창이 될 거예요. 우리 이스라엘 공군은 미국과 같은 시스템에 대해 충분히 교육이 되어 있지 않거든요."

이스라엘 시스템에서 거의 모든 공군기들은 만물상자와 같다. "임무가 무엇이던 간에 공대공 미사일도 없이 전투에 참여하지는 않습니다. 다른 전투기와 맞닥뜨릴 경우가 전혀 없는 남부 레바논의 목표물을 치러 갈 수도 있지요. 이 경우 기지는 불과 2분 정도 날아갈 거리에 있고 비상시 즉각 누군가가 와서 도와줄 겁니다. 설령 그런다 해도, 공대공 미사일도 없이 적국의 영토에 진입하는 일은 절대로 없습니다."

마찬가지로 거의 모든 이스라엘 공군기들은 자체의 전자전 시스템을 기내에 장치하고 있다. 미 공군과 달리 이스라엘 공군은 적국의 레이더망을 무력화시키기 위한 특별 편대를 보내지 않는다. "스스로 해결하라. 이것이 효율적이지는 않겠지만, 엄청나게 유연할 수는 있다." 마지막으로, 미 공군의 공격 편대에서는 오직 마지막 편대의 폭격기들만이 폭탄을 싣고 날아가는데 반해, 보통 이스라엘의 공격 편대에서는 거의 90퍼센트의 공군기들이 폭탄을 싣고서 목표물을 직접 공격하도록 임무를 받는다.

이스라엘 시스템에서 각 전투기 조종사는 오직 자신의 공격 목표뿐 아니라 별도로 마련된 다른 목표들에 대해서도 숙지를 한다. "예를 들어, 공군기 한 대가 추락하면 공군기 두 대가 나누어 추락한 조종사를 구하거나 공중전에 임하게 되고 다른 조종사들이 대신 목표를 공격하는 임무를 수행합니다. 이것은 당연하게 여겨지며 정상적인 결과입니다. 거의 임무의 반 정도는 매번 다른 조종사의 목표를 타격하는 것입니다." 도탄이 설명했다.

두 나라의 이러한 차이는 이스라엘과 미국 공군이 합동 비행훈련을 할 때 가장 두드러져 보인다. 그러한 군사 훈련에서 미 공군 조종사들이 전투 시작전 행동들을 도표로 만든 지침서를 가지고 있는 것을 보고 도탄은 매우 놀랐다. "우리는 그걸 보고 '도대체 저게 뭐야? 다른 조종사가 무엇을 할 것인지 어떻게 알 수가 있지?' 라고 말했지요." 이제는 투자자가 된 도탄에게 미국 시스템은 마치 "시장이야 어떻든 간에 나는 주식을 살 거야."라며 주식 거래를 하는 것 같아 보인다.

이 같은 멀티태스킹 능력은 직위와 그에 따르는 구별이 별 의미가 없는 사회를 만든다. 이것은 더그 우드가 할리우드에서 예루살렘으로 옮기는 와중에 알아차린 것이다. "이건 굉장한 거예요, 왜냐하면 할리우드 스튜디오에서는 대개 영상 감독과 제작 진행자, 레이아웃 책임자가 필요하다고 말합니다. 그러나 이스라엘에서는 직원들이 여러 가지 상황에서 서로 업무를 바꾸어 일할 수도 있고 한 가지 이상의 일을 할 수도 있기 때문에 직위란 임의로 정해놓은 것이나 다름없습니다. 예를 들어 컴퓨터 그래픽 팀에서 일하고 있는 한 직원은 동시에 캐릭터의 3D 점토 모형을 만드는 부서에서도 일하고 있습니다. 영화의 연속된 장면들의 순서(시퀀스)를 만들고 있었고, 우리가 제작 중에 있는 32장 시퀀스의 마지막 부분을 위해 그는 우습고 재미있는 설정을 제안했습니다. 실제로 나는 그 설정이 너무 맘에 들어서 다시 대본을 쓰고 그 부분에 그걸 넣었어요. 결국 컴퓨터 그래픽을 하는 이 직원은 여러 분야에 걸쳐서 모델링도 하고 대본을 쓰기도 하는 것이지요."

미국에서 이런 종류의 '크로스오버(여러 분야에 걸친 교차)'에 해당하는 말 중에 '매시업(mashup)'이란 단어가 있다. 이스라엘에서만큼 이 말의 의미가 잘 통하는 곳은 아마 없을 것이다. 원래 두 개 이상의 음악을 하나로 섞는 것을 의미하는데 이것은 또한 디지털 기술과 비디오의 결합 내지는 다른 사이트에서 데이터를 가지고 오는—예를 들면 구글 지도에 부동산 임대를 시각적으로 보여주는 HousingMaps.com처럼—웹 어플리케이션을 의미하기까지에 이르렀다. 보기보다 더 강렬한 매시업은 근본적으로 서로 다른 기술과 학문의 결합으로 혁신이 이루어질 때이다.

이스라엘에서 매시업이 가장 널리 이루어지는 분야는 의료기기와 생명공학 회사들이다. 이런 분야에서는 풍동(風洞, 비행기 등에 공기의 흐름이 미치는 영향을 시험하기 위한 터널형 인공 장치) 기술자와 의사들이 신용카드 사이즈의 디바이스를 공동으로 개발하여 살갗으로 순식간에 약물을 투여하게 함으로써 주사기를 쓸모없는 것으로 만들기도 한다. 혹은 당뇨병을 치료하기 위한 이식형 인공 췌장을 만드는 회사를 찾아볼 수도 있다. 미사일의 탄두에서 빌려온 광학기술을 사용하여 장 내부로부터 이미지를 전송할 수 있는 알약를 만드는 벤처 회사도 있다.

가브리엘 이단(Gavriel Iddan)은 IDF를 위한 주요 군사 무기 개발업자 중 하나인 라파엘에서 일했던 로켓 과학자였다. 그는 미사일이 타겟을 추적해가도록 하는 복잡한 광전기 디바이스 전문가였다. 로켓 과학으로부터 의료용 기술을 개발하는 것이 흔한 일은 아니지만, 이단은 굉장한 아이디어를 가지고 있었다. 인체 내부의 이미지를 전송하는 알약에 장착하는 소형 카메라를 개발하는 데 미사일에 사용되는 최신 소형화 기술을 적용하는 것이었다.

사람이 삼킬 수 있는 알약 안에 카메라, 전송기, 그리고 빛과 에너지원을 함께 넣는 것은 불가능하다고 사람들은 말했다. 이단은 슈퍼마켓에서 닭을 사서 알약이 동물의 조직세포를 통해 이미지를 전송할 수 있는지 여부를 보여주겠다고 주장했다. 그는 기븐 이미징(Given Imaging)이라는 회사를 만들어서 캡슐 카메라(PillCam, 필캠)와 관련된 새로운 사업을 했다.

2001년에 기븐 이미징은 9·11 테러 사건 이후 세계 처음으로 월가에서 기업공개를 했다. 창업 6년 후인 2004년까지 기븐 이미징은 10만 개의 필캠을 팔았고 2007년 초까지 50만 개를, 그리고 2007년 말까지는 거의 70만 개의 필캠을 팔았다.

현재 최신 버전의 필캠은 여러 시간 동안 고통 없이 환자의 장내 깊숙한 곳으로부터 초당 18장의 사진을 전송할 수 있다. 전송된 사진이나 비디오는 실시간으로 같은 방 혹은 전 세계 어디에서나 의사가 볼 수가 있다. 그 시장 규모는 여전히 커서 주요 경쟁자들을 끌어들였다. 카메라 제조사인 올림푸스도 이제는 알약 안에 장착되는 소형 카메라를 만들고 있다. 위장병으로 의사를 찾는 사람이 미국에서만 3,000만 명이기 때문에 다른 회사들이 앞다퉈 이 시장에 뛰어드는 것은 놀라운 일이 아니다.

기븐 이미징의 성공 스토리가 군사기술이 민간상업용 기술로 상용화되거나 주요 방위 산업체에서 민간 기업으로 변신한 유일한 경우는 아니다. 이것은 테크놀로지가 매시업되는 한 예이고, 서로 다른 분야인 미사일과 의학 분야의 결합뿐 아니라 의사들이 보는 데이터의 분석을 돕기 위해 광학에서 전자공학이나 배터리, 혹은 무선 데이터 전송, 소프트웨어까지 엄청난 수평적 혹은 수직적 기술들을 결합시키는 예를 보여준다. 실제로 최근 텔아비브 대학의 연구결과는 이스라엘에서 만들어진 특허들이 전 세계적으로 가장 많이 인용되고 있으며 기존 특허들과는 매우 다르다는 것을 보여준다.

군사기술과 의료기술 사이의 경계를 연결하는 또 다른 기업의 예는 컴푸젠이다. 이 회사 창업자 3명—회장인 일라이 민츠(Eli Mintz), 최고기술경영자

인 심천 페이글러(Simchon Faigler) 그리고 소프트웨어 최고 담당 아미르 나탄
(Amir Natan)—은 IDF의 정예 탈피오트 프로그램에서 서로 알게 됐다. 컴푸젠
에 있는 또 다른 탈피오트 출신인 리오르 마아얀(Lior Ma'ayan)은 이 회사의 60
명의 수학자 중 25명이 군대의 인적 네트워크를 통해 들어온 사람들이라고
설명했다.

민츠는 IDF에서 방대한 양의 데이터를 처리하고 선별해 내는 알고리즘을
개발했는데, 이 알고리즘은 테러 분자들의 인적 네트워크를 추적하는 데 중
요한 정보를 찾아내기 위해 필요한 것이었다. 유전학자인 그의 부인이 방대
한 양의 유전자 정보 선별에서 그들이 안고 있는 문제에 대해 이야기했을
때, 어쩌면 자신이 더 나은 방법을 가지고 있는지도 모르겠다고 민츠는 생각
했다.

민츠와 그의 동료들은 유전자 서열의 처리를 혁명적으로 바꾸려했던 것이
다. 미국의 머크가 컴푸젠의 첫 번째 서열 분석기를 산 것은 1994년으로, 회
사가 창업하고 일 년 뒤의 일이며 아직까지 인간 게놈이 성공적으로 해독되
어 유전자 지도를 완성하기 오래 전이었다. 그러나 이것은 시작에 불과했다.
2005년에 컴푸젠은 사업방향을 바꾸어 의약품의 발견과 개발 쪽으로 매진
했고, 의약 산업계에 널리 쓰이던 것들과는 다른 기술을 적용했다.

수학과 생물학, 전산학 그리고 유기 화학을 결합하여, 컴푸젠은 소위 '예
측적' 의약품 개발의 선구자가 되었다. 무언가 '딱 맞는' 것을 찾기 위해 수
천 가지 이상의 화합물을 실험하는 대신, 컴푸젠의 기술은 유전학적인 기반
에서 출발해 유전인자들이 단백질의 생성을 통해 보여주는 것을 바탕으로
거기에 딱 맞는 의약품을 만들어 낸다.

컴푸젠의 방식에서 가장 중요한 점은 드물게도 이론적 접근과 생물학적 접근의 연구방법을 결합했다는 데 있다. 컴푸젠의 기술개발 담당 부사장인 알론 아미트(Alon Amit)는 "서로 다른 나라에 있거나 한 나라의 다른 지방에 있는 거대 제약회사들과 공동으로 일하는 상황을 가정해 봅시다. 서로의 의견이 오고 가는 것은 생물학자와 수학자가 같은 층에 있으면서 무엇을 실험하고 어떻게 실험하는지를 논의하고 모델을 알려주는 경우에 비해 훨씬 느릴 겁니다."라고 설명했다.

이스라엘에서 가장 큰 회사인 테바(Teva)는 컴푸젠이나 다른 신생 이스라엘 기업들처럼 제약회사이지만, 더 많은 이스라엘의 신규 창업기업들이 의료기기 관련된 일을 주로 하고 있고, 그중에서도 많은 수의 기업들은 약물전달에 관련된 사업을 하고 있다. 이 분야는 멀티태스킹 사고 능력과 참을성 없는 이스라엘 사람들의 성격에 잘 맞는 분야인 것 같다. 왜냐하면 의약품의 개발은 수많은 시간을 필요로 하기 때문이다.

매시업을 이용한 회사로 애스피로닉스(Aespironics)를 들 수 있는데, 이 회사는 호흡 시 바람을 이용하여 전력을 만드는 신용카드 정도 크기와 모양을 갖는 흡입기를 만들고 있다. 많은 흡입기들의 문제는 고장이 잦고 비싸다는 것이다. 철망을 통해 효과적으로 약을 투약하는 방법이 필요하고, 또한 이러한 동작 과정이 환자의 호흡과 완벽하게 일치하여 환자의 폐에 약이 최대한 흡수되도록 조절해야 한다.

애스피로닉스는 한 번에 모든 문제를 해결해 버린 듯싶다. '신용카드' 안에 팬 모양의 프로펠러를 두어 환자가 카드의 한쪽 끝에서 숨을 들이마실 때의 공기의 흐름에 의해 이 프로펠러가 움직이도록 고안되었다. 프로펠러가

돌면서 약이 있는 망을 털어내게 함으로써 공기의 흐름 속에 적절한 양의 약을 실어 보내는 것이다. 프로펠러는 환자가 숨을 들이마실 때만 동작을 하기 때문에 자동적으로 약이 환자의 폐로 전달된다.

이것을 만드는 데는 전통적인 의약기술 외에 공학기술의 결합이 필요하다. 호흡기 전문가뿐 아니라, 애스피로닉스의 팀에는 가스터빈과 제트엔진을 전공하는 댄 애들러(Dan Adler)도 함께 일한다. 그는 테크니온 대학과 미국 해군대학원의 교수였고, 제너럴 다이나믹(General Dynamics), P&W, 그리고 맥도널 더글라스(McDonnell Douglas)와 같은 글로벌 기업의 자문역을 했었다.

미사일과 알약, 그리고 제트엔진과 호흡기의 결합은 뭔가 맞지 않는 것처럼 보이지만 진정한 매시업의 강자는 요씨 그로스일 듯하다. 이스라엘에서 태어났고 테크니온 대학에서 우주항공학을 공부한 그로스는 향후 기업을 일구는데 도움이 되도록 7년 동안 이스라엘항공우주산업에서 일했다. 그로스의 17개 창업회사 중 6개의 기업에 투자했던 피탕고(Pitango)라는 벤처투자사의 루티 알론(Ruti Alon)은 여러 전문 분야에 걸친 접근방식이 그로스의 성공의 열쇠라고 말했다. "그는 우주항공학과 전자공학을 공부했고, 물리학·유체학·혈역학에 대해서도 정통합니다. 그리고 이런 것들이 인체에 심을 장치들을 만들 때 매우 도움이 되었습니다. 또한 그는 많은 의사들을 알고 있지요."

그로스의 몇몇 회사들은 공상 과학소설에 가까운 아주 다른 기술들을 결합하는 일을 한다. 예를 들어 '베타-O2'는 당뇨 환자들의 손상된 췌장을 대신할 수 있도록 몸 안에 심을 수 있는 생물 반응장치를 만드는 회사다. 당뇨병은 베타 셀로 하여금 인슐린의 생성을 막도록 하는 장애이다. 베타 셀의 이식이 도움이 되기도 하지만, 몸이 그것을 거부하지 않더라도 산소의 공급이 없으면 베타 셀은 살아남지 못한다.

그로스의 해결책은 미국 옐로우스톤 국립공원의 간헐천에서 채취한 산소를 만들어내는 조류를 포함한 자급자족의 미세 환경을 만들어 내는 것이었다. 조류는 살아가기 위해 빛이 필요하기 때문에, 광섬유의 광원이 심장박동 조절 장치 크기의 장치 안에 들어가게 된다. 베타 셀들은 산소를 소비하고 이산화탄소를 만들어내지만, 조류는 정반대로 살아가기 때문에 자급자족 형태의 미세 환경을 만들어낼 수 있는 것이다. 전체 생물 반응장치는 15분 정도의 수술로 환자의 피부 밑에 이식할 수 있고 일 년에 한 번 교체하도록 만들어졌다.

당뇨를 치료하기 위한 지열 조류와 광섬유, 그리고 베타 셀의 결합은 대표적인 그로스의 산업적 교차 기술의 접근 방법이다. 또 다른 그의 신생기업인 트랜스파마 메디컬(TransPharma Medical)은 두 개의 서로 다른 혁신적 기술(피부를 통해 일시적인 미세 채널을 만들어 주는 무선 주파수 펄스와 처음으로 개발된 분말 패치)을 결합한다. 그로스의 설명을 들어보자. "이것은 일초 정도 피부에 대고 있는 휴대폰 같은 작은 장치입니다. 그러면 무선 펄스에 의한 세포 박리로 피부에 수백 개의 미세 채널을 만들어 냅니다. 그렇게 되면 보통의 패치가 아니고 분말 패치를 위쪽에 주입시키지요. 시중에 나와 있는 대부분의 패치들은 젤 타입이거나 접착제 형태의 것들입니다. 우리는 패치에 약을 바르고 말립니다. 패치가 피부에 닿으면 세포 사이의 액이 미세 채널을 통해 천천히 흘러나와 피부 밑의 패치로부터 동결 건조된 파우더를 끌어당기게 됩니다."

그로스는 이 장치가 약물 전달에 있어 가장 해결하기 어려운 한 가지 문제—어떻게 하면 주사 투입을 하지 않으면서 피부 표피를 통해 단백질과 같은 큰 분자들을 주입할 것인가—를 해결할 수 있다고 주장한다. 시제품은 인간 성장 호르몬과 골다공증을 위한 약의 주입을 위해 사용될 것이다. 지금까지는 대부분 주사를 통해 전달되었지만, 인슐린과 다른 약, 호르몬, 그리고 분자들의 주입에 사용될 패치가 현재 개발 중이다.

이스라엘인들의 기술적 매시업에 대한 성향은 호기심 그 이상의 것이다. 그처럼 창조적이며 혁신적인 것은 이스라엘 사람들의 저변에 깔린 일종의 문화적인 현상인 것이다. 이것은 이스라엘 사람들이 종종 군대와 사회에서의 경험을 결합하여 얻는 다학문적인 배경의 산물이다. 이것은 또, 특별히 창조적인 해결 방법들을 만들어내고 잠재적으로 새로운 산업을 개발하고 파격적인 기술적 진보를 이루는 사고의 한 방법이기도 하다. 또한 이것은 제한된 자유만이 허용되거나 문화적으로 경직된 사회, 그리고 피상적으로는 상업화 기술개발의 최첨단에 있는 것처럼 보이는 몇몇 사회에서는 상상하기 어려운 자유로운 사고의 한 형태이다.

나라의 미래는
우리의 젊은이들에게
나가서 어떻게 창업하는지를 가르치는 데
달려 있을 것이다.

– 파디 간도르

13장
두바이 개발 프로젝트의 딜레마

에렐 마르갈리트는 성장 배경이 특이해서 창업 투자회사를 차린 것은 아니다. 그는 키부츠에서 태어났고, IDF의 일원으로 1982년 레바논 전쟁에 참여했으며, 예루살렘의 히브리 대학에서 수학과 철학을 전공하고 미국 컬럼비아 대학에서 철학 박사학위를 땄다. 그의 박사 논문은 국가나 문명의 발전에 심대한 영향을 끼쳤던 역사적으로 유명한 지도자들(그는 그들을 기업가적 지도자라고 불렀다)의 특징에 대한 것이었다. 그중 윈스턴 처칠과 벤 구리온을 그러한 기업가적 지도자의 모범으로 소개했다.

그 후 그는 1965년부터 1993년까지 예루살렘의 시장이었던 테디 콜렉(Teddy Kollek)을 위해 일했다. 콜렉이 1993년 시장 선거에서 낙선하기 얼마전쯤에 그는 바로 예루살렘의 창업 회사들을 도와줄 수 있는 아이디어를 냈는데, 지금과 마찬가지로 활기에 찬 비즈니스 수도 텔아비브 근처로 떠나는 젊은이들을 예루살렘에 붙잡아 두기 위한 방편이었다. 콜렉을 떠난 후, 마르갈리트는 그의 계획을 민간 부문에서 실행하기로 작정했다. 그는 예루살렘 창업 투자 회사(JVP)를 설립했고, 요즈마 프로그램으로부터 얼마간의 자금을 출발 기금으로 받았다.

1994년 JVP를 설립한 후 마르갈리트는 프랑스 텔레콤, 독일의 인피니온, 로이터, 보잉, 컬럼비아 대학, MIT, 그리고 싱가포르 정부로부터 수억 달러의 자금을 모았다. 그는 그 돈으로 십여 개의 회사를 지원했는데, 대부분은 기업공개를 하거나 국제적인 기업에 매각되어 엄청난 이익을 남겼다. JVP가 투자했던 회사들은 파워디자인(PowerDsine), 펀드테크(Fundtech), 그리고 자카다 등이었는데 모두 나스닥에 상장된 회사들이다. 그중 가장 큰 이익을 남긴 회사는 광통신 회사인 크로마틱스 네트웍스로 미국의 루슨트 테크놀로지스(Lucent Technologies)에 45억 달러에 매각되었다.

2007년 〈포브스〉는 '세계 최고의 창업 투자자들'이라는 황금손들의 순위 목록에서 마르갈리트를 69위로 매겼다. 그는 대부분 미국인들로 채워진 100명 가운데 이름을 올린 이스라엘인 3명 중 하나였다.

그러나 마르갈리트의 이스라엘에 대한 공헌은 사업이나 창업 투자보다 훨씬 크다. 그는 예루살렘의 예술 현장을 활성화시키기 위해 막대한 개인 재산과 기업가적인 노하우를 투자하고 있다. 그는 '마아바다(Maabada)'라 불리는 예루살렘 행위예술센터를 설립했는데, 이것은 과학과 예술을 접목하려는 시도 중 가장 앞서 가는 것으로, 세계 어느 곳에서도 시도하지 않았던 방법으로 과학자와 예술가를 같은 장소에서 함께 일하게 한다.

마르갈리트는 버려진 창고를 개조해 만든 극장 옆에 인쇄소를 허물고 애니메이션 랩이라는 회사의 본부를 만들었다. 이 회사는 극장용 장편 만화영화를 만들어내는 픽사(Pixar)와 같은 회사들과 경쟁을 하고 있다.

예루살렘은 겉보기에는 세계 일류의 영화제작소를 만드는 일과 가장 어울리지 않는 곳이라는 인상을 줄 수도 있다. 유일신을 믿는 세 개의 종교—기독교, 유대교, 이슬람교—의 중심지로서, 오래된 도시 예루살렘은 사람들이 상상하는 만큼 할리우드와는 다른 곳이다. 최근 국제 영화제에서 이스라엘 영화들이 두각을 나타내고 있지만, 영화 제작은 이스라엘인들이 전문적으로 잘했던 부문은 아니다. 문제는 이스라엘의 예술 작업들이 성지이자 관광객과 정부 청사 등으로 알려진 예루살렘보다는 좀 더 상업적으로 발달한 텔아비브를 중심으로 이루어지고 있다는 것이다. 그러나 회사를 창업하고 직장을 늘리며 산업을 발전시키고 창조적인 예술 무대를 늘리려는 마르갈리트의 비전은 모두 예루살렘을 위한 것이었다.

이러한 문화에 대한 헌신은 첨단기술 산업의 예와 같이 경제 클러스터의 성공의 핵심이 될 수 있다. 클러스터라는 개념을 도입, 사용했던 하버드 경영대학원의 마이클 포터(Michael Porter) 교수에 의하면, 이 개념은 어떤 특정한 분야에 있어 사업체와 정부, 그리고 대학들과 같은 상호 연결된 기관들의 '지리적인 집중'을 기반으로 하기 때문에 경제 성장을 위한 독특한 모델이 될 수 있다. 클러스터는 그 안에서 살고 일하는 사람들이 어떻게든 상호간 연결되어 있기 때문에 클러스터는 그들의 공동체를 기하급수적으로 성장시킨다. 포터 교수에 따르면, 수백 개의 포도주 양조장과 수많은 독립 포도 재배자가 함께 살고 있는 북부 캘리포니아의 '포도주 클러스터'가 하나의 예가 될 수 있다. 여기에는 포도접본 공급자, 관개 및 추수장비 제작자들, 와인저장통 생산자 및 와인병의 레이블을 디자인하는 사람들, 그리고 포도주 광고 회사와 와인거래 간행물을 발행하는 회사들까지도 포함된다. 역시 이 지역과 가까운 UC 데이비스 대학은 포도재배학과와 와인학과로 잘 알려져 있다. 와인 인스티튜트는 샌프란시스코의 남부에 있고, 새크라멘토 근처의 캘리포니아 주의회는 와인 산업과 관련된 특별위원회가 있다. 전 세계에 걸쳐 비슷한 산업공동체 구조들—이탈리아의 패션 클러스터, 보스턴의 생물공학 클러스터, 할리우드의 영화 클러스터, 뉴욕시의 증권가 클러스터, 그리고 북부 캘리포니아주의 기술 클러스터 등—이 존재한다.

마이클 포터 교수는 같은 산업에 종사하는 사람들이 몰려 있으면 기업들이 더 나은 인재와 공급자, 그리고 특화된 정보를 얻을 수 있다고 주장한다. 클러스터는 단지 일하는 곳에만 있는 것이 아니다. 이것은 일상생활의 터전이기도 하다. 그 반대로 산업체의 관계가 일상 공동체의 관계가 되기도 한다. 공동체 구성원간의 관계는 산업계 쪽의 관계가 되기도 하고, 그 반대가 되기도 한다. 그는 하나의 클러스터는 "개인적인 친분 관계, 직접 서로를 만나는 것, 공통의 관심사에 대한 친근한 느낌, 그리고 끼리끼리 의식과 같은 연대감에서 만들어지는 것이 틀림없다."고 강조한다. 이것은 요씨 바르디 (Yossi Vardi)가 설명한 것과 같은 이야기이다. 즉 이스라엘은 "서로가 서로를 알고 지내며 투명성 수준이 높은 사회"라는 것이다.

마르갈리트는 이스라엘이 매우 드물게도 이런 종류의 클러스터를 만드는 데 좋은 환경을 갖추고 있다고 지적하고 있다. 하지만 클러스터를 만들려는 시도가 항상 성공하는 것은 아니다. 예를 들어 두바이를 보자. 예루살렘에 에렐 마르갈리트가 있다면 두바이에는 모하메드 알 거가위(Mohammed Al Gergawi)가 있다. 알 거가위는 두바이의 통치자이며 아랍에미리트의 수상과 방위 장관을 겸하고 있는 세이크(sheikh, '통치자'란 의미) 모하메드(모하메드 빈 라시드 알 막툼을 말한다.)가 소유한 두바이 홀딩스(Dubai Holdings)의 회장이자 최고 경영 책임자이다. 여러 가지 면에서 볼 때, 세이크 모하메드는 '두바이 주식회사'의 회장이다. 실제로 두바이의 공적 재정과 세이크의 사적 재산 사이에는 구분이 없을 정도이다.

알 거가위가 비약적으로 부상한 것은 1997년 마즐리스(majlis)에서 모하메드를 만났을 때였는데, 마즐리스는 상호 토론 및 의견 개진이 매우 적은 아랍 세계의 시의회 모임으로, 세이크를 보러오는 일반인들을 위한 일종의 공개 토론장이다. 이 방문 중에 모하메드는 알 거가위를 지목하고 "내가 자네를 아는데 자네는 크게 성공할 것일세."라고 단언했다.

당시 정부의 중간 관료였던 알 거가위는 가능성 있는 기업의 리더들을 찾아다니는 모하메드의 '미스테리 쇼퍼(원래는 고객을 가장하여 서비스와 상품을 조사하는 조사원을 뜻하지만, 여기서는 모하메드의 지시로 기업가를 발탁하는 임무를 수행하는 사람을 말한다.)'에 의해 여러 달 전에 알려진 것으로 밝혀졌다. 마즐리스 직후, 알 거가위는 모하메드의 주요 회사 3개 중 하나를 관리하는 고속 승진의 길로 접어들었다. 사람들은 알 거가위가 발탁된 것은 그가 아주 유능한 기술 관료로 (사업은 잘 경영할 수 있지만 통치자의 비전을 거스르지는 못한다고) 여겨졌기 때문이라고들 했다.

두바이의 경제 구조는 많은 부분 정부 지원에 기대고 있는데, 이로 인해 지역 주민들(두바이의 140만 명 주민 중 15퍼센트만이 실제 에미리트 시민들이다.)이 정부의 통제 아래 있다. 싱가포르와 같이 두바이도 매우 통제된 사회이고, 정부에 반해 항거할 수 있는 아무런 방법—비록 그것이 평화적이라 해도—이 없다.

심지어 두바이 인권단체조차 설립자의 다수가 정부에 고용되어 있으며, 모하메드의 후원금에 의존하고 있다.

연설의 자유는 헌법으로 보장되어 있지만, 정부에 대한 비판이나 이슬람에 대한 공격적인 어떤 것도 허용되지 않는다. 정부의 투명성에 관해서는—특히 경제와 관련된—잘못된 방향으로 그 추세가 움직이고 있다. 새로운 미디어법은 아랍에미리트의 체면과 명성 혹은 경제를 해치는 일을 법적으로 처벌 가능한 범죄로 규정하며 최대 100만 디르함(미화 27만 달러)까지의 벌금을 물릴 수 있도록 되어 있다. 정부는 금지 웹사이트 목록을 가지고 있고, 일반인들은 인터넷 검열관들에 의해 접속이 금지된다. 인터넷 사용자들은 특정 웹사이트에는 직접 접속할 수 없고, 다만 독점적 정부 산하 통신회사에 의해 감시되는 프락시 서버를 통해서만 접속이 가능하다. 아랍연맹 보이콧에 따라 방문자나 심지어 거주자들조차 이스라엘에 유무선 전화를 걸 수 없으며, 국가 번호 972는 철저히 막아놓았다.

모하메드는 최근 그의 25살 된 아들 세이크 함단이 황태자가 되도록 법령을 발표했고, 그의 작은 아들과 동생을 함단의 두 대리인으로 임명했다. 에렐 마르갈리트와 비슷한 신분의 아랍에미리트 사람이 정부의 고위직을 맡거나 관료에 입후보할 길은 없다. 알 거가위도 아랍에미리트의 전체 국가에 있는 21만 명 중 한 사람에 불과하며, 단지 자격이 되는 소수의 사람들만이 고위 정부 관료나 통치자의 사업에서 지도자 역할을 할 수 있다.

두바이는 공식적인 지도자 그룹 외에 사업을 위해 이방인들에게 문을 열어놓았고, 수백 년 동안 진주에서 직물까지 모든 물품에 대한 교역 중심지 역할을 했다. 모하메드의 증조부는 20세기 초에 세금 없는 항구도시를 만들었는데, 이는 이란과 인도 상인들을 끌어들이고 싶어 했기 때문이다.

1970년대에 세이크 모하메드의 아버지인 라시드 빈 사에드 알 막툼(Rashid bin Saeed Al Maktoum)은 두바이 크릭의 밑바닥을 준설하고 두바이에서 남서쪽으로 22마일 떨어진 제벨 알리에 지구상에서 가장 큰 항구를 만들었다. 1979년까지 제벨 알리항은 중동지역에서 가장 큰 항구였고, 몇몇 전문가들은 만리장성과 후버댐과 더불어 우주에서 볼 수 있는 인공 건축물 중 하나로 꼽았다. 제벨 알리항은 현재 홍콩과 싱가포르 다음으로 중요한 재수출 항구이다.

라시드의 이러한 자유로운 무역관은 두바이의 경제적인 원천이 결국은 다 말라버리고 말 것이라는 현실에 기반한 것이었다. 사우디아라비아에 비해서는 말할 것도 없고, 이웃하는 아부다비의 0.5퍼센트 밖에 되지 않는 석유와 가스 매장량은 2010년경이면 다 고갈될 수도 있다. 세이크 라시드가 한 그 유명한 말처럼 말이다. "내 조부님은 낙타를 탔고, 내 아버지도 낙타를 탔고, 나는 벤츠를, 내 아들은 랜드로버를 타고 있고, 내 손자도 랜드로버를 타겠지만, 내 증손자는 다시 낙타를 타게 될 것이다."

세계 최고의 항구를 만드는 것에 더해, 세이크 라시드는 중동에서 처음으로 자유무역지대를 만들어 외국인들이 자신들의 자산이나 이익금을 100퍼센트 본국으로 송환할 수 있도록 하고 외국인 소유의 자산과 사업을 100퍼센트 보장해주겠다고 했다. 이것은 모든 사업과 기업을 지역 국가가 대부분 소유하고 있는 아랍에미리트와 대부분의 아랍 국가들의 조건과는 사뭇 다른 것이었다.

세이크 모하메드가 이끄는 황실의 다음 세대는 자유무역지대를 더욱 확대하여 어떤 특정한 산업 부문만을 위한 산업 지구를 만들었다. 그 첫 번째가

컨설팅 회사인 아더 엔더슨(Arthur Anderson)과 맥킨지(Mckinsey)의 도움으로 설계된 두바이 인터넷 시티(DIC)였다.

DIC는 총 18억의 인구와 1조 6,000억 달러의 GDP를 갖는 중동과 인도, 아프리카, 그리고 구소련에서 사업을 하는 기술기업들을 위한 이상적인 기반을 제공했다. 곧바로 180개의 회사들—마이크로소프트, 오라클, HP, IBM, 컴팩, 델, 지멘스, 캐논, 로지카, 소니-에릭슨 등—이 입주자로 계약했다.

DIC는 놀랄만한 성공을 거두었다고 볼 수도 있다. 2006년까지 세계 500대 기업의 4분의 1 정도가 두바이에서 사업을 했다. 두바이는 이러한 성공 스토리를 계속 써나가도록 두바이 건강관리 도시, 두바이 생명공학 연구 도시, 두바이 산업 도시, 두바이 지식 지구, 두바이 영화 산업 도시, 두바이 미디어 도시(로이터, CNN, 소니 바텔만, CNBC, MBC, 아랍 라디오, 그리고 다른 주요 언론사들이 입주했다)를 만들었다.

DIC의 마케팅 담당 책임자인 와디 아흐메드(Wadi Ahmed)는 아랍계 영국인인데, 그는 "우리는 마이클 포터 교수의 클러스터 이론을 실제로 구현했습니다. 만약 같은 분야의 기업들을 한곳에 모으면 기회가 만들어집니다. 이것은 실제 일상의 네크워크입니다. 이것은 디지털 집적회로의 설계자를 소프트웨어 개발업자들과 함께 있도록 합니다. 우리의 클러스터는 각자 2킬로미터 이내에서 일하고 있는 총 600개의 기업을 가지고 있습니다. 실리콘 밸리도 어느 정도 비슷하지만 그것은 하나의 지역이지 잘 관리가 되는 독립체가 아니지요."라고 설명했다.

두바이가 처음에는 놀랄만한 성장을 이루었고 그 자체가 아주 짧은 시간 안에 주요한 상업적 중심으로 변모한 것은 사실이다. 그러나 수많은 이스라엘의 창업 기업들과 두바이에 있는 기업 간에는 아무런 비교 가능성이 없다. 또 새로운 발명이나 특허를 제쳐놓고라도, 이스라엘과 비교하여 창업 투자금의 규모에 있어 두바이가 더 매력적인 이유가 별로 없다. 과연 무엇이 이스라엘과 두바이의 이런 차이를 만들었을까?

예를 들어, 두바이의 DIC에서 진행되고 있는 것들을 조금만 더 자세히 살펴보면 그에 대한 답이 보이기 시작한다. DIC에는 연구개발이나 새로운 혁신을 바탕으로 하는 기업을 찾아보기가 힘들다. 두바이는 혁신적인 세계적 기업에 문을 열어주었고 그런 많은 기업들이 참여했다. 그러나 그런 기업들은 다른 곳에서 만든 혁신적 발명을 어떤 특정 지역이나 시장에 퍼뜨리기 위해 온 것이다. 차라리 두바이는 거대하고 성공적인 서비스 중심지를 만든 것이다. 그러므로 두바이의 경제 기적을 이루기 위해 세이크 모하메드가 알 거위를 손수 발탁했을 때 그의 임무는 이러한 거대한, 그러나 굳이 기술 혁신을 만들어낼 필요가 없는 벤처 사업을 키우고 관리하는 것이었다.

이스라엘에서 이야기는 완전히 달라진다. 마르갈리트는 수많은 기업가 중의 하나이고, 그 누구도 그를 발탁하지 않았다. 다만 그가 스스로를 발탁한 것이다. 그의 모든 성공은 기술 혁신적인 기업을 만들고 끊임없이 새로운 상품과 시장을 찾고 있는 국제적인 기업과 기술 생태계를 연계시켜서 얻어낸 것이다. 이러한 과정을 용이하게 하는 경제 기반 시설은 이스라엘이 두바이에 비해 열악할지 모르지만 기술 혁신을 배양하는 문화적, 환경적 기반은 훨씬 더 탄탄하다는 것을 보여주었다.

기업 활동을 하기 위한 비용을 낮춰주는 것으로 새로운 참여자를 끌어 모으는 것이 클러스터를 만드는 데 충분할 수도 있지만, 지속성장을 유지하게 끔 할 수는 없다. 만약 비용만이 클러스터의 유일한 경쟁력이라면, 다른 어떤 나라도 더욱 싼 비용을 제공하며 클러스터를 만들어 낼 수 있을 것이다. 다른 질적인 요소들, 예를 들어 구성원들이 클러스터 내에서 생활하고, 일하고, 가족을 부양할 수 있도록 해주는 밀접하게 연관된 공동체가 바로 성장을 유지하도록 해주는 것들이다. 중요한 점은 사업상의 경쟁의식을 뛰어넘어 클러스트 구성원들 상호간에 공유하는 책임의식과 운명공동체 의식은 인위적으로 만들어내기 어렵다는 것이다.

이러한 면에서 두바이 문제의 뿌리는 깊다. 유럽과 페르시아 만의 사업가(혹은 투기꾼들), 혹은 남아시아와 아랍의 임시 노동자들은 단지 돈을 벌기 위해 그곳에 가 있는 것이다. 그뿐이다. 일단 그들은 돈을 벌면 다시 본국으로 돌아가거나 다른 돈 벌 곳으로 옮겨간다. 그들은 단지 두바이와 거래 관계를 가지고 있는 것이지, 밀접하게 상호 연결된 공동체의 일원도 아니고 공동으로 뿌리를 내리거나 새로운 무언가를 만드는 것도 아니다. 그들의 지위와 성취는 그들의 모국에 있는 공동체들과 비교하여 평가를 하지 두바이에 있는 공동체들과 하는 것이 아니다. 그들의 감정적인 뿌리는 다른 곳에 있는 것이다. 이것은 완전하게 기능하는 클러스터에 가장 근본적인 걸림돌이자 고속성장의 기업적 경제를 배양하는 데 방해가 되는 장애물이다.

"만약 이스라엘에 인터넷 거품이 있다면, 요씨 바르디가 바로 그 거품이다." 구글의 공동 창업자인 세르게이 브린이 2000년 초 전 세계를 강타한 기술시장 붕괴의 잿더미 속에서도 이스라엘의 인터넷 부문 재건을 도와준 바르디의 역할에 대해 언급한 것이다. 바르디의 이름은 이스라엘 인터넷 창업 회사들의 세상과 동의어가 되었다. 그의 아들 아리크 바르디(Arik Vardi)와 세 명의 친구들은 자신들이 이십대 초반에 세운 인터넷 채팅 프로그램 ICQ로 잘 알려져 있다. 웨슬리 그룹의 아이작 애플바움은 한때 세계에서 가장 많이 사용되던 채팅 프로그램인 ICQ가 네스케이프·구글·애플·마이크로소프트·인텔과 더불어 기술 혁신을 가져온 몇 안 되는 회사 중 하나라고 평가했다.

ICQ― 'I seek you'와 발음이 비슷하다―는 1996년 11월에 바르디의 투자 자금을 가지고 첫 선을 보였다. 이것은 윈도우 사용자들이 서로 간에 실시간으로 이야기할 수 있는 최초의 채팅 프로그램이었다. 아메리카온라인(AOL)이 비슷한 시기에 '인스턴트 메신저(AIM)'로 이름 붙여진 자체 채팅 프로그램을 만들었지만, 이 프로그램은 AOL 가입자들만이 사용할 수 있었다.

이 이스라엘의 프로그램은 AOL 것보다 훨씬 빨리 보급되었다. ICQ가 첫 선을 보이고 반년만인 1997년 6월까지 불과 22퍼센트의 미국 가정에 인터넷이 보급되었는데, ICQ는 100만 명이 넘는 사용자를 확보했다. 6개월 만에 사용자 수는 500만 명으로 늘었고, 다시 10개월 후에는 2,000만 명이 되었다. 1999년 말까지 ICQ는 5,000만 명의 등록된 사용자를 확보하여 세계에서 가장 큰 인터넷 서비스회사가 되었다. ICQ는 2억 3,000만 번의 내려받기(다운로드)로 CNET.com 역사에서 가장 내려받기가 많은 프로그램이 됐다.

ICQ가 1,200만 명의 사용자를 확보했던 1998년 중반 즈음 AOL은 그 당시 이스라엘 기술 관련 회사들 중 가장 많은 4억 700만 달러를 주고 이 신생 기술회사를 매입했다. 그들은 현명하게도 주식이 아닌 현금을 받고 이 회사를 넘겼다. 이스라엘은 그때까지 첨단기술 분야에서 잘 하고 있었지만, ICQ

의 성공은 국가적인 사건이 되었고, 많은 이스라엘 사람들이 기업가의 길로 들어서도록 촉진했다. 결국 창업자들은 20대의 젊은 히피족들이었다. 모든 형태의 성공에 대해 보통의 이스라엘 사람들이 보이는 반응은 "저들이 했다면, 나도 할 수 있어."였다. 더구나 이 성공적인 매각은 세계 기술올림픽에서 금메달을 딴 것과 같은 국가적인 자긍심의 원천이 됐다. 한 지방신문은 이스라엘이 인터넷 최강국이 되었다고 보도했다.

바르디는 성공할 것이라고 믿기 때문에 인터넷 창업 회사들에 투자한다. 그러나 다른 대부분의 사람들이 전통적인 이스라엘의 관심 분야인 통신과 보안, 혹은 새롭게 뜨는 분야인 공해 없는 에너지나 생명공학에 관심을 가지고 있을 때에도 인터넷에 대한 그의 끈질긴 관심은 단지 수익에 대한 기대 때문은 아니다. 이스라엘은 그의 클러스터이고 그는 자신의 위치를 이 공동체(그가 성공시키길 원하는 공동체)에서 하나의 '내부자'로 여기고 있다. 그리고 그러한 책임과 더불어, 불황 속에서도 꿋꿋이 이 클러스터를 지속시키는 것이 자신의 역할임을 잘 알고 있다. 개인뿐 아니라 국가적 목적에 투자하는 것은 "이익이 되는 애국"이라고 표현할 수 있는데 이런 그의 생각이 최근 새롭게 주목을 받고 있다.

백 년도 전, 뛰어난 은행가였던 J.P. 모건(J. P. Morgan)은 1907년의 대공황 동안 거의 혼자 힘으로 미국 경제를 안정화시켰다. 당시는 연방준비은행이 없었고, "모건은 자신의 돈뿐 아니라 전체 금융계를 이끌고 대공황으로부터 미국을 구하는 데 앞장섰다."고 산업 역사학자이며 전기학자인 론 처노(Ron Chernow)는 설명한다. 2008년 금융위기가 닥쳤을 때는 워런 버핏이 비슷한 역할을 했다. 그는 겨우 2주일 만에 80억 달러를 골드만 삭스와 GE에 투자했다. 금융위기가 깊어갈수록 대규모 투자를 단행했던 워런 버핏의 결정은, 미국에서 가장 존경받는 투자가인 그가 더 이상 주가가 떨어지는 것을 기다리지 않으며 경제가 붕괴까지 가지 않을 것이라는 확신을 금융시장에 주었다.

바르디의 개입 중재 노력이 물론 양적인 면에서 버핏의 경우에 미치지는 못하지만, 그는 인터넷 부문에 대한 관심을 계속 부각시키는 앞선 역할을 수행함으로써 이스라엘의 창업 회사들에게 영향을 주었다. 그의 존재와 포기하지 않는 인내는 모든 사람들이 떠나버린 인터넷 부문을 다시금 부각시키는 데 도움이 되고 있다.

IT 블로그 미디어로 유명한 테크크런치(TechCrunch)는 2008년 컨퍼런스에서 전 세계에서 가장 유망한 51개의 창업 기업을 선별했는데, 그중 7개의 회사가 이스라엘 기업이었고, 대다수가 요씨 바르디로부터 투자를 받은 회사들이었다. 테크크런치를 설립한 마이클 애링턴(Michael Arrington)은 바르디의 열렬한 지지자로서 "이스라엘은 텔아비브에 바르디 동상을 세워야 한다."고까지 말한다.

베스트셀러인 《성공하는 기업들의 8가지 습관(Built to Last)》에서 저자 짐 콜린스(Jim Collins)는 사업에서의 성공을 이끄는 여러 가지 요소를 밝혔는데, 이 모든 요소들은 공통적으로 하나의 특징을 가지고 있다. 하나 또는 두 개의 문장으로 명확하게 표현할 수 있는 '핵심적인 비즈니스 목표'가 바로 그것이다. 콜린스는 "핵심이 되는 목표란 그 조직이 존재하는 근본적인 이유를 말한다. 이것은 단지 돈을 버는 것 이외에 회사 일에 매달리게 하는 중요한 것을 반영한다."라고 말한다. 그는 15개의 핵심이 되는 목표의 예를 들었다. 그 모두는 회사들—월마트, 맥킨지, 디즈니, 소니를 포함하여—의 것이었지만 예외가 이스라엘이라는 국가였다. 콜린스는 이스라엘의 '핵심이 되는 목표'를 다음과 같이 표현한다. "지구상의 유대인들에게 안전한 장소를 제공하는 것." 이스라엘 경제를 살리고 그 클러스터에 참여하고, 그것을 세상에서 가장 광범위한 지역들로 확산하는 것이야말로 이스라엘의 '유익한 애국자'에게 동기를 주는 것들이다. 이스라엘의 기술 붐이 있기 전에 역사학자 바바라 터크만(Barbara Tuchman)이 관찰한 것처럼, "많은 문제를 가지고 있지만, 이스라엘은 하나의 위대한 장점이 있다. 목표에 대한 감각이다. 이스라엘 사람들이 풍요롭다거나 조용한 삶을 가졌다고는 할 수 없을지도 모른다. 그러나 그들은 풍요를 누림으로 인해 희미해지기 쉬운 '동기(목표)'라는 것을 가지고 있다."

동기의 부재는 걸프만협력회의(GCC)를 구성하는 아랍에미리트·사우디아라비아·바레인·쿠웨이트·카타르와 오맨 같은 나라에서는 큰 문제이다. 아랍에미리트의 연합국 중 하나인 두바이의 경우, 다른 나라로부터 온 대부분의 기업가들은 이득을 위해 와 있는 것이다. 그것도 매우 중요하기는 하지만, 그들은 두바이의 공동체 구조를 만드는 것에 아무런 동기 부여를 받지 못한다. 마이클 포터의 클러스터 이론에서 보는 것처럼, 수익성 위주의 동기 부여는 나라의 경제를 곤란에 빠뜨릴 것이다. 2000년 말 이후 두바이에서 볼 수 있듯이, 경제적으로 어려워질 때나 혹은 안전이 위험해지면 집과 공동체 그리고 국가를 건설하는데 공헌하지 않은 사람들이 제일 먼저 피해 달아난다.

다른 GCC 경제에서의 문제점은 사뭇 다르다. 아라비아반도 곳곳을 여행하면서 우리는 사우디아라비아 국적의 사람들이 (나이가 많거나 혹은 어리거나) 그들 경제와 사회 간접 자본의 현대화에 얼마나 자긍심을 갖는지를 직접 목격했다. 많은 사우디 사람들은 수백 년에 걸쳐 하나의 종족과 혈통을 가지고 있으며, 전 세계적으로 인정받는 선진경제의 건설은 종족과 국가적 자긍심의 문제이다. 그러나 이러한 모든 GCC 경제는 공통적으로 앞으로 진전하기 위한 어떤 잠재력도 억눌러 없앨 수 있는 난제에 직면해 있다.

아랍 세계의 많은 경제 정치 지도자들은 고도성장의 기업 경제를 장려하는 쪽에 많은 관심을 기울이고 있고, 몇몇 나라는 은밀하게 이스라엘을 모델로 연구하고 있다. "어떤 방법으로 다음 10년 안에 8,000만 개의 직업을 창출해 낼 수 있을까?" 요르단의 성공한 기업가인 리아드 알-알라위(Riad al-Allawi)가 우리에게 물었다. 8,000만이라는 숫자는 아랍의 수도들을 여행하면서 전문가로부터 꾸준히 듣던 숫자이다.

북부 아프리카(이집트·알제리·모로코·튀니지), 중동 지역(레바논·시리아·팔레스타인·이라크·요르단), 페르시아 걸프만(사우디아라비아·아랍에미리트·카타르·바레인·쿠웨이트·오만)으로 구성된 아랍 경제권은 대략 2억 2,500만 명의 인구로 전 세계 인구의 3퍼센트를 약간 넘는다. 아랍 경제권의 2007년도 총 국내총생산(GDP)은 1조 3,000억 원으로 중국 경제의 5분의 2쯤 되는 규모이다. 그러나 부의 분배는 아주 다르다. 인구는 적지만 석유가 넘쳐나는 카타르(약 1백만 명 되는 인구에 1인당 국민 소득은 7만 3,100달러)와 거대한 인구를 가졌지만 석유 매장량이 얼마 되지 않는 이집트(7,700만 명의 인구에 1인당 국민 소득은 1,700달러)와 같은 나라도 있다. 아랍권에서 하나의 통일되고 일반화된 개발전략을 갖는 것은 그들 나라의 크기와 구조, 그리고 천연 자원의 보유 정도가 너무나도 다르기 때문에 위험천만한 발상이다.

그러나 이런 모든 차이점에도 불구하고, 아랍 이슬람 국가들이 공통적으로 가지고 있는 경제적 어려움은 바로 인구학적 시한폭탄이다. 대략 70퍼센트의 인구가 25살 이하로 구성되어 있다. 이런 젊은이들 모두를 고용하기 위해서는 2020년까지 약 8,000만 개의 새로운 일자리를 창출해 내야 하는 것이다. 이러한 목표는 1990년대 경기 활성화 시기 미국의 고용 성장률의 두 배에 달하는 수치이다. "공공 분야는 이러한 고용을 창출하지 못할 것입니다. 거대한 기업들도 이러한 고용을 만들어 내지는 못할 것입니다. 이 지역의 안정과 미래는 우리의 젊은이들에게 어떻게 하면 나가서 기업을 일으킬 수 있는 것인지를 가르치는 것에 달려 있다고 봅니다." 성공한 요르단의 기업가인 아라멕스 최고경영자 파디 간도르(Fadi Ghandour)의 말이다.

기업가 정신은 아랍권의 경제에서 미미한 역할만 할 뿐이다. 경제가 내부에서 붕괴되기 전에도, 아랍에미리트의 성인 4퍼센트 내외만이 초기 단계의 기업이나 중소기업에서 일을 했다. 그렇다면 아랍이 '벤처의 천국'이 되는 것을 막는 요인은 과연 무엇일까? 이 물음에 대한 답변으로 석유, 제한된 정치적 자유, 여성의 지위, 그리고 교육의 질 등을 꼽을 수 있다.

이 지역 경제 활동의 대부분은 탄화수소의 생산과 가공에 의해 좌우된다. 석유와 관련된 부분을 제외하면 2억 5,000만의 인구를 가진 전체 아랍권의 수출 총액은 인구 500만 명도 채 되지 않는 핀란드의 수출액보다도 적다. 이 지역은 석유를 제외하고, 아랍에미리트 항공, 이집트의 오라스콤(Orascom) 통신, 요르단의 아라멕스(Aramex)와 같은 성공한 다국적 기업들이 있다. 가족소유의 용역사업체 뿐 아니라, 이집트와 같이 방직과 농업 또한 두드러져 보인다. 그러나 석유 산업은 이 지역 국민총생산에 훨씬 막대한 공헌을 하고 있다. 이 지역은 세계 석유의 약 3분의 1과 세계 가스의 약 15퍼센트를 생산하고 있다.

중국과 인도같이 더 많은 석유를 필요로 하는 나라들로 인해 석유에 대한 수요는 날로 커지고 있다. 1998년부터 인도와 중국의 총 석유 수요는 10년도 되기 전에 3분의 1만큼 증가했다. 이에서 볼 수 있듯이 석유 가격이 아무리 요동쳐도 수요는 전지구적인 변화를 겪고 있다.

그러나 아랍 세계의 풍요로운 석유경제는 고도성장의 기업가 정신을 방해하고 있다. 석유로 벌어들인 부를 대중에게 분배함으로써 페르시아 걸프만의 정부들은 정치적, 경제적 개혁에 대한 압력으로부터 벗어나고 있다. 석유를 통한 부는 독재(전제) 정부의 힘을 공고히 하고 있다. 왜냐하면 정부는 자국 국민들로부터 세금을 걷을 필요가 없고, 그러므로 국민들의 불만에 귀를 기울일 필요가 없기 때문이다. 이슬람 세계의 역사학자들이 서술한 것처럼, 아랍의 국가들은 "세금이 없으니 대표성도 없다."

고위 지배층이 위협으로 간주하는 개혁들(표현의 자유, 실험과 실패에 대한 관용, 기본적인 정부 경제 데이터의 접근)은 기업가와 창조적 발명가들이 번성할 수 있는 환경을 조성하는 데 꼭 필요한 것들이다. 경제 성장과 사회 발전에 도움이 되는 기업가 정신의 모든 요소들(이것은 신분이나 지위보다는 업적, 독창력, 그리고 결과에 따라 대가를 받는다)은 페르시아 걸프만 정부들이 철저히 억눌러 왔다. 이것이 바로 정치학자 사무엘 헌팅턴(Samuel Huntington)이 '군주의 진퇴양난(딜레마)'이라고 지적했던 것으로, 자유화는 군주의 권력을 약화시킬 수 있기 때문에 모든 현대의 군주들은 궁극적으로 경제의 현대화와 자유화의 제한 사이에서 균형을 찾고자 한다. 《두바이: 성공의 취약성(Dubai : The Vulnerability of success)》

이라는 책을 쓴 영국의 언론인 크리스 데이비드슨(Chris Davidson)은 이것을 '세이크의 딜레마'라고 불렀다.

레바논과 이라크는 예외가 되겠지만, 22개의 아랍권 국가들 어디에서도 진정으로 자유로운 선거를 치른 적이 없다. 2006년 아랍에미리트에서 시도된 자유선거가 낮은 투표율을 보인 이후로, 대다수의 정부에서는 "후보자들이 모두 아주 좋은 가문 출신이고 개개인들은 아랍에미리트의 군주로부터 인가를 받았는데도 불구하고 참여율이 낮은 점은 특히 유감스럽다."라고 논평했다.

페르시아 걸프만 아랍 국가 중 어느 나라도 정치적 구조는 전혀 손대지 않고 석유로 벌어들인 부를 사용하여 세이크의 딜레마를 극복하려고 했다. 1970년대의 석유 파동에서 벌어들인 수익은 지역 경제를 살리는 데 쓰인 것이 아니라 각종 필수품의 수입, 해외 투자, 군사 무기 구매 등에 사용됐다. 실제 지역 경제는 거의 혜택을 보지 못했다. 그러나 2002년 이후 수요 증가에 따라 석유값이 오르면서 얻은 6,500억 달러 이상의 돈이 오직 걸프만 경제에 재투자됐다.

두바이와 다수의 걸프 아랍 국가들이 시도했던 클러스터 전략과 함께, 아랍 경제권의 많은 수입은 부동산 개발로 집중됐다. 걸프만 지역 국가의 부동산 부문은 세계에서 가장 빠른 성장세를 보이고 있다. 2000년에서 2010년까지 약 2,000만 평방 야드의 새로운 오피스 면적(새 오피스 빌딩, 쇼핑몰, 호텔, 산업지구, 주거단지 개발 등)이 이 지역에 새로 생겨날 것이고, 그 대부분은 사우디아라비아와 아랍에미리트에 몰려 있다. 중국의 새로운 오피스 면적이 매년 약 15퍼센트씩 증가하는 것에 비해 이 두 나라에서는 매년 약 20퍼센트의 성장세를 보이고 있다.

그러나 세계의 다른 많은 지역에서와 같이 페르시아 걸프만 지역의 부동산 거품이 터졌다. 예를 들어 2009년 초에 두바이의 주거용과 상업용 부동산 가치는 30퍼센트 정도 떨어졌고, 향후에도 더 떨어질 것으로 예상되고 있다. 집 소유자들은 실제로 부동산 부채를 제때 갚지 못해 형사 처벌받는 것을 두려워하여 집을 포기하고 본국으로 떠나고 있다. 대형 건설 사업들은 죄다 취소되거나 중단됐다. 석유나 부동산 클러스터들은 고성장의 기업 경제나 혁신 경제를 만들어 낼 수 없다.

계속되는 인구학적 시한폭탄의 위협에 대응하기 위한 또 하나의 방편으로 걸프만의 석유 매장량이 풍부한 국가 정부들은 학술적 연구 클러스터를 만드는 것에 주력을 하고 있다. 모든 기술 클러스터는 아주 유명한 교육기관들의 집결체이다. 실리콘 밸리는 스탠포드 공과대학 졸업생인 윌리엄 휴렛(William Hewlett)과 데이비드 팩커드(David Packard)가 1939년 538달러를 가지고 휴렛-팩커드(HP)를 창업하면서 시작된 것으로 유명하다. 그들의 조언자는 전 스탠포드 대학의 교수였고, 그들은 팔로 알토 근처의 한 차고에 회사를 만들었다.

그러나 UN 아랍 지식인 승인위원회의 보고에 따르면 아랍 세계의 문화사회적 영역은 만성 저개발 상태이다. 2002년부터 2005년까지의 연구 성과를 보여주는 UN의 아랍 인권 개발 보고서는 모든 아랍 국가에서 아랍어로 번역되는 도서수가 그리스에서 그리스어로 번역되는 도서수의 5분의 1밖에 되지 않는다는 것을 밝혔다. 1980년에서 2000년까지 등록된 특허의 수는 사우디아라비아에서 171건, 이집트는 77건, 쿠웨이트는 52건, 아랍에미리트는 32건, 시리아 20건, 그리고 요르단은 15건으로, 이스라엘의 7,652건과 비교도 안된다. 아랍 세계는 전 세계적으로 가장 높은 문맹률을 가지고 있고 빈번히 인용되는 논문을 가진 연구 과학자의 숫자가 가장 낮은 것으로 나타나고 있다. 2003년 중국은 세계 최고의 대학 500개를 선정해서 발표했는데, 아랍권의 200개가 넘는 대학 중 어느 한 곳도 이 리스트에 오르지 못했다.

특허와 발명을 위해 필수 불가결한 연구개발을 위한 대학의 중요성을 인식하게 되면서, 사우디아라비아는 2만 명의 교수진과 스탭들 그리고 학생들의 연구가 중심이 되는 킹 압둘라 과학기술대학(KAUST)을 설립했다. KAUST는 사우디아라비아 최초로 남녀학생이 같은 강의실에서 수업을 듣는 대학이다. 카타르와 아랍에미리트는 서구의 유수 교육기관들과 제휴관계를 맺고 있다. 교육도시인 카타르는 코넬 의과대학, 카네기 멜론 대학의 컴퓨터학과 경영대학, 조지타운대학의 국제관계학, 그리고 노스웨스턴 대학의 저널리즘대학의 위성 캠퍼스를 설치했다. 아랍에미리트의 7개 연합국 중 하나인 아부다비는 뉴욕대학의 위성 캠퍼스를 설립했다. 아랍 국가들이 전 세계로부터 가장 혁신적이고 우수한 연구원들을 유치할 수 있다면, 이것은 지역사회의 혁신 문화를 자극하고 창출하는 데 도움이 될 것이라는 발상에서 나온 것들이다.

그러나 이러한 새로운 위성 캠퍼스는 큰 성공을 거두지는 못하고 있다. 그들은 외국의 학문적으로 우수한 인재들을 데리고 와서 확실하고 안정적으로 뿌리 내리게 하고 결국 아랍권에 오랫동안 있도록 하는 데 실패했다. "이것은 교육 두뇌들을 이주시키고 동화되게 하는 것이 아니라 아랍권으로 데리고 오는 것이었다." 크리스 데이비슨의 설명이었다. "이러한 대학들은 실제적인 혁신보다는 그저 국가의 이름을 알리는 데 더 주력하고 있다."

이스라엘의 경우는 확실히 다르다. 최고의 대학들은 이스라엘이 건국되기도 전에 설립됐다. 세계적으로 저명한 화학자로 아세톤을 만드는 획기적인 발명으로 생물공학의 새로운 장을 여는 데 기여한 하임 바이츠만(Chaim Weizmann)은 1918년 7월 24일 예루살렘의 히브리 대학의 개교 기념식에서 이 특이함에 대해 언급했다. "인구도 얼마 되지 않고, 이루어 놓은 것이 없어서 해야 할 일투성이며, 가장 기본이 되는 농업·도로·항만조차 제대로 갖추어지지 않는 상태에서 우리가 지적개발의 중심이 되는 교육기관을 먼저 만들기 시작한 것이 일견 역설적으로 보이기도 합니다."

히브리 대학의 첫 상임이사회에는 이스라엘 초대 대통령 바이츠만(Weizmann)과 알버트 아인슈타인(Albert Einstein), 지그문트 프로이트(Sigmund Freud), 그리고 마틴 부버(Martin Buber)가 포함돼 있었다. 테크니온 대학은 1925년에 설립되었고, 바이츠만과학연구소는 1934년에, 그리고 현재 이스라엘에서 가장 큰 대학인 텔아비브 대학은 1956년에 설립되었다. 그래서 1950년대 말까지 이스라엘의 인구는 200만 명 밖에 되지 않았지만 이스라엘은 이미 4개의 세계적인 대학을 가지고 있었다. 다른 주요 대학들—바르 일란 대학교, 하이파 대학교, 그리고 네게브에 있는 벤 구리온 대학교—은 각각 1955년, 1963년, 1969년에 설립됐다.

현재 이스라엘은 8개의 대학교와 27개의 단과 대학을 가지고 있다. 그중 4개의 대학교는 세계 최고 대학 150개 안에 들고 있고, 7개 대학교는 아시아 태평양 최고의 대학 100위 안에 들었다. 그 어느 대학도 외국의 위성 대학을 가지고 있지 않다. 또한 이스라엘의 연구기관들은 세계에서 처음으로 학문적인 발견들을 상품화하기도 했다.

1959년 바이츠만연구소는 예다(Yeda, 히브리말로 '지식'을 의미한다.)를 설립하여 연구 결과물을 시장성 있는 상품으로 만들었다. 예다는 이후 수천 건의 성공적인 의료과학기술 제품과 기업들을 배출했다. 2001년부터 2004년까지 바이츠만연구소는 특허권 사용료만으로 2억 달러 이상을 모았다. 2006년까지 예다는 세계 학문 연구기관 중 특허권 사용료를 가장 많이 받는 기관이었다.

예다가 만들어지고 수년 후에 히브리 대학은 자체의 기술 전수 회사인 이숨(Yissum, 히브리어로 '실행'을 의미한다.)을 설립했다. 이숨은 히브리 대학 기반의 연구기술 결과물을 판매하여 해마다 10억 달러를 벌어들이고 있고 5,500건의 특허와 1,600개의 신발명을 가지고 있다. 2007년도 신발명의 3분의 2는 생물공학과 관련된 것이었고, 10분의 1은 농업 기술에 관련된 것들이며, 나머지 10분의 1은 컴퓨터 과학과 공학 관련 제품들이었다. 그들이 개발한 기술들은 존슨 앤 존슨·IBM·인텔·네슬레·루슨트 테크놀로지스 외 많은 다국적 기업들에 팔렸다. 전체적으로 이숨은 최근 전 세계 생명공학 특허 등록 순위에서 미국 대학 10곳과 영국 대학 1곳 다음으로 12위를 차지했고, 텔아비브 대학교는 25위를 차지했다.

이민자들의 나라인 이스라엘은 경제를 성장시키기 위해 꾸준히 이민자들을 받아들이고 있다. 이스라엘이 현재 다른 나라에 비해 1인당 더 많은 기술자와 과학자를 보유하고 있고 더 많은 과학 논문을 출판하고 있는 것(만 명당 109편)은 많은 부분에 있어 이러한 이민자들 덕분이다. 유대 이민자들과 그들의 비유대인 가족들은 꾸준히 영주권, 시민권 및 면세 혜택을 받고 있다. 이스라엘은 일반적으로 매우 기업가적이고 IDF에서 볼 수 있듯이 서열 구조에 얽매이지 않는 사회이다.

그러나 걸프만 국가들은 아랍인이라 할지라도 이민자에 대해 3년간만 거주를 허용하고 있다. 이러한 국가에서 시민권을 따는 것은 결코 허용되지 않는다. 그러므로 전 세계에서 몰려든 연구원들은 시간이 경과되면 가족들을 다른 곳으로 이주시켜야 하고, 그 자신은 언론의 자유, 학문의 자유, 그리고 정부의 투명성이 제대로 보장되지 않는 국가의 연구기관에서 한시적인 거주 기간 동안만 일을 해야 한다. 여러 아랍 국가들이 5년에서 10년의 거주 비자를 고려하고 있지만, 그것을 실행하고 있는 정부는 아직 없다.

이와 같은 거주의 제한은 학문에 종사하는 사람들을 끌어들이는 데 또 다른 걸림돌이 되고 있다. 이러한 나라로 옮겨온 연구 전문가들은 금세 그들을 변방의 존재로 여기는 정부의 의지를 알아차린다. 예를 들어 국외로 추방된 사람과 결혼한 아랍에미리트 여인은 시민권을 포기해야 하고 그들의 아이들은 아랍에미리트의 여권을 발급받지 못하거나 정부로부터 복지 혜택을 받지 못한다.

걸프만 지역을 포함하는 아랍권의 어느 곳에서든 고성장의 기업 문화를 만드는 데 가장 걸림돌이 되는 것은 초등학교와 중등교육 그리고 심지어는 대학교육의 수업 모델이 무턱대고 기계적으로 암기하는 것에 치중한다는 것이다. 이집트 교육장관의 고문 역할을 하는 핫산 베알라와이(Hassan Bealaway)에 따르면 학습은 실험에 관한 것이라기보다는 체제, 규범, 그리고 국방에 관련된 것들이다. 이것은 나사의 아폴로 프로그램보다는 우주 왕복선 컬럼비아의 모델에 더 가까운 것이다.

이러한 획일성에 대한 강조는 결과보다는 투입된 인력을 가지고 성공을 가늠하는 교육 정책을 만들어 내고 있다. 예를 들어 맥킨지의 페르시아 걸프 만 사무소들이 수행한 연구에 따르면, 아랍 정부들은 학생들의 실력을 향상 시키고자 하는 바람에서 교사의 수나 교실, 컴퓨터와 같은 기반 시설 투자에 골몰하고 있다. 그러나 현 추세의 결과는 국제 수학 과학 연구에서 사우디의 학생들이 45개의 나라 중 43등 밖에 차지하지 못하는 것으로 나타나고 있 다. 사우디의 순위는 세계 최빈국 중 하나인 아프리카 보츠와나(42위)보다도 못한 것이다.

국제경제협력기구(OECD) 국가의 학생 대 교사 비율이 평균 17 대 1인데 반해 GCC의 비율은 12 대 1로 세계에서 가장 낮은 수준이지만, 이것이 썩 좋은 결과를 가져오는 것은 아니다. 유감스럽게도 학생 대 교사의 낮은 비율이 학생의 높은 수준을 보장하는 것도 아니고 오히려 그것이 교사의 질보다 훨씬 덜 중요하다는 것이 국제적으로 인정되는 사실이다. 그러나 대다수 아랍 국가들의 교육부는 교사의 성취나 업적을 평가하지 않는다. 교사의 숫자만을 고려하는 것은 특히 아랍권의 남학생들에게는 해로운 의미를 함축하고 있다. 많은 공교육 기관들은 성별을 분리하고 있다. 남학생은 남자 교사가, 그리고 여학생은 여자 교사가 가르친다. 교사라는 직업이 전통적으로 남자 들에게 별로 매력이 없기 때문에 남학생을 위한 교사가 늘 부족했다. 그래서 남학생 학교는 때로 자격이 되지 않는 사람들도 교사로 채용하고 있다. 사실 GCC에서 성별에 따른 학습 성취도의 차이는 세계에서 가장 극단적인 경우 의 하나이다.

마지막으로 고도성장의 기업 경제를 제한하는 가장 큰 요인 중 하나는 아마도 여성의 역할일 것이다. 《부자 나라, 가난한 나라(The Wealth and Poverty of Nations)》의 저자인 하버드 대학 데이비드 랜즈(David Landes) 교수는 경제 성장 가능성을 재는 가장 좋은 지표는 여성의 법적 권리와 지위에 있다고 주장하고 있다. "여성의 지위를 보장하지 않는 것은 그 나라의 노동력과 재능을 빼앗는 것이고 남학생과 남성들의 성취를 위한 동력을 해치는 것일 뿐이다."라고 그는 서술하고 있다. 지나친 특권의식으로 인한 우월감만큼 추진력이나 열망을 약화시키는 것은 없다고 랜즈는 믿고 있다. 모든 사회에는 중추가 되는 정예의 엘리트가 있고, 그들 다수는 상위 계층의 신분으로 태어난다. 그러나 스스로 우월하다는 마음속 의식만큼 위험한 것은 없다. 그러한 생각이 그들의 배우고 일하려는 동기를 없애는 것이라고 강조하고 있다. 이러한 종류의 왜곡은 원천적으로 경쟁이 없는 경제를 만들고, 이것은 아랍권에서 여성이 하대받는 이유이기도 하다.

이스라엘의 경제와 아랍권 국가들의 경제는 마이클 포터 교수가 제기한 클러스터의 경제적 이론을 근간으로 했을 때 어떤 나라가 더 창조적 혁신을 만들어 내는지 알아보기 위한 살아 있는 연구실들이다. 이 두 경우의 차이는 아주 단순화된 클러스터에 대한 견해(학교들을 한데 모아서 기계적으로 결합시키면 실리콘 밸리가 턱 하니 생겨날 것이라는)는 결점투성이라는 것을 보여주고 있다. 더 중요한 것은 터크만이 강조한 동기부여가 기업가들이 위험을 무릅쓰고 기업을 세우도록 격려하는 가장 확실한 접착제 역할을 한다는 것이다.

우리는 이 기계를 앞으로 구동시키기 위해
아주 적은 개수의 실린더만을 사용하고 있다.

– 단 벤–다비드

14장
경제기적의 뒤안길에 도사리는 위협 요인들

이스라엘의 경제는 여전히 유아기에 있다. 오늘날 꽤 자리가 잡힌 것처럼 보이는 창업 경제도 시작된 지는 인터넷 경제와 더불어 한 10년쯤 됐다. 이스라엘의 기술 붐이 일어난 것은 세계적인 정보공학의 급부상뿐 아니라 미국의 기술거품의 경제, 요즈마 프로그램을 통한 이스라엘 창업 투자 산업의 시작, 구소련 이민자들의 대량 유입, 그리고 평화와 안정의 기대를 가져온 1993년 오슬로 평화협정이 일어난 때와 거의 같은 시기이다. 만약 이스라엘의 경제기적이 이러한 사건들이 동시에 일어난 지극히 예외적인 환경 위에서 만들어진 것이고, 이 환경이 악화되면서 사라진다면 어떻게 될까? 이스라엘의 새로운 경제가 생각지도 않던 우연한 일의 결과로 얻어진 것이 아니라면 장기적인 경제 성공의 위협 요인으로는 무엇이 있을까?

'1990년대 말에 있었던 이스라엘 기술 붐을 일으킨 긍정적인 요인들이 사라져 버린다면 어떻게 될까?' 하고 생각해 볼 필요는 없다. 왜냐하면 실제로 그런 일이 일어났기 때문이다.

2000년에 기술거품이 붕괴됐다. 2001년 오슬로 평화협정은 헌신짝처럼 버려졌고 이스라엘의 여러 도시에서 연속적으로 발생했던 자살폭탄 테러로 관광 산업이 전멸하고 경제가 침체됐다. 그리고 이스라엘 유대인 인구의 약 5분의 1을 차지했던 구소련 이민자들의 유입은 1990년 말에 와서는 거의 끝나가고 있었다.

이러한 부정적인 전개는 단지 얼마 전에 있었던 긍정적인 전개만큼이나 빠르고 동시다발로 일제히 발생했다. 그러나 이 같은 변화가 5년 정도 밖에 되지 않은 붐의 종말을 곧바로 가져오지는 않았다. 1996년부터 2000년까지 이스라엘 기술 수출은 55억 달러에서 130억 달러로 두 배가 넘게 신장했다. 기술거품이 터졌을 때 수출은 약간 주춤하여 2002년과 2003년에 110억 달러 남짓 되었지만, 이내 회복되어 2008년에는 거의 181억 달러로 뛰어올랐다. 다시 말해 이스라엘의 기술 엔진은 2000년에서 2004년까지 발생했던 수많은 집중타격에도 거의 침체되지 않았고, 회복 정도가 아니라 2000년 붐이 한창일 때의 수출보다 오히려 40퍼센트 넘게 신장했다(2008년).

비슷한 양상을 창업투자 자금에서도 볼 수 있다. 2000년 창업투자 거품이 터졌을 때 이스라엘의 투자는 급격하게 감소했다. 그러나 전 세계적으로 이스라엘의 창업투자 자금 시장의 영향력은 다음 3년 동안 15퍼센트에서 30퍼센트로 증가했는데, 이것은 이스라엘의 경제가 점증하는 중 달성된 것이다.

그러나 이스라엘이 현재의 세계 경제 침체에서도 잘 되어가는 것은 아닌 듯하다. 사실 2000년의 경기 침체와는 달리 현재의 경제 침체는 국제 기술주와 창업투자 자금에 국한된 것이 아니라 국제 금융 시스템 전반에 걸친 요인이기 때문이다.

국제 금융계의 붕괴는 거의 모든 나라의 금융 제도를 위기에 몰아넣었지만, 놀랄만한 예외도 있다. 바로 캐나다와 이스라엘이다. 이 두 나라에서는 은행이 단 한 곳도 문을 닫지 않았다. 1980년대 초에 있었던 이스라엘의 초인플레이션과 금융위기 이후로 (1985년에 극에 달하여 이스라엘과 미국, IMF 삼자간의 조정과 개입이 있었던) 엄격한 규정들이 생겨났다. 이스라엘의 금융기관들은 대개 차입자본 대비 5 대 1 정도의 아주 보수적인 대출정책을 고수하고 있다. 반면에 금융위기 전의 미국의 은행들은 대략 26 대 1, 그리고 몇몇 유럽의 은행들은 심하면 61 대 1의 차입자본 비율로 대출이 이루어지고 있었다. 이스라엘에는 비우량 담보 대출(서브프라임 모기지)이 없었고, 재담보 대출(세컨드 모기지) 시장도 생겨나지 않았다. 금융위기 전에 있었다 하더라도 이스라엘의 소기업들은 사람들을 기술 분야로 더욱 이끌었는데, 이것은 세금과 규정이 더욱 완화되어 있고 풍부한 창업투자 자금이 있었기 때문이다.

이스라엘의 경제 분석가인 에이탄 아브리엘(Eytan Avriel)은 "이스라엘 은행들은 말이 끄는 마차이고, 미국 은행들은 경주용 자동차들이다. 그러나 그러한 경주용 차들이 크게 부서진 반면, 마차는 매우 천천히 움직이고 그래서 여전히 안전하게 길 위에 있는 것이다."라고 분석했다.

이것은 이스라엘에게는 좋은 소식이다. 그러나 이스라엘의 경제가 비우량 대출이나 복잡한 신용 상품들에 노출되어 있지는 않았지만, 곧 공급 부족이 될 수도 있는 창업투자 금융에는 지나치게 많이 노출되어 있는지도 모른다. 창업투자 회사들은 대개 많은 부분의 기금을 연기금, 기부금, 그리고 왕실 자산 펀드와 같은 국제 투자자들에게 받는다. 이런 투자자들은 전체 투자의

3~5퍼센트 정도를 창업투자 자본, 사모펀드, 헤지펀드와 같은 대체투자에 별도로 사용한다. 그러나 그들의 공공 지분(주식 시장) 할당의 달러 가치는 크게 보면 전 세계적인 주식시장의 붕괴로 인해 줄어들면서, 대체투자를 위해 사용 가능한 절대적인 달러의 양 또한 줄어들었다. 즉 창업투자 금융을 위해 사용가능한 자금이 줄면서 전체적인 총액도 줄어들었다.

창업투자 자금의 공급 부족은 이스라엘의 경제에 있어 '혁신 금융'의 감소를 의미하게 되었다. 이스라엘의 기술 분야에 종사하는 수천 명의 노동자들은 이미 일자리를 잃었고, 많은 기술회사들이 해고를 줄이기 위해 일하는 시간을 일주일에 4일로 줄였다. 새로운 금융을 조달하지 못하면, 이스라엘의 수많은 창업 회사들은 문을 닫아야 할지도 모른다.

국제 투자 자금에 대한 지나친 의존도에 더하여, 이스라엘 회사들은 너무 지나치게 수출 시장에 의존하고 있다. 이스라엘 GDP의 반 이상이 유럽, 미국, 아시아 수출로부터 나오고 있다. 따라서 그런 나라들의 경제가 침체되거나 붕괴되면, 이스라엘의 창업 회사들은 점점 더 고객을 잃게 된다. 아랍의 보이콧으로 인해 이스라엘은 대부분의 중동지역 시장에 수출을 하고 있지 않다. 더구나 국내 시장은 너무 작아서 해외 시장을 대신할 수가 없다.

과거 기븐 이미징의 나스닥 기업공개나 페이팔의 프로드 사이언시스의 매입과 같은 것들은 이미 흘러간 노래가 되어가고 있다. 이스라엘 기업들의 협상의 여지가 점점 더 줄어들고 있다. 국제적 금융위기는 몇몇 기업공개 및 회사매각과 맞물려 있을지도 모른다.

그리고 계속적으로 악화되고 있는 중동지역의 안보 상황은 이스라엘의 경제적 성공을 위협하는 또 다른 요인이 되고 있다. 2006년, 그리고 2008년부터 2009년 사이에 이스라엘은 이란의 사주를 받은 두 그룹과 전쟁을 벌였다. 이러한 국지전이 이스라엘 경제에 미치는 영향은 미미했고, 크고 작은 안보 위협에도 불구하고 이스라엘 기업들은 고객이나 투자자들과의 약속을 잘 유지했지만, 다음번 이란의 위협은 이스라엘이 이전에 겪었던 어떤 위협과도 다를 수 있다.

국제 규제기구와 보도 매체들이 폭넓게 보도하고 있는 것처럼 이란은 핵무기 처리 능력을 원하고 있다. 만약 이란 정부가 핵무기화 프로그램을 실행한다면, 이것은 아랍권에 핵무기 개발 경쟁을 부추기게 될 것이다. 이것은 이 지역에서 외국 투자를 동결시킬 수 있다.

대부분의 국제적 관심이 이란의 핵미사일이 이스라엘을 타격하는 잠재적인 위협에 쏠려 있는 가운데 이스라엘의 지도자들은 설령 그것이 사용되지 않더라도 이란의 핵무기 개발이 초래할 영향력에 대해 경고하고 있다. 이스라엘 총리 벤자민 네타냐후는 "이란의 첫 번째 목표는 이스라엘의 재능있는 사람들이 이스라엘을 떠나도록 겁을 주는 데 있다."라고 말했다.

분명 이란의 핵 위협이 어떻게든지 해결되지 않으면 이스라엘의 경제는 그 영향을 받을 수밖에 없을 것이다. 그러나 이제까지 그러한 위협의 존재나 가능성이 외국 기업들이나 창업투자 자금의 이스라엘 투자를 막지는 못하고 있다.

실제로 그것이 이스라엘 경제에 위협으로 대두될 때, 이스라엘 내부에서는 핵문제의 파괴력보다는 그로 인해 파생되는 국내 문제가 더 중요하다고 결론지었다. 아마도 이스라엘은 예전부터 경제에 영향을 미치는 안보 위협에 대해 면역이 되어 있기 때문인지도 모르고, 혹은 핵 위협에 대한 전망이

고심하기에는 너무 치명적일지도 모르기 때문에, 텔아비브 대학의 경제학자 단 벤-다비드(Dan Ben-David)는 새로운 위협에 초점을 맞추고 있다. 바로 이스라엘 대학에서의 '두뇌 유출'이다.

이스라엘이 국제 학계에서 앞서나가는 것은 분명한 일이다. 〈사이언스〉지에서 주도한 2008년 국제조사에서는 이스라엘의 두 대학교, 바이츠만연구소와 예루살렘의 히브리 대학을 '미국을 제외한 최고의 연구 대학교'로 선정했다.

경제학자 단 벤-다비드는 두 프랑스 학교가 실시한 연구 결과를 지적했는데, 1971년부터 2000년까지의 세계 최고의 경제 학회지에 실린 논문에 의거하여 미국 이외의 나라별 순위를 매겼다. 런던정경대, 옥스포드, 그리고 캠브리지 대학을 포함하는 영국이 두 번째 순위에 나타났다. 독일은 영국이 가진 교수 당 논문 수에서 약 반 정도를 보였다. 그리고 이스라엘이 최고의 자리를 차지했다. "5퍼센트나 10퍼센트가 아니고, 7배가 넘는 압도적인 우위였습니다." 벤-다비드가 의기양양하게 말했다. "그리고 이스라엘 경제학자들과 마찬가지로 우리의 전산학자들은 그 분야에서 훨씬 더 우수합니다. 우리는 최근 경제학 분야에서 두 개의 노벨상을 받았고 화학 분야에서도 상을 받았습니다."

그러나 이런 모든 성공에도 불구하고, 벤-다비드는 염려를 가지고 있다. "이스라엘 학계의 지도적 위치도 최근에 와서는 약해지고 있습니다. 그리고 노교수들이 퇴임하고 많은 떠오르는 젊은 학자들이 외국으로 옮겨가게 되면서 우리의 지위는 더욱 떨어질 겁니다." 벤-다비드는 그의 전공분야인 경제학에서 1990년부터 2000년까지 논문의 인용 횟수를 가지고 1,000명의 국제

경제학자들에 대한 순위를 매긴 한 연구보고를 지적했는데, 25명이 이스라엘 출신이었고, 그중 13명은 실제로 이스라엘에서 연구를 하고 있다. 그 연구 결과가 출판된 이후에는 그중 4명만이 이스라엘에 남아 있다. 그리고 2000년에 해외에서 일하는 12명의 이스라엘 학자 중 어느 누구도 이스라엘로 돌아오지 않았다. 전체적으로 3,000명의 종신 재직 이스라엘 교수들이 외국의 대학으로 옮겨간 것으로 추정되고 있다.

벤-다비드는 이스라엘에 남아 있는 4명의 최고 경제학자 중 하나이다. 그리고 그는 이스라엘의 지속적인 경제 성장에 경종을 울리고 있다. 2005년부터 2008년까지 이스라엘은 선진국들에 비해 실질적으로 빠른 성장세를 보였다. 그러나 지난 몇 년 동안 경제 침체기가 있었고, "우리가 이루었던 모든 것이 장기적인 관점에서 보면 다시 궤도 위로 돌아온 것입니다. 우리는 한번도 와보지 않은 미지의 영역에 있는 것이 아닙니다. 경제 침체기 전의 우리가 있어야 할 그곳에 있는 것입니다."라고 벤-다비드는 주장한다.

벤-다비드에 따르면 문제는 기술 분야가 두각을 나타내고 더 생산성을 높여가게 된 반면, 다른 경제 분야가 그것에 미치지 못했다는 것이다. "이것은 마치 엔진과 같습니다. 엔진에 모든 실린더가 있습니다. 나라에는 온 국민이 있습니다. 그러나 이 기계를 구동시키기 위해 수많은 실린더 중 단지 몇 개의 실린더만을 사용하고 있습니다. 본질적으로 기술 분야가 나라 전체를 먹여 살리고 있습니다. 이것은 현대경제 관점에서 본다면 비효율적이며 잘못 관리하고 있는 것입니다."

이러한 비효율화는 이스라엘의 지속적인 경제 성장에 가장 큰 위협을 야기하고 있다. 바로 경제에 있어 낮은 참여율이다. 절반이 약간 넘는 이스라엘 인력만이 경제에 도움이 되고 있는데, 이는 미국의 65퍼센트에 못 미치는 것이다. 이스라엘의 낮은 인력 참여율은 주로 두 개의 소수 공동체인 초정통파 유대인(Haredim, 하레딤)과 아랍계 이스라엘인에서 기인한다.

25살에서 64살까지의 주류 이스라엘 유대 시민 중 84퍼센트의 남자와 75퍼센트의 여성은 직업을 가지고 있다. 반대로 아랍 여성과 초정통파 유대인 남성들은 각각 79퍼센트와 73퍼센트가 실업 상태이다.

초정통파 유대인은 일반적으로 군대에 복역하지 않는다. 사실 군역을 면제받기 위한 조건으로 하레딤은 유대인 신학교(Yeshivot, 예시보트)에서 전임으로 학업에 임한다는 것을 보여야만 한다. 이러한 조건 완화는 벤 구리온이 이스라엘 건국 때 정치적 후원을 얻기 위해 마련한 것이었다. '신학교 면제'는 처음에는 400명의 학생들에게 적용되었지만, 군대 대신 신학교에 가는 학생수가 수만 명으로 급증하고 있다.

이러한 결과는 경제에 삼중으로 해를 끼치고 있다. 하레딤은 군 경험이 없기 때문에 노동 인력으로서 사회적으로 고립되어 있다. 또한 그들이 군 면제를 원하면 전업으로 공부를 해야 하는데, 젊은 성인으로서 일을 할 수 없기 때문에 민영 부문이나 군대의 (기업가적) 경험을 쌓을 수가 없고 따라서 당연히 정부의 복지연금 지출이 늘게 된다.

아랍계 이스라엘인들이 경제 분야에 참여가 저조한 것은 두 가지 주요한 요인이 있다. 첫째는 하레딤과 마찬가지로 그들은 군대에 징병되지 않기 때문에 IDF에서 길러주는 기업가적인 기술들을 개발할 기회를 갖지 못하고 있다. 두 번째로 주류 이스라엘 유대인들이 군대 복무 중에 쌓게 되는 사업적인 연결 관계를 구축하지 못함에 따라, 이스라엘의 유대인과 아랍 공동체 사이의 오래된 문화적 차이만 깊어간다.

매년 수천 명의 아랍 학생들이 이스라엘의 기술과학학교를 졸업한다. 그러나 유대아랍경제발전센터의 공동 관리자인 헬미 키타니(Helmi Kittani)와 하녹 마르마리(Hanoch Marmari)에 따르면, "얼마 되지 않는 사람들만이 그들의 교육과 기술에 맞는 직업을 찾고 있습니다. 아랍계 이스라엘인 졸업생들은 정부가 제공하지 못하는, 적절한 곳에서 친구들과 연계할 수 있는 인맥과 같은 중요한 자산을 갖출 필요"가 있다. 그리고 그러한 개인적인 인맥이 없을 때 이스라엘 유대인의 아랍계 이스라엘인에 대한 불신은 더욱 커져만 갈 것이다.

또 다른 문제는 직장에서 여성에 대한 이스라엘 아랍 공동체 내의 태도이다. 2008년 아랍계 시민단체인 '폭력을 반대하는 여성들(Women Against Violence)'의 연구에 따르면 여론은 서서히 변하고 있지만 실제 변한 것은 하나도 없다는 것이다. 그 여론조사에서 변해야 한다는 의견을 가진 사람들조차 여전히 "아랍 사회는 남성을 의사결정자로 보고 여성은 열등하며 보조적인 지위로 보는 가부장적인 사회다."라는 말에 동의하고 있다.

이러한 역설에도 불구하고 이 단체 총장인 아이다 투마-술레이만(Aida Touma-Suleiman)은 남성을 (집 밖에서 일하는 여성을 인정하는 것을 포함한) 변화를 위한 협력자로 보고 있다고 말했다. "이러한 힘의 균형에 불쾌해하고 성별 간의 관계를 개선하고자 희망하는 아랍 남성들이 있다. 그들은 다른 사람들과 마찬가지로 관심을 가지고 있다고 보고 있다."

그러나 상대적으로 하레딤과 아랍계의 높은 출산율 때문에, 이러한 두 권역에서 노동 인력의 참여를 끌어올리려는 노력은 인구 시계와 반대로 가고 있는 것이다. 블루 리본 위원회에서 발행한 〈2028년의 이스라엘〉에 따르면, 하레딤과 아랍계는 2007년 이스라엘 총 인구의 29퍼센트에서 2028년까지 39퍼센트로 증가할 것으로 보인다. 인력 패턴에 극적인 변화가 없다면, 이러한 변화는 노동 인력의 참가비율을 더 현저히 줄일 것이다. "현재 진행되고 있는 양상은 원하는 발전 방향에 반하고 있다."라고 그 보고서는 경고하고 있다.

다시 총리가 되려고 선거 운동 중이던 네타냐후는 이스라엘을 세계 10대 경제 대국 중 하나로 만들겠다는 것을 선거 공약의 가장 중요한 의제로 정했다. 독립 싱크 탱크인 로이트 인스티튜트는 '이스라엘 15'라는 비슷한 캠페인을 벌이고 있다. 전 총리이자 로이트의 창업자인 기디 그린스타인은 네타냐후의 정치적 경쟁자인 에후다 바락의 고문역을 했다. 그러나 그린스타인은 이스라엘의 목표가 단지 선진국가를 유지하는 것에 있지 않고 1인당 국내 총생산으로 분류했을 때 최고의 일류국가 중 하나로 올라서야 한다는 점에서 네타냐후와 의견의 일치를 보고 있다.

"이러한 도전은 운이 아니고 필요이다." 적어도 이스라엘은 10년 동안 1인당 4퍼센트의 성장을 해야만 한다고 그린스타인은 믿었다. 현재 이스라엘과 다른 선진국가 간의 생활수준의 차이는 위험한 지경이다. "우리의 사업 부문은 세계에서도 으뜸이고, 우리 국민들은 기술과 교육에 있어 굉장히 앞서나가고 있다. 그와 동시에 삶의 질과 공공 서비스의 질은 낮아서 많은 경우 이민을 고려하고 있다."라고 그가 말했다.

이스라엘로의 역이민자들을 위해 한시적으로 발효된 10년 면세 정책에 기인한 것이기는 하지만 기록적으로 많은 숫자의 이스라엘 이민자들이 최근에 미국이나 다른 나라에서 돌아오는 것을 보면, 이것은 물론 과장이 섞인 말이라고 할 수 있다. 그리고 물론 수입 외에 다른 요인들이 삶의 질에 대한 결정에 영향을 주었다.

그러나 자원이 없는 이스라엘이 경제를 더욱 빠르게 성장시킬 수 있고 그렇게 해야만 한다는 점은 매우 중요하다. 이스라엘이 당면한 모든 위협과 도전 중에서도 지속적 경제 성장을 유지할 능력이 부족해지는 것이 아마도 가장 중요한 요인이 될 것인데, 이는 이스라엘 내부의 정치적 장벽과 방치되어 왔던 여러 문제점들을 잘 해소함으로써 풀어나가야 할 것이다. 이스라엘은 혁신과 기업가 정신을 만들어내는 독특한 문화적, 제도적 기초를 가지고 있다. 부족한 것이 있다면 이스라엘 사회에 이러한 훌륭한 자산들을 증폭시키고 퍼지도록 하는 고정적인 정책이다. 이스라엘에 다행인 것은, 정책을 바꾸는 것이 싱가포르와 같은 나라에서 봐왔던 것처럼 문화를 바꾸는 것보다는 더 쉬운 일이라는 것이다. 뉴욕 타임즈의 토마스 프리드먼(Thomas Friedman) 기자는 "나는 대개 금융이나 정부, 그리고 기반시설에 관련된 이스라엘의 문제가 싱가포르의 문제보다는 차라리 낫다고 본다. 왜냐하면 싱가포르의 문제는 문화와 깊이 묶여진 문제이기 때문이다."라고 썼다.

가장 견지해야 할 태도는 과감하게 도전하는 정신이다.

– 시몬 페레스

맺는 글
하이테크를 경작하는 21세기 농부들

　우리가 대통령궁 대기실에서 기다리는 동안 시몬 페레스 대통령을 접견할 수 있는 시간이 얼마나 될지는 전혀 알 수 없었다. 85살의 페레스는 아직도 국가 최고 통수권자로 임무를 수행하고 있는 이스라엘 건국에 기여한 마지막 정치인이기도 하다. 페레스는 25살에 이스라엘 건국의 아버지라 불리는 벤 구리온의 조수로 정치에 입문한 이래, 거의 전 부처의 장관을 역임해 왔으며 두 번의 총리 임기를 수행한 화려한 경력의 소유자이다. 그 과정에서 그는 노벨 평화상을 수상하기도 했다. 이처럼 대외적으로는 가장 존경받는 이스라엘인이지만 대내적으로는 찬반이 엇갈리는 평가를 받고 있기도 하다. 페레스는 1993년 오슬로 평화협정을 창시한 사람으로 잘 알려져 있지만, 오슬로 평화협정은 잘 알다시피 미국 백악관의 클린턴 대통령 앞에서 라빈 총리와 아라파트 의장이 함께 악수를 하면서 발효가 됐는데, 당초의 기대와는 달리 많은 이스라엘 사람들에게는 오히려 낙담과 테러, 그리고 전쟁의 상징으로 남았다.

그의 역할 중 잘 알려지지는 않았지만 결코 간과할 수 없는 것 중 하나가 매우 특별한 기업가 정신을 바탕으로 정치를 통해 많은 신산업을 일구어낸 '산업의 아버지'라는 점이다. 그는 비록 정치가였지만 한편으로는 전 생애를 통해 단 하루도 사업을 위해 매진하지 않은 날이 없었다. 사실 그는 우리에게 건국의 아버지인 벤 구리온이나 그 자신도 경제에 대해서는 일자무식이었다고 고백했다. 그러나 페레스는 내내 벤처기업을 일구는 심정으로 정부를 이끌어왔다.

페레스는 이스라엘 건국 이전에 협동농장 키부츠에서 자랐다. 키부츠는 이스라엘이 일부러 만든 사회 경제공동체가 아니라 당시 시오니즘에 의한 거대한 인구 유입에 따른 어쩔 수 없는 혁신적인 생존 수단으로 생겨난 것이었다. "농업은 다른 산업에 비해 훨씬 혁신적입니다." 우리가 책장이 가득하고 벤 구리온을 비롯한 세계 유명 지도자들의 사진이 걸려 있는 그의 집무실에 들어서자 그는 이렇게 말문을 열며 우리를 맞았다. "이스라엘은 지난 25년 동안 농업 생산성을 16배나 올렸습니다. 이것은 놀라운 일이 아닐 수 없습니다." 그가 계속 이어갔다.

"그러나 사람들은 농업을 그저 농사로만 알고 있지, 95퍼센트가 기술이며 5퍼센트만이 노동이란 사실을 간과하고 있어요." 이스라엘 사람들은 이제야 깨닫기 시작했지만 페레스는 언제 어디서나 항상 기술을 들여다보고 있었다. 이 같은 생각은 항상 그의 뒤에 버티고 서 있는 벤 구리온이 기술에 열광했기 때문이기도 하다. 벤 구리온은 항상 미래를 과학의 눈으로 내다보았다. 그는 벤 구리온이 이스라엘 군인들에게 항상 "현재에 만족하지 말고 미래를 준비하라."고 주문했다고 회상했다. 그래서 벤 구리온과 페레스는 기술지향 정치인의 2인조로 불렸다. 페레스와 미국인 알 쉼머는 1951년 북극을 비행하면서 항공산업을 꿈꾸기 시작했다. 그러나 그들이 이스라엘에 되돌아왔을 때 그 아이디어는 격렬한 저항에 부딪혔다. 각료들은 "우리는 아직 자전거도 못 만들고 있다."고 힐난했다. 실제로 당시 자전거 산업은 태동기에 놓여 있었으며 건국 이후 몰려드는 피난자들의 홍수 속에서 기본 식량조차도 배급제로 공급하는 실정이었다. 그럼에도 페레스는 벤 구리온을 등에 업고 그들을 설득할 수 있었다.

그 후 원자력 산업을 일구려는 페레스의 아이디어 역시 암초에 부딪혔다. 그 분야에 정통한 이스라엘의 과학자들조차도 그 계획이 지나치게 야심적이라고 생각하고 있었다. 당시 섬유 수출 산업을 일구는 게 급선무라고 판단했던 재무장관이 그를 불러 "당신의 프로젝트에는 단 한 푼도 예산을 주기 어렵다."고 했던 적도 있다. 항상 기존의 관행을 무시해왔던 것처럼 벤 구리온과 페레스는 어떻게든 추가경정예산을 편성하여 각 대학 연구소를 돌아다니며 우수 학생들을 모집하여 이스라엘 최고 공과대학인 테크니온이 아닌 프랑스로 연수를 보내는 데 열중하고 있었다. 그 결과 그들은 원자핵 기술을 연마하여 1960년에 가동을 시작한 이래 단 한 번도 고장이 없는 원자핵 반응기를 운영하는 나라를 만들 수 있었고 이를 계기로 이스라엘을 핵기술 강국으로 부상시켰다. 2005년 통계를 보면 이스라엘은 세계에서 열 번째로 핵기술 관련 특허를 많이 보유하고 있는 나라이다.

그러나 페레스는 여기서 멈추지 않았다. 당시 국방부 차관이었던 그는 지금까지의 만성적 무기, 인력, 훈련 부족은 아랑곳하지 않고 예산의 상당 부분을 국방기술 연구개발에 쏟아 부어 군 수뇌부를 실망시키고 있었다. 이스라엘은 국내 총생산 중 연구개발비 예산이 차지하는 비중이 가장 높은 국가 중 하나이다. 그런데 그 예산의 대부분은 국가 안보에 핵심적인 국방 기술과 그것의 상용화를 위한 응용기술에 집중되었는데 그것이 사실상 훗날 국가 경제의 성장동력이 되어 돌아온다. 그러나 여기서 더 중요한 것은 기업가 정신으로 무장한 페레스의 국가 건설 방식이 이스라엘의 민간 부문에 녹아 들어가고 있다는 점이다. 이 같은 변화는 쉽지도, 사전에 계획되지도, 예견되지도 않은 큰 수확이었다. 단지 그것은 건국세대의 고성장과 신세기의 첨단 기술 개발 시기 사이에서 저 성장과 인플레이션에 허덕이던 잃어버린 10년 사이에 비로소 등장하여 돌파구를 마련해준 원동력이었던 것이다. 어쨌든 거대한 변화가 찾아왔고 늪에서 물을 빼고 오렌지를 심던 건국 당시와, 벤처와 컴퓨터 칩을 설계하는 지금의 시간 사이에는 이러한 맥락이 흐르고 있다.

오늘날의 기업가들은 이러한 거대한 흐름을 느끼고 있다. "건국세대의 세상은 사회주의로 만연해 있었고 따라서 사업을 통한 이윤에 대해 다소 부정적인 반응을 보인 반면, 요즘 세대는 우리가 무(無)로부터 새로운 무엇인가를 발명해냈다면 그에 따른 이윤은 당연한 것이라고 생각한다."라고 이스라엘 최고 기업가 중 한 사람인 에렐 마르갈리트는 말한다. 그는 이어서 "당신은 단순히 물건을 거래하는 사람이거나 금융인이 아니다. 당신은 인류 사회를 위해 기여하고 있는 것이다. 당신은 새로운 의약이나 칩을 개발하여 인류 복지에 기여하기도 한다. 당신은 팔라(falah, 아랍어로 '농부'를 일컫는 말), 즉 하이테크 농사를 짓고 있는 것이다. 당신은 이를 위해 넥타이 대신 작업복을 입고 있다. 당신은 군대 동료와 함께 있다. 꼭 얼마나 많은 재산을 모아야 할지에 대한 것은 아니지만 당신은 나름의 가치를 염두에 두고 인생의 길에 대해 이야기한다. 그러나 궁극적으로는 돈으로 귀결되곤 한다." 마르갈리트에게 혁신과 기술은 21세기형 귀농이나 다름없었다. 개척자적인 신세대 시오니스트 설명은 온통 창조에 관한 것이었다. 사실 지금의 이스라엘을 그토록 강하게 만든 것은 그들의 민족 종교에 깊은 뿌리를 둔 건국세대들의 애국심, 개척정신, (항상 귀한 것을 일깨워주는) 결핍, 역경, 호기심 그리고 근면성이다.

페레스의 입을 빌자면 "역사적으로 유대인들이 기여한 가장 위대한 것은 좋은 의미의 불만족이며, 이는 정치적으로는 골칫거리일 수 있지만 과학에는 꼭 필요한 것"이다.

"변하고 또 변하자." 페레스는 이스라엘어로 읊조리며 계속 설명했다. 그런데 이 문구는 이스라엘 군대에서 여러 군인을 인터뷰하는 동안 거의 모든 장교들이 앵무새처럼 반복하며 들려준 문구였다. 그는 계속 이어나갔다. "모든 신기술이 미국으로부터 들어오면 군대로 보내져서 불과 5분 안에 그것을 바꿔버립니다. 그런데 이런 것은 군대뿐만 아니라 민간사회에서도 마찬가지이며 지칠 줄 모르는 이스라엘인들의 도전정신의 산물입니다." 이 같은 정신은 이스라엘의 건국 정신에서도 찾아볼 수 있다. 이스라엘 건국에 참여한 개척자들은 세계 역사상 유례를 찾아볼 수 없는 "창업국가"라 불릴 만한 그런 신생 국가를 성공리에 만들어 낸 것이다. 반면 많은 나라들이 식민지 통치 아래 연합군의 승리를 발판으로 수동적인 독립을 얻은 것을 볼 수 있다. 예를 들면 이웃나라 요르단은 1921년 윈스턴 처칠에 의해 탄생됐는데, 그는 이 지역을 하시미트 부족에게 그냥 넘겨주어 그것이 곧 바로 국가로 발전했다.

미국과 몇몇 나라의 경우 영국·독일·프랑스처럼 수세기에 걸쳐 서서히 인종의 융합이 이루어져 형성되기보다는 진정한 개척 정신을 바탕으로 한 혁명적인 과정을 통해 형성됐다. 그러나 아직 어떤 나라도 고대 국가의 모습이 다시 환생할 수 있도록 노력하여 성립된 나라는 없다.

물론 현대 국가의 일부는 고대 제국으로부터 면면히 뿌리를 유지해온 경우가 있기는 하다. 예를 들면 고대 로마제국에 뿌리를 둔 이탈리아, 희랍의 후예 그리스, 그 밖에 수천 년간 인근 강을 중심으로 이어져온 중국과 인도가 이에 해당한다. 그러나 고대에서 현대에 이르기까지 단일 민족국가로서 같은 영토 안에서 연결고리가 이어져 온 국가나 역사의 과정에서 사라져 버린 민족 중 오직 이스라엘 건국자들만이 2,000년 전 그들의 조상이 떠났던 곳에 신생 국가를 만들려는 과감한 시도를 했다.

따라서 이 책이 제시하는 핵심 질문은 "무엇이 이스라엘을 혁신적인 개척자로 만드는가?"이다. 거기에 대한 가장 확실한 설명은 하버드 대학의 마이클 포터 교수가 주장했던 훌륭한 클러스터 같은 데서 찾아볼 수 있는데, 실리콘 밸리의 자연스런 형성 과정과 그를 따라가려고 돈으로 사막에 파라다이스를 구축하고자 했던 두바이 프로젝트가 좋은 비교 사례가 된다. 그것은 위대한 대학들, 거대 기업들, 수많은 벤처기업들이 긴밀한 유기체를 갖추게 됨으로써 가능하게 된 것이다. 거기에는 물론 다양한 공급자, 기술인력 풀 그리고 민간 벤처 캐피탈도 포함된다. 이와 같은 유기체 클러스터의 더 실감나는 증거가 군대의 역할이다. 즉 연구개발 기금을 첨단기술에 쏟고 그 산출물은 신기술 혹은 신지식인의 형태로 민간 경제 부문에 흘러 들어가게 하는 것이다. 그러나 이 같은 외형만 가지고 이스라엘의 성공을 설명하는 것은 충분치 않다. 왜냐면 싱가포르 같은 경우는 막강한 세계 최고의 교육 시스템이 갖춰져 있고 한국은 전 국토가 적의 위협에 노출된 관계로 징집제도가 있으며, 핀란드·스웨덴·덴마크·아일랜드의 경우는 비교적 작은 국가이지만 나름대로 앞선 기술을 갖추고 있는 강소국이다. 그들은 많은 특허 기술과 건실한 경제 성장을 기록하고 있다. 이들 국가의 일부는 이스라엘보다 훨씬 이전부터 고도성장과 높은 생활수준을 자랑하고 있지만 그 어느 나라도 벤처회사의 창업 수나 거기에 상응하는 벤처 캐피탈의 투자 규모 면에서 이스라엘을 따라잡지 못하는 실정이다.

안티 빌포넨(Antti Vilpponen)는 핀란드의 기업가인데 아틱스타트업(ArcticStartup)이라는 벤처 장려운동을 만들어 전개한 사람이다. 핀란드는 이동전화기 회사 노키아의 본산이기도 하다. 그러나 우리가 핀란드의 벤처산업 전망에 대해 질문했을 때 그는 "핀란드는 그간 많은 특허와 지적재산권을 확보해 왔으나 그것을 벤처라는 신생기업을 통해 산업화하는 데는 실패했습니다. 핀란드의 신생 벤처에 투자되는 금액은 고작 수십만 유로에 지나지 않습니다. 반면에 같은 인구를 가진 이스라엘은 우리의 열 배가 넘습니다. 당연히 벤처 창업의 수도 열 배나 많고 투자 수익 회전율도 빠르고 투자 회수 기간도 짧습니다. 많은 수익을 기대하고 있지만 미국이나 이스라엘에 비하면 벤처 육성에 필요한 문화는 아직 요원합니다."라고 말했다.

이스라엘은 신생 벤처들의 높은 매출거래 회전율에 관심을 두는 반면 대다수의 국가들은 단지 자산으로만 보는 경향이 많다. 분명한 것은 이스라엘은 세계 경쟁에서 앞서나가는 나라도 추구하지 못하는 그 무엇인가를 가지고 있다는 점이다. 핀란드·싱가포르·한국도 이미 클러스터 체계를 구축하고 제도적으로 지원하고 있지만 그들은 아직 공격적이면서도 팀워크를 갖추고 있고, 고립된 가운데서도 긴밀히 연결하고, 작은 가운데서도 커다란 목표를 겨냥하는 이스라엘과 같은 문화적 바탕이 부족하다.

외부에 직접 드러나지 않는 경제의 문화적 단면을 쉽게 설명하기는 어렵지만 53개 국가의 문화를 비교한 어느 대학의 연구를 보면 짐작할 수 있다. 그들은 먼저 특별히 업무에 영향을 주는 세 개의 매개변수를 중심으로 국가를 분류하기로 했다. 업무 환경이 독단적인가 격려하는 분위기인가, 계급적인가 평등한가, 개인주의적인가 협동적인가 하는 기준이었다. 연구 결과 이스라엘은 비교적 특이한 문화적 속성을 다분히 포함하고 있다는 것이 차이점으로 드러났다. 사람들이 전반적으로 개인주의적인 성향을 보이는 이스라엘과 같은 나라는 서로를 격려하고 지지하는 문화가 잘 발달하지 않았을 것이라고 생각하기 쉽다. 개인적인 야망이 팀워크와 자주 충돌할 것이라고 오해하기도 하며, 심지어 이스라엘인들처럼 목표지향적이고 성공을 향한 추진력이 강한 사회에서는 위계질서가 엄격하게 자리 잡고 있을 거라고 예상하는 사람도 많다. 그러나 사실 이스라엘은 평등주의, 교육중심주의, 개인주의의 속성에서 많은 점수를 기록했다. 만약 이스라엘인들이 경쟁적이고 공격적이었다면 어떻게 교육을 잘 받았다 할 수 있겠는가? 만약 그들이 개인주의자들이었다면 어떻게 계층이 없는 평등주의를 받아들일 수 있었을까? 모든 국민이 국방의 의무를 갖는다는 관점에서 보면 분명 이스라엘인들은 강제와 평등, 공격과 수용이라는 양면적인 속성을 가지고 있다는 것을 이해할 수 있을 것이다. 군에서는 수행하지 않으면 안 되는 분명한 임무가 있으며 그것을 달성하기 위해서는 반드시 팀워크를 이뤄야 한다는 것을 체득할 수

밖에 없기 때문이다.

전장에서의 구호는 항상 '나를 따르라!' 이다. 이것은 솔선수범과 격려를 통해 팀과 개인을 하나로 일체화시키지 못하면 리더십이 나올 수 없는 조직이기 때문이다. 아무도 낙오자로 남지 않아야 하는 군대의 특수성이 여기에 담겨 있다. 지휘자는 최소한의 지침만 내려주고 나머지는 명령을 어기는 한이 있더라도 지휘를 받는 자가 스스로 알아서 처리하도록 교육을 받는다. 따라서 초급장교가 상관을 부를 때 성을 뺀 이름을 부르고 그들이 뭔가 잘못된 경우 그것을 지적하는 것이다.

이스라엘 고등학생들은 수학이나 과학 성적이 뛰어난 경우 엘리트 부대가 낚아채 가버린다. 그들은 거기서 집중 훈련과 가장 도전적인 직장 내 훈련을 통해 학문의 역량과 응용의 범위를 획기적으로 넓혀 갈 기회를 갖게 된다. 전쟁에 참여하게 되면 이들은 수십 명의 병사를 지휘하고 수백만 달러나 되는 장비를 다루며 생과 사를 가르는 중요한 결정을 하게 된다. 엘리트 기술 부대에 배치받으면 첨단의 시스템을 개발하는 프로젝트의 책임을 맡는 기회가 주어지고 이들은 자기 나이의 두 배나 되는 사회인들도 얻기 어려운 풍부한 경험을 누리게 되는 것이다.

그리고 이 같은 시스템 아래서 단련된 후 군복무를 마치고 사회에 나오면 신생 벤처기업을 일구는 데 필요한 거의 모든 것이 한두 통의 전화로 다 이루어지는 휴먼 네트워크로 연결된다. 이들은 자기 가족, 대학, 군대의 인적 네트워크 안에서 이미 벤처 사업가이거나 아니면 벤처를 만드는 데 도움이 되는 사람을 거의 다 만날 수 있는 것이다. 즉 모두가 전화나 이메일로 쉽게 연결할 수 있는 거리에 포진해 있는 셈이다. 불쑥 통화하는 것은 이스라엘에서 보편적으로 용인된다. 그렇다고 해서 불필요한 가운데 용인된다는 것은 결코 아니다. 이 같은 문화로 인해 누구나 새로운 기업을 창업하는 데 필요한 사람을 쉽게 찾을 수 있다는 것이다.

요씨 바르디가 말한 대로 "모두가 서로를 아는" 사회인 것이다. 여기서 또 하나 중요한 사실은 벤처기업을 일구는 하이테크 창업은 가장 존경받는 일이 된 지 오래며 이스라엘의 야심찬 젊은이들에게는 그것이 이미 보편화되어 있다. 이스라엘의 전통적인 부모들은 자식이 의사나 변호사가 되는 것을 매우 자랑스럽게 여겨왔지만 이제는 그들의 손자나 손녀가 기업을 개척하는 진정한 사업가로서의 기업인이 되는 데 더 큰 보람을 느끼게 됐다. 물론 이스라엘에서조차 벤처기업을 세워 성공한다는 것이 매우 어렵다는 것을 다 알고 있는데도 말이다. 이들에게도 성공이 가장 최선이지만 설령 실패한다 해도 그것은 치부가 아니라 오히려 자신의 이력에 보탬이 되는 더없이 소중한 경험 하나가 쌓이게 되는 셈이다.

그렇다면 성공 요인의 비밀은 무엇일까? 그것은 바로 전통적인 기술 클러스터 요소와 개인의 경험과 역량을 높여주는 요소를 잘 조화시켜 더 효율적으로 일할 수 있는 하나의 힘으로서 시스템을 조정해 주는 것과 그 힘들이 커뮤니티 안에서 더 많은 네트워크와 연결될 수 있도록 해주는 것이다. 그런데 이 대목에서 이스라엘인이 아닌 외부인의 관점에서 의문이 생길 수 있다. 바로 "이스라엘인의 '비밀 양념'이 이스라엘인들의 입맛에만 맞다면 다른 나라 사람들은 어떻게 먹을 수 있단 말인가?" 하는 것이다.

다행인 것은 혁신이란 것이 자주 있는 일은 아니지만 언제든지 재탄생할 수 있는 자원이란 것이다. 한정된 천연자원과 달리, 아이디어라는 것은 어디서 나왔느냐가 중요한 게 아니라 누가 그것을 잘 활용하느냐에 따라 이익이 끊임없이 확산되는 무한성을 갖는 것이다.

소설가 조지 버나드 쇼(George Bernard Shaw)는 "두 사람이 사과 하나씩을 가지고 있다가 서로 교환했다면 여전히 사과를 하나씩 가지고 있는 것이지만, 두 사람이 아이디어 하나씩을 가지고 있다가 서로 교환했다면 그들은 이미 두 개씩의 아이디어를 갖는 셈이다."라고 말했다. 혁신은 무한의 자원이며 스스로 퍼져 나가는 힘이 있기 때문에 기업은 이 같은 원리를 잘 이해하며 대응해 나가야 한다. 사실 세계적으로 성장한 주요 기업들은 이미 오래전부터 이스라엘의 혁신 기술을 차지하려면 이스라엘의 벤처기업을 사거나 이스라엘에 연구개발센터를 직접 세워야 한다는 것을 잘 알고 대처해 온 경우가 대부분이다. 사실 확산해가는 지구촌 세상과 국경 없는 거래의 추세로 보아 이제는 다국적 기업이 여러 나라의 비교우위를 고려하여 제조공장을 복제하여 만들 필요가 없게 돼가고 있다.

다시 말해 최고의 회사들은 이미 세계시장에서 요구하는 확고부동한 진리는 변화이며 이를 가능케 하는 혁신은 장기적 경쟁력의 기반이 된다는 것을 간파하고 있다. 더 나아가서 자기 자신의 혁신뿐만 아니라 다른 회사, 다른 나라에서 벌어지고 있는 혁신도 모두 자신의 것으로 활용할 수 있어야 하는 것이다. 다음과 같은 사례가 좋은 예가 될 수 있다.

인텔 이스라엘의 프로먼 사장은 이 같은 사실은 이스라엘 기업도 잘 응용할 수 있어야 한다고 믿었다. 그가 인텔 이스라엘을 지휘하면서 내걸었던 슬로건은 '문 닫을 위기에서도 가장 최후까지 버티는 인텔'이었다. 그러나 직원들이 그 문구가 너무 부정적인 이미지를 담고 있다고 지적하자 그는 '성공을 통해 끝까지 살아남는 인텔'로 바꾸면서 목표는 성공이지만 그를 위한 동기는 생존을 위함으로 그 의미를 재해석했다. 그에게 거대한 기업의 성공 열쇠는 '불안하게 출발하는 벤처기업과 같은 긴박한 분위기를 유지하는 것'이었다.

거의 대다수 국가에서 징병제도가 사라졌지만 이스라엘의 징집에 의한 국방의무 프로그램은 고교생들이 대학에 입학하기 전 젊은 나이에 리더십과 팀워크 그리고 특수임무 수행능력을 배양하는 기회로 승화될 수 있도록 운영되고 있다. 또한 국방의무를 통해 국민들은 나 자신만의 편협한 문제에서 벗어나 가족, 회사, 사회, 국가와 같은 포괄적인 범위에서 봉사하는 데 더 큰 가치를 두게 되며 이를 통해 사회의 결속을 다지고 있다. 미국 군인들의 경우 제대를 하고 민간 사회로 돌아가면 소중한 군대의 정신과 경험을 더 이상 발휘하지 않아도 된다고 여기고 있다. 미국은 세계 어느 나라보다도 혁신의 증가 속도가 빠르다. '신 성장 이론'의 경제학을 이끌고 있는 폴 로머(Paul Romer) 교수는 1870년부터 1992년까지 미국 평균 연간 경제 성장률은 1.8퍼센트였는데 이는 영국의 1.3퍼센트에 비해 0.5퍼센트나 높은 것이었다. 이 같은 결과는 "미국의 개척정신에 입각한 기업의 육성 정책 때문이었다."고 한다. 그러면서 그는 이공계 대학 육성 정책만이 경제성장을 촉발할 수 있다고 제안했다. 게다가 소위 '포터블 펠로우십'이란 제도를 두어 학생들이 어느 특정 연구소에 얽매이지 않고 자유자재로 소속을 바꿀 수 있도록 함으로써 연구소나 대학의 인력 운용에 유연성을 주고 또한 연구원 개인에게도 경력 발전에 도움이 되도록 했다.

그는 성장과 생산성 향상에 있어 가장 큰 도약은 폭발적인 공감을 통해 퍼져 나가는 '메타 아이디어'에 기인한다고 설명한다. 예를 들자면 영국이 17세기에 생각해 낸 특허제도와 복제 방지 제도, 미국이 19세기에 도입한 현대식 연구대학 제도, 그리고 20세기에 들어와 개설된 협동연구 시스템이 그것이다.

그는 또 "우리는 아이디어들이 작용하도록 만들 또 다른 아이디어에 대해 모르고 있다. 또한 그것이 어디서 모습을 드러낼지도 모른다. 그러나 두 가지는 확실히 예측할 수 있다. 첫째, 적어도 21세기를 선도하는 나라는 그런 혁신적인 아이디어를 민간 부문에서 더 효율적으로 발전시킬 수 있도록 지원하는 나라라는 사실이다. 둘째, 이러한 종류의 새로운 메타 아이디어를 찾게 될 거라는 것이다."라고 말했다.

페레스 대통령과의 첫 번째 면담은 1시간 30분간 이어졌으나 대통령의 다음 일정으로 인해 서둘러 마치고 작별 인사를 했다. 그러나 우리가 나오기 위해 잠시 서 있는 동안 그가 곧바로 30분 후에 다시 만나자고 했다. 그는 다음 연도 이스라엘 기업가와 정책 입안자들에게 전하고자 하는 메시지를 미리 소개해 주었다. 그것은 바로 "옛 산업을 버리고 새로운 다섯 가지 산업에 매진하자."는 내용이었다. 그가 지적한 다섯 가지 산업은 새로운 형태의 전혀 다른 에너지, 수자원, 바이오 기술, 학습도구(당시 이스라엘은 교사가 부족한 상황이었다.) 그리고 테러에 대응하기 위한 안보산업이었다. 그러나 정작 페레스가 기금 확보에 직접 발 벗고 나선 나노기술 분야는 신산업 영역은 물론 다른 모든 산업과 떼려야 뗄 수 없는 그런 필수 기술로 인식하고 있었다.

우리는 그가 지적한 핵심 신산업이 잘 선택되었느냐를 말하려는 것이 아니라 여든 다섯 살의 고령에도 불구하고 여전히 후쯔파 정신으로 신산업을 생각해 내고 지지하는 그의 열정에 감동하지 않을 수 없었던 것이다. 이스라엘 역사를 통틀어 그래왔듯이 이스라엘 사회는 개척적이고 혁신적인 충동이 한결같이 이어져 내려오고 있다. 이 같은 복합적인 충동의 중심에는 21세기 선진국들이 어떤 문제에 봉착할 때마다 그들은 국내에서는 물론이고 해외 어디서든지 간에 아이디어를 찾아내는 소위 '아이디어 공장'의 개념으로 해결한다는 사실이 숨어 있다. 이스라엘은 세계에서 단연 앞서나가는 아이디어 공장이며 미래를 향한 메타 아이디어의 단서를 끊임없이 제공하고 있다. 실제로 그들은 여러 계층에서 팀간, 회사간, 국가간 긴밀한 협력 프로세스가 가동되고 있고 이를 통해 혁신을 주도해 나간다.

많은 국가들이 이미 거대 기업에서 이런 협력 프로세스를 통해 성공한 바 있지만 혁신적 기술을 기반으로 한 리스크가 가장 높은 벤처 기업을 대상으로 한 협력 프로세스에서 성공한 사례는 거의 찾아보기 힘들다. 따라서 이스라엘이 그 밖의 세계로부터 배울 점이 있듯이 다른 나라들도 이스라엘로부터 배울 점이 많다고 생각된다.

이 같은 맥락에서 가장 견지해야 할 태도는, 페레스 대통령이 우리에게 시사한 것처럼, 과감하게 도전하는 정신인 것이다.

감사의 글

이 책은 2001년 4월에 있었던 우리 둘 사이의 길고도 긴 토론을 시발점으로 삼아 태어나게 되었다. 그 때 댄은 하버드 경영대학원 학생 28명을 이스라엘로 데려왔다. 그 방문의 목적은 이스라엘의 경제와 정치 그리고 역사를 탐방하기 위한 것이었다. 당시는 이스라엘에게 많은 비즈니스 기회가 열려 있는 때였지만, 동시에 평화협정이 무너지면서 위기감과 불안 또한 점차 고조되고 있던 있었다.

학생들 중 거의 대부분이 이스라엘에 와본 적이 없었다. 유대인은 세 명 뿐이었고 나머지는 영국·미국·캐나다·스페인·이탈리아·포르투갈·인도 등 국적도 다양했다. 한 주가 끝날 무렵 그들은 모두 똑같은 질문을 하고 있었다. '이스라엘의 이러한 혁신과 벤처 기업가 정신은 도대체 어디에서 나오는 것인가?' 우리는 그 질문에 대한 답을 모르고 있다는 것을 깨달았다.

그 이후로 사울은 〈예루살렘 포스트〉지에 이스라엘 경제에 대한 이야기를 기고하고, 댄은 거의 매 분기마다 이스라엘에 찾아와 신생 벤처기업들에 투자하고 가족들을 방문했다. 댄이 인상적인 이스라엘 벤처 기업가를 만나거나 사울이 그의 글에서 그러한 경우를 다루면서 우리의 호기심은 점점 커졌다.

우리는 이스라엘의 기업가 정신이 왜 그렇게 역동적이고 도전적이며 활발하며, 심지어 불안한 안보 상황에도 전혀 영향을 받지 않는 것인지에 대해 설명을 해놓은 책이 한 권쯤은 있을 줄 알았다. 그러나 실상은 그렇지 않았다. 그래서 우리가 직접 쓰기로 했다.

우리가 이 책을 쓰는 동안 많은 도움을 준 수많은 분들에게 빚을 진 것이나 다름없다. 트웰브(Twelve) 출판사의 창립자이자 원동력 역할을 하는 조나단 칼프(Jonathan Karp)에게는 출판계의 진정한 혁신가라는 말로 그에 대한 감사를 표하고 싶다. 1년에 12권의 책만을 출판하는 그는 전형적인 올곧은 출판인이다. 또한 그는 우리에게 많은 가르침을 주었는데, 그중 가장 중요한 것은 딱딱한 주장을 줄이고 이야기를 풀듯이 쓰라고 한 점이었다.

캐리 골드스타인(Cary Goldstein)은 열정과 창의성으로 이 책에 관심이 있을 법한 잠재적인 독자들을 찾고 그들에게 어떻게 다가가야 할지에 대해 많은 도움을 주었다. 콜린 셰퍼드(Colin Shepherd)는 책 출판의 전 과정에서 매우 꼼꼼한 주의를 기울였으며 원고의 데드라인을 집요하게 상기시켜주었으며, 도로시 할리데이(Dorothea Halliday)는 원고 정리 단계에서 많은 인내심을 보여주었다.

외교자문위원회(CFR, Council on Foreign Relations)는 그 분야에서 보기 드문 독립적인 연구기관으로서 매우 특별한 곳이다. 댄이 그곳을 '집'이라고 부를 수 있다는 것은 큰 영광이라고 생각한다. CFR 회장인 리처드 하스(Richard Haass)는 이스라엘 경제에 대한 책이라는 아이디어를 듣고 즉시 흥미를 가져주었다. 그는 우리에게 많은 통찰을 제공해주었으며 CFR의 다양한 학자들과 멤버들로부터 전문지식을 얻을 수 있게끔 해주었다.

이 책의 일부분은 예루살렘의 벤리어 연구소에서 썼는데, 이곳은 사울을 연구소 내 도서관 회원으로 우대해줌으로써 큰 기여를 해주었다. 가브리엘 모츠킨(Gabriel Motzkin) 도서관장과 도서관 사서 모두에게 감사를 전한다.

우리의 성실하고 창조적인 연구 보조원들에게도 고마움을 전한다. 마이클 르윈−앱스타인(Michal Lewin-Epstein)은 CFR의 수석연구원이었으며 대니 길버트(Dani Gilbert)는 CFR에서 우리와 함께 여름을 보냈고 런던정경대학에 있을 때에도 파트타임 연구를 하면서 도와주었다. 조수아 크램(Joshua Kram)은 힐러리 클린턴의 대선 캠페인 고문으로 일한 이후 우리 팀에 합류하여 활동했으며 탤리아 고디스(Talia Gordis)는 IDF 정보부대에서의 자신의 경험을 제공해주었다. 우리가 인터뷰한 여러 사람들과 우리의 연구원들은 아랍 국가 출신이다. 그들이 이 책과 관련있다는 것이 밝혀지면 아랍권에서 일하는 것이 불가능해질 수도 있음을 알고 있기 때문에 우리는 그들의 익명 보장에 대한 요청을 존중한다. 그들의 많은 기여에 대해 매우 고맙게 생각한다.

우리의 원고를 읽어준 많은 친구들과 가족들에게도 감사를 표한다. 이들의 날카롭고 솔직한 피드백을 통해 각고의 수정 작업과 심사숙고를 할 수 있었다. 댄의 친구들과 사업 파트너들은 이 책이 쓰여 질 동안 매우 인내심 있게 기다려주었다.

우리는 이 책을 위해 100명이 넘는 인물들을 인터뷰했으며 그들의 시간과 지혜에 대해 감사를 표한다. 특히 벤처 투자가들인 일라이 바르카트, 이갈 에리히, 에렐 마르갈리트, 욘 메드베드, 요씨 바르디 등은 우리가 '창업국가 이야기'에 관심을 가지기 전부터 이미 그 이야기를 해오고 있었다. 그들은 우리의 가이드였다. 특히 욘 메드베드는 이스라엘 경제가 다른 어떤 국가의 지도상에도 아직 드러나지 않았던 시절부터 이스라엘 경제의 부흥을 위해 노력해온 사람이다. 여러 차례 인터뷰를 통해 우리와 많은 시간을 보낸 매우 바쁜 인물들로는 샤이 아가시, 탈 키에넌, 스콧 톰슨 등이 있다.

몇몇 미국 기업들은 이스라엘에 대해 큰 존재감을 지니고 있으며 창업 국가의 개념을 제대로 이해하고 있다. 구글의 에릭 슈미츠, 요엘 마렉, 인텔의 슈무엘 에덴, 데이비드 펄뮤터, 그리고 시스코의 마이클 라오르와 요아브 사멧 등에게도 감사드린다.

이스라엘 대통령인 시몬 페레스에게도 그의 집무실에서의 한 나절을 보내도록 허락해준 점에 대해 깊은 감사의 말을 전한다. 그는 이스라엘 역사에서 핵심적인 역할을 한 경험을 바탕으로 독창적인 관점을 제시해주었으며 고령에도 불구하고 신생 산업들을 궤도에 올리기 위해 여전히 활발히 일하고 있다. 우리는 또한 이스라엘의 총리인 벤자민 네타냐후에게도 정신 없는 2008년에 우리와 많은 시간을 같이 해 준 것에 대해 감사를 표한다.

댄의 아내인 캠벨 브라운(Campbell Brown)과 사울의 아내인 웬디 싱어(Wendy Singer)의 비평과 조언으로부터 크게 도움을 받았으며 그들이 아니었다면 이 책은 완성될 수 없었을 것이다. 이러한 점과 그 외의 수많은 다른 이유를 보태어 이 책을 그들에게 바친다.

우리는 또한 이 책을 댄의 아버지 짐 세노르(Jim Senor)와 사울의 형제인 알렉스 싱어(Alex Singe)에게도 바친다. 짐은 이란에서 유대인 커뮤니티를 조직하는 것을 도왔으며 나중에는 와이즈만 연구소에서 태양광 에너지 프로그램을 위해 연구에 매진하다가 1985년 반사경분야의 획기적인 발견이 이루어지기 겨우 몇 달 전에 사망했다.

1987년 9월 15일, 그의 25번째 생일날, IDF 중위였던 알렉스 싱어는 헬리콥터를 타고 레바논에 투입되어 이스라엘로 향하던 테러리스트들을 저지하기 위한 작전을 수행했다. 그는 부상을 입은 그의 중대장을 구하는 중에 사망했다.

짐과 알렉스의 일은 이 이야기의 한 부분이다. 이 창업국가가 얼마나 엄청난 국가가 되었는지에 대한 놀라움을 그들과 함께 나눌 수 없다는 점이 안타까울 뿐이다.

옮긴이의 글

지난 2006년 3월, KT 부사장으로 재직하던 당시 에후드 올메르트 이스라엘 부총리의 초청으로 이스라엘을 일주일간 방문하게 되었다. 짧은 여정이었지만 처절하리만치 자원이 열악한 그곳에서 인간의 두뇌에 담긴 지식 자원을 개간하며 세계의 신기술과 혁신을 이끌어가는 이스라엘의 국가경영 패러다임을 온몸으로 느끼고 전율하지 않을 수 없었다. 세계경제 순위로만 본다면 30위권 이하이지만 지식자원을 자본으로 환산한 지식 캐피탈의 규모는 세계 3위에 이른다는 그들 나름의 계산방식에 놀라지 않을 수 없었다.

자세히 살펴보니 우리보다 국토도, 인구도, 자원도 열악하기 그지없는 그들이 적들에 둘러싸인 채 전쟁의 소용돌이에서 1960년대 세계 최고의 농업국가를 통과하여 지금은 검증된 혁신의 제왕들만이 통과할 수 있는 기술 벤처들의 천국으로 자리 잡고 있으며, 이를 통해 전 세계의 기술경제를 10년 정도 앞서가면서 미리 기다리는 지혜를 읽을 수 있었다.

이 책은 적들의 포탄이 떨어지는 수에 비례하여 오히려 경제가 성장할 수밖에 없다는 저자들의 주장과 실제로 워런 버핏과 같은 투자가들이 투자한 결과를 견주어보면서 역설적인 논리를 설득력 있게 제시해 주고 있다. 그들의 잡초 같은 민족성, 올바른 교육이 평생의 자산이라고 여기는 교육관,

부자간에도 이름을 부르는 대담한 평등의식, 대안이 없는 남녀 공동의 국방 의무, 인구를 늘리기 위한 무한개방의 이민정책 등은 우리나라를 포함해 자원은 없으나 좋은 인적자원을 자랑하는 나라들에 많은 것을 시사하고 있다.

그간 산업사회를 거쳐 하이테크 산업에 이르는 동안 우리의 경제 발전은 비교적 순항을 해왔지만 본격적인 지식경제를 앞두고 있는 시점에서 '자원이 없는 나라의 국가경영'이라는 화두를 생각해 볼 때 이 책은 적어도 다음 10년의 국가경영에 피드백되어야 할 많은 주제를 담고 있다 하겠다. 실로 현존하는 100명 이상의 생생한 목소리를 직접 인터뷰하고 인용하여 엮은 이 책은 300여 페이지의 단순히 재미있는 에피소드 모음이라기보다는 60년짜리 신생국가가 험난한 세상에 태어나 유아기를 거쳐 청소년기를 지나 이제 막 성인이 되기까지의 '국가 서사시'라고 생각하는 것이 더 적절할 것으로 생각된다.

이 책은 역자가 몸담고 있는 미국 뉴저지주 머레이힐에 자리한 벨연구소의 한국인 과학자 이원석(Won Lee) 박사와 이재식(Jae Sik Lee) 박사, 뉴저지 버겐카운티의 한·이스라엘 학부모 모임의 박혜경(Angela Pak) 님, 그리고 서울대학교 경제학부에서 국제경제를 연구하고 있는 윤세진(Sae Jin Yoon) 양의 자문과 경험에 힘입어 번역되었다.

이원석 박사는 노벨상 수상자를 13명이나 배출한 벨 연구소가 자랑하는 유닉스 연구실을 거쳐 지금은 IT기술을 융합하여 차세대 연구개발 과제를 발굴하기 위해 전 세계 최고의 다양한 연구소와 협력하는 일을 책임지고 있다.

이재식 박사는 벨 연구소 근무 중 이 책에 자극을 받아 지금은 프린스턴 대학의 배후에 있는 IT클러스터에서 베터리를 지능화하여 세계에서 가장 효율성 있는 충전율을 목표로 '나비타스 솔루션'이라는 벤처를 창업했다.

박혜경 님은 우리의 감성을 하나도 빠뜨림 없이 영문으로 옮기는 것을 목표로 근대 한국 소설을 분석하는 일을 해오고 있다.

윤세진 양은 경제학 중에서도 인터넷 이후의 새로운 경제질서를 '인터노믹스'로 정의하여 노동가치 중심의 기존 경제에 대응하는 지식경제 기반의 새로운 인터넷 경제학을 연구하고 있다.

아무쪼록 이 책이 세계 인구의 0.2퍼센트에 불과한 인구로 노벨상 수상자의 22퍼센트를 배출하고, 세계 원자력 안전기술을 장악하고 있으며, 해수의 담수화 기술 특허를 독점하고 있고, 인터넷 보안기술을 석권해가며 세계 지식경제를 리드해가는 이스라엘의 지혜를 거울삼아 우리 사회의 각 영역을 재설계하는 데 도움이 되기를 바라는 마음이다.

2010년 7월
뉴저지 벨연구소에서
윤종록

참고자료

들어가는 글 · 불황을 모르는 그들

- Interview with Shimon Peres, President of Israel, December 2008; and interviews with Shai Agassi, founder and CEO of Better Place, March 2008 and March 2009.
- Shai Agassi's blog, "Tom Friedman's Column," July 26, 2008, http://shaiagassi. typepad.com/.
- Daniel Roth, "Driven: Shai Agassi's Audacious Plan to Put Electric Cars on the Road," *Wired*, vol. 16, no. 9 (August 18, 2008).
- Haim Handwerker, "U.S. Entrepreneur Makes Aliyah Seeking 'Next Big Invention,'" *Haaretz*, August 28, 2008.
- Israel Venture Capital Research Center, www.ivc-online.com.
- Dow Jones, VentureSource.
- Donna Rosenthal, *The Israelis: Ordinary People in an Extraordinary Land* (New York: Free Press, 2005).
- Standard of living comparative data from www.gapminder.com.
- Mark Twain, *The Innocents Abroad: or, The New Pilgrims' Progress* (Hartford: American Publishing Company, 1870).
- Interviews with Gidi Grinstein, founder and president, Reut Institute, May and August 2008.
- Interview with Eric Schmidt, chairman and CEO, Google, June 2009; Maayan Cohen and Reuters, "Microsoft CEO, in Herzliya: Our Company Almost as Israeli as American," *Haaretz*, May 21, 2008.
- "The Global 2000," Forbes.com, March 29, 2007; http://www.forbes.com/lists/2007/ 18/biz_07forbes2000_The-Global-2000_IndName.html; and "Recent International Mergers and Acquisitions," http://www.investinisrael.gov.il/NR/exeres/FOFA7315- 4D4A-4FDCA2FA-AE5BF294B3C2.htm; and Augusto Lopez-Claros and Irene Mia, "Israel: Factors in the Emergence of an ICT Powerhouse," http://www.investinisrael. gov.il/NR/rdonlyres/61BD95A0-898B-4F48-A795-5886B1C4F08C/0/israelcomplete

web.pdf.

- Paul Smith, senior vice president of Philips Medical, quoted in Invest in Israel, "Life Sciences in Israel: Inspiration, Invention, Innovation" (Israel Ministry of Industry, Trade and Labor, Investment Promotion Center, 2006).
- Interviews with Gary Shainberg, vice president for technology and innovation, British Telecom, May and August 2008.
- Interview with jessica Schell, vice president, NBC Universal, Inc., April and June 2008.
- David McWilliams, "We're All Israelis Now," April 25, 2004, http://www.davidmc williams.ie/2004/04/25/were-all-israelis-now.
- Background interview with senior eBay executive.
- Curtis R. Carlson, CEO of Stanford Research Institute International, in "We Are All Innovators now," *Economist Intelligence Unit*, October 17, 2007.
- John Kao, *Innovation Nation: How America Is losing Its Innovation Edge, Why It Matters and What We Can Do to Get It Back* (New York: Free Press, 2007).
- Robert M. Solow, "Growth Theory and After," Nobel Prize lecture, December 8, 1987, http://nobelprize.org/nobel_prizes/economics/laureates/1987/solow-lecture.html.
- Interview with Carl Schramm, president of the Kauffman Foundation, March 2009.
- *Paths to Prosperity: Promoting Entrepreneurship in the Twenty-first Century*, Monitor Company, January 2009.
- Michael Mandel, "Can America Invent Its Way Back?" *BusinessWeek*, September 11, 2008.

1장 · 불굴의 인내

- Interviews with Scott Thompson, president, PayPal, October 2008 and January 2009; Meg Whitman, former president and CEO of eBay, September 2008; and Eli Barkat, chairman and cofounder, BRM Group, and seed investor in Fraud Sciences, January 2009.
- Leo Rosten, *The Joys of Yiddish* (New York: McGraw-Hill, 1968).
- Loren Gary, "The Right Kind of Failure," *Harvard Management Update*, January 1, 2002.
- Background interview with Israeli Air Force trainer, May 2008.
- Paul Gompers, Anna Kovner, Josh Lerner, and David S. Scharfstein, "Skill vs. Luck in Entrepreneurship and Venture Capital: Evidence from Serial Entrepreneurs," working paper 12592, national Bureau of Economic Research, October 2006, http://imio.haas.berkley.edu/williamsonseminar/scharfstein041207.pdf.

- Eric Weiner, *The Geography of Bliss: One Grump's Search for the Happiest Places in the World* (New York: Twelve, 2008).
- Ian King, "How israel Saved Intel," *Seattle Times*, April 9, 2007.
- Shahar Zadok, "Intel Dedicates Fab 28 in Kiryat Gat," *Globes Online*, July 1, 2008.
- Michael S. Malone, *Infinite Loop: How Apple, the World's Most Insanely Great Computer Company, Went Insane* (New York: Doubleday Business, 1999); quoted in "Inside Intel: The Art of Andy Grove," *Harvard Business School Bulletin*, December 2006.
- David Perlmutter in "Intel Beyond 2003: Looking for its Third Act," by Robert A. Burgelman and Philip Meza, Stanford Graduate School of Business, 2003.
- Interview with Shmuel Eden, vice president and general manager, Mobile Platforms Group, Intel, November 2008.
- Ian King, "Intel's Israelis Make Chip to Rescue Company from Profit Plunge," Bloomberg.com, March 28, 2007.
- Eliot A. Cohen, *Supreme Command: Soldiers, Statesmen, and Leadership in Wartime* (New York: Free Press, 2002).
- Dov Frohman and Robert Howard, *Leadership the Hard Way: Why Leadership Can't Be Taught and How You Can learn It Anyway* (San Fran-cisco: Jossey-Bass, 2008).
- "Energy Savings: The Right Hand Turn," video presentation by John Skinner, Intel Web site, http://video.intel.com/?fr_story=542de663c9824ce580001de5fba31591cd5b5cf3&rf=sitemap.
- Interview with Shmuel Eden.

2장 · 전쟁터의 기업가들

- Epigraph: Interview with Eric Schmidt.
- Interview with Abraham Rabinovich, historian, December 2008.
- Azriel Lorber, *Misguided Weapons: Technological Failure and Surprise on the Battlefield* (Dulles, Va.: Potomac Books, 2002).
- Interview with Michael Oren, senior fellow, Shalem Center, May 2008.
- Interview with Edward Luttwak, senior associate, Center for Strategic and International Studies, December 2008.
- Interview with Major Gilad Farhi, commander, Kfir infantry unit, IDF, November 2008.
- Interview with Brigadier General Rami Ben-Ephraim, head of Personnel Division, Israeli Air Force, November 2008. The name of the pilot is fictitious since the IDF does not allow publication of names of most pilots.

- Interview with Major General (res.) Aharon Zeevi-Farkash, former head of 8200, IDF, May 2008.
- Interview with Frederick W. Kagan, military historian and resident scholar, American Enterprise Institute for Public Policy Research (AEI), December 2009.
- Interview with Nathan Ron, attorney and IDF Lieutenant Colonel(res.), Ron-Festinger Law Offices, December 2008.
- Interview with Amos Goren, venture partner, Apax, January 2009.
- Amos Oz, speech at the Israeli Presidential Conference, jerusalem, May 14, 2008.
- Interview with Lieutenant General (res.) Moshe Yaalon, Likud member of Knesset and former chief of staff, IDF, May 2008.

3장 · 개척이란 이름의 사람들

- Patrick Symmes, "The Book," *Outside*, August 2005; and an interview with Darya Maoz, owner, El Lobo restaurant and guesthouse in La Paz, Bolivia, March 2009.
- Aaron J. Sarna, *Boycott and Blacklist: A History of Arab Economic War-fare Against Israel* (Totowa, N.J.: Rowman & Littlefield, 1986).
- Chaim Fershtman and Neil Gandal, "The Effect of the Arab Boy-cott on Israel: The Automobile Market," *Rand Journal of Economics*, vol. 29, no. 1 (Spring 1998).
- Christopher Joyner, quoted in Aaron J. Sarna, *Boycott and Blacklist: A History of Arab Economic Warfare Against Israel*.
- Interview with Orna Berry, venture partner, Gemini Israel Funds, January 2009.
- Interview with Gil Kerbs, venture capitalist and contributor to *Forbes*, January 2009.
- Interview with Edward Luttwak, December 2008.
- Interview with Alex Vieux, CEO of Red Herring, May 2009.

4장 · 하버드, 프린스턴, 예일 그리고 엘리트 군대

- Interview with David Amir (fictitious name), August 2008.
- Interview with Gil Kerbs, venture capitalist, January 2009.
- Interview with Gary Shainberg, vice president for technology and innovation, British Telecom, August 2008.
- *IMD World Competitiveness Yearbook* (Lausanne, Switzerland: IMD, 2005).
- Interview with Mark Gerson, executive chairman, Gerson Lehrman Group, January 2009.
- Interview with Tal Keinan, confounder KCPS, May 2008.
- Interview with Yossi Vardi, angel investor, May 2008.

- Background interview with U.S. Army recruiter, January 2009.
- David Lipsky, *Absolutely American: Four Years at West Point*, and interview with Lipsky in March 2009.
- Interview with Colonel (res.) John Lowry, general manager at Harley-Davidson Motor Company, November 2008.
- Interview with Jon Medved, CEO and board member, Vringo, may 2008.
- Interview with *General John Abizaid*, May 2009.
- Interview with Tom Brokaw, author, *The Greatest Generation*, April 2009.
- Interview with Al Chase, corporate executive recruiter and founder, White Rhino Partners, February 2009.
- Interview with Nathaniel Fick, author of *One Bullet Away*, March 2008.
- Interview with Brian Tice, captain (res.), U.S. Marine Corps, February 2009.

5장 · 혼돈, 그 속의 질서

- CIA, "Field Listing—Military Service Age and Obligation," *The 2008 World Factbook.*
- Mindef Singapore, "Ministerial Statement on National Service Defaulters by Minister for Defence Teo Chee Hean," January 16, 2006.
- Amnon Barzilai, "A Deep, Dark Secret Love Affair," http://www.israelforum.com/board/archive/index.php/t-6321.html.
- Mindef Singapore, "Speech by Prime Minister Goh Chok Tong at the 35 Year of National Service Commemoration Dinner," September 7, 2007.
- BBC News, "Singapore Elder Statesman," July 5, 2000, http://news.bbc.co.uk/2/hi/programmes/from_our_own_correspondent/820234.stm; retrieved November 2008.
- James Flanigan, "Israeli Companies Seek Global Profile," *New York Times*, May 20, 2009.
- Interview with Laurent Haug, founder and CEO, Lift Conference, May 2009.
- Interview with Tal Riesenfeld, founder and vice president of marketing, EyeView, December 2008.
- Michael A. Roberto, Amy C. Edmondson, and Richard M. J. Bohmer, "*Columbia's Final Mission*," Harvard Business School Case Study, 2006; charles Murray and Catherine Bly Cox, *Apollo* (Birkittsville, Md.: South Mountain Books, 2004); Jim Lovell and Jeffrey Kluger, *Apollo 13* (New York: Mariner Books, 2006); and Gene Kranz, *Failure Is Not an Option Mission Control from Mercury to Apollo 13 and Beyond* (New York: Berkley, 2009).
- Michael Useem, *The Leadership Moment: Nine True Stories of Triumph and Disaster and Their Lessons for Us All* (New York: Three Rivers, 1998).

- Roberta Wohlstetter quoted in Michael A. Roberto, Richard M. J. Bohmer, and Amy C. Edmondson, "Facing Ambiguous Threats," *Harvard Business Review*, November 2006.
- Interview with Yuval Dotan (fictitious name), IAF fighter pilot, May 2008.
- Interview with Edward Luttwak, December 2008.
- Interview with Eliot A. Cohen, director of the Strategic Studies Program, Paul H. Nitze School of Advanced International Studies, Johns Hopkins University, January 2009.
- Lieutenant Colonel Paul Yingling quoted in Thomas E. Ricks, "A Brave Lieutenant Colonel Speaks Out: Why Most of Our Generals Are Dinosaurs," *Foreign Policy*, January 1, 2009, http://ricks.foreignpolicy.com/posts/2009/01/22/a_brave_colonel_speaks_out_why_most_of_our_generals_are_dinosaurs.
- Lieutenant Colonel Paul Yingling (United States Army), "A Failure in Generalship," *Armed Forces Journal*, 2007, http://www.armedforcesjournal.com/2007/05/2635198.
- Giora Eiland, "The IDF: Addressing the Failures of the Second Lebanon War," in *The Middle East Strategic Balance 2007-2008*, edited by Mark A. Heller (Tel Aviv: Institute for National Security Studies, 2008).
- Interview with Carl Schramm, march 2009.
- William J. Baumol, Robert E. Litan, and Carl J. Schramm, *Good Capitalism, Bad Capitalism, and the Economics of Growth and Prosperity* (New Haven: Yale University Press, 2007); and Carl Schramm, "Economic Fluidity: A Crucial Dimension of Economic Freedom," in 2008 *Index of Economic Freedom*, edited by Kim R. Holmes, Edwin J. Feulner, and Mary Anastasia O'Grady (Washington D.C.: Heritage Foundation, 2008).

6장 · 작동하기 시작하는 산업

- Central Bureau of Statistics (Israel), "Gross Domestic Product and Uses of Resources, in the Years 1950-1995," in *Statistical Abstract of Israel 2008*, no. 59, table 14.1, http://www.cbs.gov.il/reader/shnaton/templ_shnaton_e.html?num_tab=st14_01x&C Year=2008.
- Howard M. Sacher, *A History of Israel: From the Rise of Zionism to Our Time*, 2nd ed. (New York: Knopf, 1996).
- "Yishuv," in *Encyclopedia Judaica*, 2nd ed., vol. 10.
- Time/CBS News, *People of the Century: One Hundred Men and Women Who Shaped the Last Hundred Years* (New York: Simon & Schuster, 1999).
- Leon Wieseltier, "Brothers and Keepers: Black Jews and the Meaning of Zionism," *New Republic*, February 11, 1985.

- Meirav Arlosoroff, "Once Politicians Died Poor," *Haaretz*, June 8, 2008.
- Daniel Gavron, *The Kibbutz: Awakening from Utopia* (Lanham, Md.: Rowman & Littlefield, 2000).
- Bruno Bettelheim, *The Children of the Dream: Communal Child-Rearing and American Education* (New York: Simon & Schuster, 2001).
- Alon Tal, *Pollution in a Promised Land: An Environmental History of Israel* (Berkeley: University of California Press, 2002).
- Alon Tal, "National Report of Israel, Years 2003-2005, to the United Nations Convention to Combat Desertification (UNCCD)," July 2006, http://www.unced.int/cop/reports/otheraffected/national/2006/israel-eng.pdf.
- Dina Kraft, "From Far Beneath the israeli Desert, Water Sustains a Fertile Enterprise," *New York Times*, January 2, 2007.
- Web sites of the Weizmann Institute, Yatir Forest Research Group, http://www.weizmann.ac.il/ESER/People/Yakir/YATIR/Yatir. htm, and the Keren Kayemeth LeIsrael/Jewish National Fund, http://www.kkl.org.il/kkl/english/main_subject/globalwarming/israeli%20research%20has%20worldwide%20implications.x.
- Reut Institute, "Generating a Socio-economic Leapfrog," February 14, 2008, http://reut-institute.org/data/uploads/PDFVer/20080218%20_%20%20Hausman% 27s%20main%20issues-%20English.pdf.
- Reut Institute, "Israel 15 Vision," http://www.reut-institute.org/event.aspx?EventId=6.
- Yakir Plessner, *The Political Economy of Israel: From ideology to Stagnation* (Albany: State University of New York press, 1994).
- David Rosenberg, "Inflation—the Rise and Fall," Ministry of Foreign Affairs Web site, January 2001, http://www.mfa.gov.il.
- CNNMoney.com, "Best Places to Do Business in the Wired World," http://money.cnn.com/galleries/2007/biz2/0708/gallery.roadwarriorsspecial.biz2/11.html.
- Orna Yefet, "McDonalds," *Yediot Ahronot*, October 29, 2006.

7장 • 이민, 도전의 화신들

- Interview with Shlomo Molla, member of Knesset, Kadima Party, March 2009.
- Leon Wieseltier, "Brothers and Keepers: Black Jews and the Meaning of Zionism."
- Joel Brinkley, "Ethiopian Jews and Israelis Exult as Airlift Is Completed," *New York Times*, May 26, 1991.
- David A. Vise and Mark Malseed, *The Google Story* (New York: Delacorte, 2005).
- Interview with Natan Sharansky, chairman and distinguished fellow, Adelson Institute for Strategic Studies, Shalem Center, and founder of Yisrael B'Aliya, May 2008.

- Interview with David Mc Williams, Irish economist and author of *The Pope's Children*, March 2009.
- Interview with Erel Margalit, founder of Jerusalem Venture Partners (JVP), May 2008.
- Interview with Reuven Agassi, December 2008.
- David Wyman, *Paper Walls: America and the Refugee Crisis, 1938-1941* (New York: pantheon, 1985).
- Leonard Dinnerstein in *America and the Survivors of the Holocaust* (New York: Columbia University Press, 1986).
- The document can be found at http://www.jewishvirtuallibrary.org/jsource/History/ Dec_of_Indep.html.
- Donna Rosenthal, *The Israelis: Ordinary People in an Extraordinary Land* (New York: Free Press, 2005).

8장 • 디아스포라, 훔친 비행기를 타고

- Fred Vogelstein, "The Cisco Kid Rides Again," *Fortune*, July 26, 2004; http://money.cnn. com/magazines/fortune/fortune_archive/2004/07/26/377145/index.htm; and interview with Michael Laor, founder of Cisco Systems Development Center in Israel, February 2009.
- Marguerite Reardon, "Cisco Router Makes Guinness World Records," July 1, 2004, *CNET News*, http://news.cnet.com/Cisco-router-makes-Guinness-WorldRecords/ 2100-1033_ 3-5254291.html?tag=nefd.top; retrieved January 2009.
- Marguerite Reardon, "Cisco Sees Momentum in Sales of Key Router," *TechRepublic*, December 6, 2004, http://articles.techrepublic.com.com/5100-22_11-5479086.html; and Cisco, press release, "Growth of Video Service Delivery Drives Sales of Cisco CRS_1, the World's Most Powerful Routing Platform, to Double in Nine Months," April 1, 2008, http://newsroom.cisco.com/dlls/2008/prod_040108c.html.
- Interview with Yoav Samet, Cisco's corporate business development manager in Israel, Central/Eastern Europe, and Russia/CIS, January 2009.
- Richard Devane, "The Dynamics of Diaspora Networks: Lessons of Experience," in *Diaspora Networks and the International Migration Skills*, edited by Yevgeny Kuznetsov (Washington, D.C.: World Bank Publications, 2006).
- Jenny Johnston, "The new Argonauts: An Interview with AnnaLee Saxenian," July 2006, GBN Global Business Network, http://thenewargonauts.com/GBNinterview.pdf?aid= 37652.
- Anthony David, *The Sky Is the Limit: Al Schwimmer, the Founder of the Israeli Aircraft Industry* (Tel Aviv: Schocken Books, 2008; in Hebrew).

- Interview with Shimon Peres.
- Shimon Peres, *David's Sling* (New York: Random House, 1970).

9장 · 워런 버핏의 테스트

- Interview with Yoelle Maarek, former director, Google's R & D Center in Haifa, Israel, January 2009.
- Joel Leyden, "Microsoft Bill Gates Takes Google, Terrorism War to Israel," Israel News Agency, 2006, http://www.israelnewsagency.com/microsoftgoogleisraelseo 581030.html; retrieved November 2008.
- Transcript of a documentary film interview conducted by the American Israel Public Affairs Committee (AIPAC) in 2007.
- Interview with Alice Schroeder, author of *The Snowball*, 2008.
- Uzi Rubin, "Hizballah's Rocket Campaign Against Northern Israel: A Preliminary Report," *Jerusalem Issue Brief*, vol. 6, no. 10 (August 31, 2006), http://www.jcpa.org/brief/brief006-10.htm.
- Interview with Eitan Wertheimer, chairman of the board of Iscar, January 2009.
- Dov Frohman with Robert Howard, *Leadership the hard Way: Why Leadership Can't Be Taught—and How You Can Learn It Anyway* (San Francisco: Jossey-Bass, 2008).
- Interview in this passage with senior Intel executive were on back-ground, December 2008.

10장 · 혁신은 요즈마 펀드를 타고

- Jennifer Friedlin, "Woman on a Mission," *Jerusalem Post*, April 20, 1997.
- Interview with Orna Berry, partner in Gemini Israel Funds, and chairperson of several Gemini portfolio companies, January 2009.
- Interview with Jon Medved, CEO and board member, Vringo, May 2008.
- Interview with Yigal Erlich, founder, chairman, and managing partner of the Yozma Group, May 2008.
- Gil Avnimelech and Morris Tuebal, "Venture Capital Policy in Israel: A Comparative Analysis and Lessons for Other Countries," research paper, Hebrew University School of Business Administration and School of Economics, October 2002.
- Interview with Ed Mlavsky, chairman and founding partner of Gemini Israel Funds, December 2008.
- BIRD (Israel-U.S. Binational Industrial Research and Development Foundation), "BIRD Foundation to Invest $9 Million in 12 Advanced Development Projects in Life

Sciences, Energy, Communications, Software and Nanotechnology," http://www. birdf.com/_Uploads/255BOG08PREng.pdf.

- Dan Breznitz, *Innovation of the State* (New Haven: Yale University Press, 2007).
- Ed mlavsky in a PowerPoint slid presentation to Wharton MBA students, 2008.
- Yossi Sela, managing partner, Gemini Venture Funds, http://www.gemini.co.il/?p= TeamMember&CategoryID=161&MemberId=197.
- Interview with Erel Margalit.
- David McWilliams, "Ireland Inc. Gets Innovated," *Sunday Business Post On-Line*, December 21, 2008, http://www.sbpost.ie/post/pages/p/story.aspx-qqqt=DAVID+ McWilliams-qqqs=commentandanalysis-qqqid=38312-qqqx=1.asp; retrieved January 2009.
- Interview with Tal Keinan, cofounder of KCPS, May and December 2008.
- Interview with Ron Dermer, former economic attaché, Embassy of Israel in United States, and senior adviser to Prime Minister Benjamin Netanyahu, September 2008.
- Interview with Benjamin Netanyahu, prime minister of Israel, December 2008.

11장 • 배신이 가져다준 기회

- Julie Ball, "Israel's Booming Hi-Tech Industry," *BBC News*, October 6 2008, http:// news.bbc.co.uk/2/hi/business/7654780.stm; retrieved January 2009.
- John Kao, *Innovation Nation* (New York: Free Press, 2007).
- Michael Bar-Zohar, *Shimon Peres: The Biography* (New York: Random House, 2007).
- Reuters, "Peres Biography: Israel, France had Secret Pact to Produce Nuclear Weapons," May 30, 2007.
- Michael M. Laskier, "Israel and Algeria amid French Colonialism and the Arab-Israeli Conflict, 1954-1978," *Israel Studies*, June 2, 2001, http://muse.jhu.edu/journals/ israel_studies/v006/6.2laskier.html; retrieved September 2008.
- Alexis Berg and Dominique Vidal, "De Gaulle's Lonely Predictions," *Le Monde Diplomatique*, June 2007, http://mondediplo.com/2007/06/10degaulle; retrieved September, 2008.
- Berg and Vidal, "De Gaulle's Lonely Predictions."
- "Israel's Fugitive Flotilla," *Time*, January 12, 1970, http://www.time.com/time/ magazine/article/0,9171,942140,00.html.
- Stewart Wilson, *Combat Aircraft Since 1945* (Fyshwick, Australia: Aerospace Publications, 2000).
- Ruud Deurenberg, "Israel Aircraft Industries and Lavi," *Jewish Virtual Library*, January 26, 2009, http://www.jewishvirtuallibrary.org/jsource/Society_&_Culture/

lavi.html.

- James P. DeLoughry, "The United States and the Lavi," *Airpower Journal* vol. 4, no. 3 (1990), http://www.fas.org/man/dod-101/sys/ac/row/3fal90.htm.
- Interview with Yossi Gross, director and cofounder of TransPharma Medical, and founder of many medical-device start-ups, December 2008.

12장 · 미사일 탄두에서 온천수에 이르기까지

- Interview with Doug Wood, head of creative affairs, Animation Lab, May 2008.
- Interview with Yuval Dotan (fictitious name), December 2008.
- Manuel Trajtenberg and Gil Shiff, "Identification and Mobility of Israeli Patenting Inventors," Discussion Paper No. 5-2008, Pinchas Sapir Center for Development, Tel Aviv University, April 2008.
- John Russell, "Compugen Transforms Its Business," Bio-ITWorld.com, October 17, 2005, http://www.bio-itworld.com/issues/2005/oct/bus-compugen?page:int=-1.
- Interview with Ruti Alon, partner, Pitango Venture Capital, and chairperson, boards of BioControl, BrainsGate and TransPharma Medical, December 2008.

13장 · 두바이 개발 프로젝트의 딜레마

- Interview with Michael Porter, professor of economics, Harvard Business School, March 2009.
- Rhoula Khalaf, "Dubai's Ruler Has Big Ideas for His Little City State," *Financial Times*, May 3, 2007.
- Michael Matley and Laura Dillon, "Dubai Strategy: Past, Present, Future," Harvard Business School, February 27, 2007.
- Assaf Gilad, "Silicon Wadi: Who Will Internet Entrepreneurs Turn to in Crisis?" *Cataclist*, September 19, 1998.
- Saul Singer, "Superpower in Silicon Wadi," *Jerusalem Post*, June 19, 1998.
- Steve Lohr, "Like J. P. Morgan, Warren Buffett Braves a Crisis," *New York Times*, October 5, 2008.
- Eyal Marcus, "Israeli Start-ups Impress at TechCrunch50," *Globes Online*, September 14, 2008.
- James C. Collins and Jerry I. Porras, *Built to Last: Successful Habits of Visionary Companies* (New York: HarperCollins, 1997).
- Barbara W. Tuchman, *Practicing History: Selected Essays* (New York: Ballantine Books, 1982), quoted in Collins and Porras, *Built to Last*.

- Interview with Riad al-Allawi, Jordanian entrepreneur, March 2009.
- Fadi Ghandour, in Stefan Theil, "Teaching Entrepreneurship in the Arab World," *Newsweek International*, August 14, 2007; also available at http://www.gmfus.org/publications/article.cfm?id=332; retrieved March 2009.
- Bernard Lewis, "Free at Last? The Arab World in the Twenty-first Century," *Foreign Affairs*, March/April 2009.
- Christopher M. Davidson, *Dubai: The Vulnerability of Success* (New York: Columbia University Press, 2008).
- UNDP (United Nations Development Programme), *The Arab Human Development Report, 2005: Towards the Rise of Women in the Arab World* (New York: United Nations Publications, 2006).
- Interview with Christopher M. Davidson, author of *Dubai: The Vulnerability of Success*, March 2009.
- Fannie F. Andrews, *The Holy Land Under Mandate*, vol. 2 (Boston: Houghton and Mifflin, 1931).
- Hagit Messer-Yaron, *Capitalism and the Ivory Tower* (Tel Aviv: Ministry of Defence Publishing, 2008).
- America-Israel Friendship League, "Facts About Israel and the U.S.," http://www.aifl.org/html/web/resource_facts.html.
- McKinsey & Company, "Perspective on the Middle East, North Africa and South Asia (MENASA) region," July 2008.
- David Landes, *The Wealth and Poverty of Nations* (New York: Norton, 1999).

14장 • 경제기적의 뒤안길에 도사리는 위협 요인들

- Joanna Chen, "The Chosen Stocks Rally," *Newsweek*, March 14, 2009, http://www.newsweek.com/id/189283.
- Amiram Cohen, "Kibbutz Industries Also Adopt Four-Day Workweek," *Haaretz*, March 12, 2009, http://www.haaretz.com/hasen/spages/1070086.html.
- Interview with Benjamin Netanyahu, prime minister of Israel, December 2008.
- Jennifer Evans, "Best Places to Work for Postdocs 2009," *The Scientist.com*, vol. 23, no. 3, http://www.the-scientist.com/bptw.
- Interview with Dan Ben-David, Department of Economics, Tel Aviv University, June 2008.
- U.S.-Israel Science and Technology Foundation, *Israel 2028: Vision and Strategy for Economy and Society in a Global World*, edited by David Brodet, March 2008.
- Dan Ben-David, "The Moment of Truth," *Haaretz*, February 6, 2007. Also reprinted

with graphs on Dan Ben-David's Web site:http://tau.ac.il/~danib/articles/MomentOfTruthEng.htm.

- Helmi Kittani and Hanoch Marmari, "The Glass Wall," Center for Jewish-Arab Economic Development, June 15, 2006, http://www.cjaed.org.il/Index.asp?ArticleID=269&CategoryID=147&Page=1.
- Yoav Stern, "Study: Israeli Arab Attitudes Toward Women Undergoing Change," *Haaretz*, March 14, 2009, http://www.haaretz.com/hasen/spages/1008797.html.
- Reut Institute, "Last Chance to Become an Economic Superpower," March 5, 2009, http://reut-institute.org/en/Publication.aspx?PublicationId=3573.
- Thomas Friedman speech at Reut Institute conference, Tel Aviv, June 2008.

맺는 글 • 하이테크를 경작하는 21세기 농부들

- Organisation for Economic Co-operation and Development (OECD) and European Patent Office, "Compendium of Patent Statistics," 2008, http://www.oece.org/dataoecd/5/19/37569377.pdf.
- Interview with Antti Vilpponen, founder, ArcticStartup, January 2009.
- Craig L. Pearce, "Follow the Leaders," *Wall Street Journal/MIT Sloan Management Review*, July 7, 2008, http://sloanreview.mit.edu/business-insight/articles/2008/3/5034/ follow-the-leaders/.
- Gallup, "Gallup Reveals the Formula for Innovation," *Gallup Management Journal*, May 10, 2007, http://gmj.gallup.com/content/27514/Gallup-Reveals-the-Formula-for-%20Innovation.aspx.
- Dov Frohman and Robert Howard, *Leadership the Hard Way: Why Leadership Can't be Taught—and How You Can Learn It Anyway* (San Francisco: Jossey-Bass,2008).
- Ronald Bailey, "Post-Scarcity Prophet: Economist Paul Romer on Growth, Technological Change, and an Unlimited Human Future," *Reason Online*, December 2001, http://www.reason.com/news/show/28243.html.
- Ronald Bailey, "Post-Scarcity Prophet"; and Paul Romer, "Economic Growth," both in *The Concise Encyclopedia of Economics*, edited by David R. Henderson (Indianapolis: Liberty Fund, 2007), http://www.stanford.edu/~promer/EconomicGrowth.pdf.

21세기 이스라엘 경제성장의 비밀

창업국가

2010년 8월 15일 초판 1쇄 발행
2010년 8월 20일 초판 2쇄 발행

지은이　　댄 세노르 · 사울 싱어
옮긴이　　윤종록
펴낸이　　김영애
펴낸곳　　**다할미디어**

등록일　　1999년 11월 1일
등　록　　제20-0169호
주　소　　우137-903 서울시 서초구 잠원동 22-10 성원빌딩 2층
　　　　　www.dahal.co.kr
전　화　　02. 3446. 5381
팩　스　　02. 3446. 5380
이메일　　dahal@dahal.co.kr

ISBN : 978-89-89988-73-1 03320

값 15,000원